МАРШ ТУРЕЦКОГО

ФРИДРИХ
НЕЗНАНСКИЙ

Операция
«Сострадание»

Фридрих
НЕЗНАНСКИЙ

Операция
«Сострадание»

ИЗДАТЕЛЬСТВО ОЛИМП

МОСКВА
2006

УДК 821.161.1-312.4
ББК 84(2Рос=Рус)6-44
    Н44

Серия основана в 1995 году

Подписано в печать с готовых диапозитивов заказчика 10.03.06.
Формат 84×108^1/$_{32}$. Бумага газетная. Печать офсетная.
Усл. печ. л. 16,8. Тираж 12 000 экз. Заказ 1020.

ISBN 5-17-037592-1 (ООО «Издательство АСТ»)
ISBN 5-7390-1899-4 (ООО «Агентство «КРПА «Олимп»)
ISBN 985-13-7639-6 (ООО «Харвест»)

Глава первая

КРОВЬ В ТРОПАРЕВСКОМ ПАРКЕ

Середина ноября в Тропаревском парке являла взгляду прозрачность и голизну сквозящих ветвей и стволов, бурые островки последней травы посреди сырой почвы, почернелой и обнаженной. Обегая ежедневным утренним маршрутом дорожки парка и контролируя частоту дыхания, тренер женской сборной Москвы по волейболу и мастер спорта Лев Прокофьевич Никитин впервые за все потраченное сегодня на физкультуру время присмотрелся к окружающему пейзажу. Точнее, он и присмотреться толком не успел, двигаясь в привычном ритме заведенной и хорошо смазанной спортивной машины, как вдруг его выносливое, не тронутое атеросклерозом сердце уколола эта последняя сквозистость. И безнадежность... Что-то невероятно раннее и ранящее проступало в белесости затянутого облаками неба, помноженного на такой же белесый, уже развеивающийся в сырых прогалинах туман, что-то подчиненное распаду и покорно идущее на смерть. Хотя вообще-то Лев Прокофьевич не находил в смерти ничего красивого: совсем недавно, меньше месяца назад, он присутствовал на похоронах старого друга, чемпиона мира по футболу, и был неприятно поражен пластмассовой гладкостью его прежде морщинистого, но румяного и бодрого, привлекательного своей энергичностью лица... Но природа — совсем не то, что мы, люди: даже умирание ее украшает. Золотая осень миновала, отлетела разноцветными листьями, но и эта поздняя безлистая осень показалась Льву Прокофьевичу куда как хороша. Он назвал бы ее бронзовой осенью: отчасти за некоторую второсортность по сравнению с золотой, но прежде всего за бронзовый оттенок скульптурной изящности ветвей, который под листвой не заметен, а сейчас как раз его пора прорисовывать. Недолго продлится и этот печальный вид: за бронзовой, вопреки спортивной градации медалей, настанет время серебряной осени — это в самом конце ноября, когда деревья укутаются в пухлую посеребренную снежную вату и так уже и останутся до весны...

— Помогите! Кто-нибудь! Ну стойте же! Стойте!

От поэтических мыслей на тему природы Льва Прокофьевича отвлек препротивный, писклявый и капризный голос. Такой голосок должен принадлежать тощей, рыжей, малокровной и голенастой девчонке в очках, а достался — что делало его еще противнее — пенсионного возраста особе, похожей на ком теста, который с трудом втиснули соответственно погоде в серо-зеленый драповый балахон. Ком теста звался Натальей Венедиктовной Панченко, как то было известно Льву Прокофьевичу по опыту прежних столкновений. Столкновений — в буквальном смысле слова... Дело в том, что единственной радостью на склоне лет и светом очей Натальи Панченко была собака, спаниель по кличке Аврора. «Сука!» — это наименование половой принадлежности Авроры служило еще и ругательством у любителей утренних пробежек по Тропаревскому парку в те животрепещущие моменты, когда очаровательная

собачка, взмахивая черными ушками, с истошным тяв-
каньем неслась за бегунами, намереваясь тяпнуть за
икру. В азарте погони она то и дело попадала кому-ни-
будь под ноги, в результате чего принималась визжать,
будто ее ткнули ножом. На визг прикатывалась хозяй-
ка и, выхватывая свое сокровище из-под чужих ног,
принималась честить на все корки тех, кто носится как
угорелый по паркам, будто стадионов для них нет,
только порядочных собак пугают, и так далее, и тому
подобное... Попытки наладить мирное взаимопонима-
ние (в процессе которых Никитин узнал имя, отчество
и фамилию Аврориной хозяйки) неизменно терпели
провал. Было время, когда Лев Прокофьевич, человек,
по существу, не злой и любящий животных, серьезно
задумывался по поводу знаменательного совпадения:
визгливая Аврора принадлежит к той же породе, что и
всем известная с детства Муму. А что, Тропаревский
пруд, между прочим, рядом... Но до жестокого обращения с животным дело не дошло: Аврора повзрослела, в ее собачьей жизни появились другие увлечения и
развлечения, помимо кусания бегунов, и больше не
надо было готовиться к стычке, уловив краем глаза на
ближайшей дорожке или лужайке что-то черно-белое
и лохматое. Видя, что сокровищу больше ничто не уг-
рожает, и Панченко стала вести себя потише, хотя по-
прежнему провожала бегунов неодобрительными
взглядами из-под полей розовой крапчатой шляпки,
похожей на созревший мухомор. Лев Прокофьевич изредка здоровался с ней на бегу — какая ни есть, она все-
таки женщина. Может быть, поэтому она к нему и об-
ратилась?

— Стойте! О... чень... вас... про... шу...

Панченко отстала от тренированного Льва Прокофьевича на полметра, но с одышливым упорством про-

должала ковылять следом, и было бы, право, уж чересчур жестоко не остановиться и не спросить:

— В чем дело, Наталья Венедиктовна?

Неуместно намалеванный карминовой помадой рот скривился на сторону, вислые мешочки щек мокры — от пота? От слез? Лев Прокофьевич плохо знал Панченко, но до сих пор полагал, что такие сильные эмоции у нее способно вызвать лишь что-то связанное с Авророй. Аврора попала под машину, или застряла в развилке дерева, или нашелся благодетель человечества, который наконец-то показал Авроре, где раки зимуют, внушив ей простую мысль, что лаять без толку на всех подряд нехорошо, за это можно по морде схлопотать... Но Аврора послушно трюхала рядом с хозяйкой на поводке, и выражение черно-белой морды было непривычно задумчивое и чуть обиженное; Лев Прокофьевич даже сказал бы — угнетенное. Так выглядят избалованные дети, когда выпадают вдруг из центра внимания, то есть родителям, попросту говоря, не до них.

— Там... на берегу пруда... поймите меня правильно... я проходила мимо... там — голый мужчина!

— Голый мужчина? — повторил Лев Прокофьевич. — Что он там делает?

— Ничего... Лежит... Я подумала, нужна чья-то помощь... Я не врач...

— Наталья Венедиктовна, так и я не врач, — вздохнул Лев Прокофьевич, коря себя за доброту и всеми фибрами души ощущая, что вляпывается в какие-то неприятности. Вот тебе и утренняя зарядка, источник здоровья! — Ну пойдемте, посмотрим на вашего голого мужчину.

— Только вы... не так быстро... я за вами не успеваю!

Мысль, что неожиданная собеседница может выдать недостоверный факт, ни на минуту не пришла

8

Никитину в голову: может быть, Панченко и не выглядела кладезем ума, но и сумасшедшей она не была, это уж сто пудов. Кроме того, пруд в Тропаревском парке служил пристанищем «моржей», бултыхавшихся в этом водоемчике с топким илистым дном круглогодично... На эту отважную публику даже Лев Прокофьевич, не прекращавший пробежек и в двадцатипятиградусный мороз, взирал с дрожью. Он готов был допустить, что какому-то любителю моржевания резко поплохело с сердцем из-за разницы температур. Может, стал вдобавок тонуть, воды наглотался... Это ничего, с этим Лев Прокофьевич справится. Медицинского образования он не имел, но, согласно тренерским обязанностям, владел навыками оказания первой медицинской помощи. Ну, там дыхание «рот в рот» и «рот в нос», непрямой массаж сердца... Пока что, тьфу-тьфу, пользоваться не приходилось.

Одного взгляда на распростертую на сером песчаном, сцементировавшемся от холода берегу пруда фигуру хватило Никитину, чтобы понять, что его навыки оказания первой помощи останутся без употребления. Если по порядку, лежащего на спине в неожиданно мирной, сонной позе мужчину нельзя было в строгом смысле слова назвать голым, так как на нем были плавки — символические, веревочно-сетчатые, но главную примету, что отличает мужчину от женщины, они все-таки прикрывали. Плавки были сухими, значит, окунуться в пруд их обладатель так и не успел. О том же свидетельствовал нетронутый край полотенца, высовывающийся из полиэтиленового пакета, который валялся поодаль на берегу.

Все это Никитин отметил как бы боковым зрением, не сосредоточиваясь на деталях. Осознал же их значение он лишь некоторое время спустя. Его внимание

9

сразу привлекло неровное отверстие в гладкой, белой, поросшей курчавыми рыжеватыми волосками груди. И темнеющие, загустевающие, из алых становящиеся багровыми потеки. На коже, на песке, в складках пакета...

— Ничего не трогать! — громко скомандовал Лев Прокофьевич не только Наталье Венедиктовне, но и своим привлеченным криками товарищам по утренним пробежкам, которые начали подтягиваться к пруду. — Срочно вызывайте милицию! Отойдите подальше... А ну, кому я сказал! Все отошли, сейчас же! Собак убрать!

Наталья Венедиктовна резко дернула за поводок Аврору, которая потянулась было обнюхать кровь, и собачка взволнованно вякнула, пораженная таким неласковым обращением. В другое время Лев Прокофьевич испытал бы удовлетворение от маленького возмездия, неожиданно настигшего эту избалованную шавку, однако по сравнению с тем, что случилось, давние неприязни отодвинулись на задний план. Дважды за это воскресное утро Никитин предался мыслям о смерти, но если в первый раз смерть посылала ему издалека воздушные поцелуи, застенчиво показывала свое костяное безносое личико из-за полупрозрачных деревьев, тронутых поздней осенью, то сейчас она выскочила прямо на него, чтобы предстать во всей своей наготе... Да, именно во всей наготе, как бы кощунственно по отношению к покойному это ни прозвучало.

Спустя пятьдесят минут Лев Прокофьевич четко и деловито давал показания дежурной оперативно-следственной группе ГУВД Москвы и Московской горпрокуратуры, а в частности явившемуся в ее составе на место преступления следователю Вениамину Васину:

— Да, я был знаком с убитым. Знакомство, правда, шапочное: просто живем в одном доме. То есть жили...

Частенько он в Тропаревском парке бегал, а после пробежек моржевал... Хирург он пластический, Великанов Анатолий Валентинович.

Дежурный следователь прокуратуры, юрист третьего класса Вениамин Васин — милейший и покладистый в быту человек, исполнительный работник — знал за собой лишь один крупный недостаток: застенчивость. Однако этот минус в характере человека, обычно простительный и даже отчасти симпатичный, грозил свести на нет все положительные профессиональные качества следователя и поставить едва начинающуюся васинскую карьеру под удар.

А попробуйте тут не застесняться, попробуйте остаться активным и напористым в присутствии такого количества генералитета! Едва было сообщено об убийстве Великанова, из ведущих оперативных ведомств налетело в Тропаревский парк начальства, словно ос на варенье. Васин, не смея открыть рот, недоумевал про себя, почему убийство врача, пусть даже суперизвестного, вызвало такой наплыв властей. Генералы из ФСБ, МВД и Генпрокуратуры вели себя так, будто собрались на светскую тусовку: улыбались друг другу, здоровались за руку, обсуждали какие-то сложные взаимоотношения между неведомыми Васину, но, несомненно, могущественными фигурами, беззастенчиво разгуливали по берегу пруда, словно по паркету, затирая модными ботинками следы, которые не успели затоптать кроссовками утренние физкультурники. Веня дважды порывался сделать им замечание, но не посмел: на фоне своих прокурорских начальников и чужих милицейско-фээсбэшных генералов этот субтильный блондинчик выглядел мальчуганом-сиротой, который по ошиб-

11

ке попал вместо новогодней елки на вечеринку для
взрослых.

— А вы работайте, молодой человек, работайте, —
барственно дозволил Вене Васину важный фээсбэш-
ник и тут же продолжил беседу со своим коллегой, над-
вигаясь на него черчиллевским животом. — Ну, я всегда утверждал, что неравные браки добром не конча-
ются. И, понимаешь, как в воду глядел! Каков он ни
будь, этот Великанов, хоть самый расперетапантливый
хирург, но Ксения Маврина — не для него девушка. Да
к тому же на роль второй жены... Как только это дозволил Михаил Олегович, совершенно не понимаю!

Густо краснея и до боли отчетливо ощущая свои
несолидные двадцать пять лет и юношеские прыщи на
щеках, Веня, однако, отметил, что причина прибытия
на место происшествия московского начальства про-
ясняется. Для этого не обязательно даже быть знато-
ком московского бомонда, достаточно, по крайней
мере, изредка смотреть телевизор. Михаил Олегович
Маврин, бывший председатель российского правительства, хоть и пребывал ныне в отставке, оставался
все же очень влиятельной фигурой на политической
сцене. Вот, значит, как: погибший пластический хирург
был женат на его дочери, Ксении Михайловне Мавpи-
ной, а следовательно, высокопоставленный тесть способен поставить на уши и МВД, и ФСБ, и прокуратуру, чтобы они достали убийцу из-под земли! Не то до-
ченька будет очень-очень недовольна...

Тем не менее, если Веня Васин безотлагательно не
примется за дело, спасая остатки вещественных доказательств, установить убийцу не в состоянии будет и
сам Шерлок Холмс, пусть даже Михаилу Олеговичу
Маврину с помощью старых связей удастся вызвать
великого сыщика из небытия. Обшаривая место про-

исшествия вместе с оперативниками, Васин сразу обнаружил возле трупа гильзу от пистолета Макарова. Очевидно, от слепого ранения в грудную клетку из ПМ Великанов скончался на месте... Упрятав гильзу в полиэтиленовый пакетик, Васин продолжил осмотр. Его упорство было вознаграждено: вскоре он наткнулся на валявшуюся чуть поодаль пулю... от другого пистолета, но не от ПМ. Происхождение этой пули сразу поставило юриста третьего класса Васина в тупик. Откуда эта пуля здесь взялась? Может, выронил киллер? Значит, у него был и второй пистолет, иной марки?

Долго теряться в догадках относительно происхождения пули Васину не позволяло поджимавшее время. Труп был совсем свежий: Наталья Панченко обнаружила его, как видно, сразу после выстрела. Судя по тому, что Тропаревский парк не содержит дорог, пригодных для проезда машин, а представляет собой, соответственно названию, подобие сада расходящихся тропок, подобраться к пруду киллер мог только на своих двоих. Точно так же, пешочком, уматывал он, оставив на берегу бездыханное тело. Скорее! Милицейская ищейка еще может взять след!

Восточноевропейская овчарка по кличке Этна представляла собой совершенно другой собачий тип, чем упоминавшаяся ранее Аврора. Если Аврора походила на легкомысленную красотку, которая прет по жизни напролом, не считаясь ни с чем, кроме собственных прихотей, то из Этны, если превратить ее в человека, получилась бы девушка-клерк — серенькая, неприметная трудяга, склонная компенсировать недостаток способностей избытком прилежания. От природы робкая, вечно в сомнениях, все ли она сделала так, как надо, и справится ли она с заданием, которое ей собираются поручить. Об этом красноречиво говорили ее кроткие,

13

вопросительно устремленные на инструктора по работе со служебно-розыскными собаками глаза.

— Ищи, Этна, — поощрил подопечную инструктор.

Овчарка послушно уткнулась влажным носом в подмороженную почву Тропаревского парка. Первый десяток метров она бежала бодро и уверенно, как если бы сотканный из воздуха образ преступника зримо несся перед ней. Однако возле группы фээсбэшного начальства Этна притормозила: надо полагать, выделить запах убийцы из такого количества свежих запахов представлялось нелегким заданием. Чуть помедлив и проведя аналитическую работу (если можно применить это слово к процессам, которые варились в собачьей голове), Этна снова тронулась дальше, но уже не так быстро. Как на грех, по пути следования Этна постоянно натыкалась на кого-нибудь из генералов, и с каждым разом обилие посторонних ароматов, среди которых лидировали дорогие мужские парфюмы, все больше и больше подрывало ее и без того невеликую уверенность в себе...

Кончилось тем, что при выходе из Тропаревского парка следы киллера затерялись. Доказательством этого стало виноватое поскуливание неудачницы-ищейки.

«Родственная душа, — в тоске подумал Веня Васин, едва удерживаясь от желания погладить Этну между прижатыми черными треугольными ушками. — Я бы сейчас и сам заскулил».

Высшие чины о Васине попросту забыли. От него не ждали сногсшибательных прорывов в следствии. Зачем? Генералы уже сошлись во мнениях: гибель Великанова, несомненно, связана с конкуренцией на поприще пластической хирургии. Убийственная красота чревата убийствами — так рассуждали они.

...— Понимаете, Гавриил Михайлович, — нудно и неуверенно оправдывался Веня, — они с самого начала так натоптали на месте преступления, мешали собирать вещественные доказательства... Ну а потом, конечно, было уже поздно...

Прокурор Москвы, государственный советник юстиции второго класса Гавриил Михайлович Афанасьев откинулся на спинку служебного кресла, смягченную повешенным на нее пиджаком, и, прищурясь, посмотрел на следователя Васина. Точнее, сквозь него — на выразительную картинку осмотра места происшествия в присутствии генералитета, которую Васин только что ему изобразил.

«Эх, Веня, голубь ты мой сизокрылый, что ж ты робкий такой уродился? Если начальства трусишь, как же тебя на преступников выпускать?»

Гавриил Михайлович понимал в глубине души, что несправедлив: самый храбрый милиционер может робеть в присутствии начальства. (Так же, как бояться стоматологов.) Однако он отдавал себе отчет и в том, что бросать ранимого следователя Веню Васина в дело, предположительно кишащее интересами о-очень крупного начальства и бизнеса, — все равно что в бассейн с акулами. Схрупают и косточек не оставят. А кто убил Великанова, так и останется неизвестным.

— Ну вот что, Васин, — обратился прокурор Москвы к следователю с покровительственной лаской, точно директор школы к ученику, — ты молодой, умный, у тебя еще на служебном поприще встретится сто возможностей проявить себя. А дело об убийстве Великанова давай-ка поручим нашему опытному, можно сказать, матерому сотруднику...

Васин понурил голову. «Так я и знал, что со мной никто не будет считаться», — прочитывалось на его закрасневшемся, опущенном вниз лице...

— Георгию Яковлевичу Глебову, — проявив максимум дипломатии, со скрытым торжеством закончил Гавриил Михайлович. — Очень прошу тебя, Васин, уступи. Сам знаешь, раскрутиться надо человеку. У тебя все впереди, а в его возрасте нельзя ждать милостей от природы... то есть... одним словом, ты меня прекрасно понял.

Лицо Вени прояснилось. Ему предлагали проявить благородство! Ему предлагали уступить не из-за того, что он не справится с делом (даже если это в действительности так), а для того чтобы протянуть руку помощи старшему следователю по особо важным делам советнику юстиции Георгию Яковлевичу Глебову, о проблемах которого было известно всей Мосгорпрокуратуре. Да пожалуйста! Да с превеликим удовольствием! Только намекните, Веня готов помочь...

Глебов, неторопливый коренастый мужчина с продолговатым, длинноносым и смуглым, как бы вырубленным из камня на знаменитом своими идолами острове Пасхи лицом, служил в Управлении по расследованию бандитизма и убийств Мосгорпрокуратуры; отличаясь мертвой хваткой и безошибочной интуицией, он закончил не один десяток особо сложных и важных дел. И однако же, при всех заслугах и выслугах, получив классный чин советника юстиции, Жора прочно застрял в этом звании. Ему никак не присваивали очередного классного чина — старший советник юстиции, — что эквивалентно воинскому званию полковника. А Глебову так хотелось покрасоваться в полковничьем мундире!

Георгия Глебова в Мосгорпрокуратуре так и звали Подполковник. Когда не вспоминали другого, связанного с нелегкими семейными обстоятельствами, прозвища, употребляемого между своими, но звучащего оскорбительно для постороннего слуха. Глебовское

16

неудовлетворенное честолюбие и умение продуктивно работать являлись лучшими рекомендациями, для того чтобы поручить ему дело об убийстве Великанова. Такой, как Глебов, не даст крупным шишкам себя схавать за здорово живешь! Скорее, наоборот: зубами выгрызет из них, кому это убийство было выгодно...

В тот же день утешенный дипломатией прокурора Москвы Веня Васин передал дело Георгию Яковлевичу.

Афанасьев крепко надеялся на бульдожью глебовскую хватку. Но чтобы быть окончательно уверенным в раскрытии этого дела, попросил генерал-полковника милиции Прохорова Владимира Игнатьевича, начальника московского милицейского главка, ГУВД Москвы, оказать самую активную помощь следователю. Генерал Прохоров, в свою очередь, обратился к своему подчиненному, новому начальнику МУРа генерал-майору милиции Владимиру Михайловичу Яковлеву, с тем чтобы подключить к этому делу самых лучших оперов. Ведь после изобличения оборотней в погонах отделы МУРа были переукомплектованы за счет низовых районных подразделений.

Генерал Яковлев раньше был правой рукой Вячеслава Ивановича Грязнова. Он отличался не только кристальной честностью, но и обладал большим опытом, помноженным на редкие способности сыщика угро. Одним словом, прокурорский следователь Глебов мог ожидать серьезной поддержки со стороны Московского уголовного розыска...

Перед прокуратурой и ведомством внутренних дел была поставлена задача раскрытия убийства пластического хирурга Великанова в самые сжатые сроки.

— Какая непристойность, — громко сказала Ирина Генриховна.

Александр Борисович Турецкий, не разделяя пристрастия жены к телевизионным шоу, читал в это время «Совершенно секретно», уютно устроившись в кресле. Вынырнуть из-за газеты и уставиться в телеэкран его заставила только эта реплика и — особенно — прозвучавшее в Иринином голосе отвращение. То и другое было как минимум нетипично для его подруги жизни. Супруги Турецкие — люди не первой молодости, но далекие от старческого брюзжания по поводу развращенности современного мира, а что касается секса, они никогда не были ханжами... Что же это у нас за порнуху крутят в самый прайм-тайм?

Увиденное не показалось Турецкому порнографией. Скорее, фильмом ужасов. На экране старушонке сдирали кожу с лица... Точнее, это в первый момент увиделось неким зверством: Турецкий сразу же понял, что руки в резиновых перчатках принадлежат не маньяку, а хирургу, и страшные на вид инструменты предназначены для спасения, а не истребления жизни. И все-таки — кровь, разрезы, сверкание металла, несчастное уязвимое человеческое лицо... Короче, душераздирающее зрелище.

— Это что такое? — обалдело спросил Турецкий у жены.

— Это передача теперь такая, — пояснила Ирина несколько взвинченно. — Называется «Неотразимая внешность». Пластические операции в прямом эфире. Идея такова, чтобы проследить весь путь человека, который решился на пластическую операцию: от того, что было, до того, что получилось. Ну и, соответственно, со всеми хирургическими этапами... Нравится?

— Бр-р! Но я не понял: непристойность-то в чем?

Против воли Турецкий не мог оторвать взгляд от экрана: страшные и неприятные зрелища обладают неотразимой притягательностью. Как достоверно снято — документально, подрагивающей камерой, никакой глянцевой художественной кинематографичности. Точный расчет! Документальность-то и ценится выше всего. Кому интересно смотреть безупречно срежиссированную сцену секса в голливудском фильме? Скукотища! А незапланированное, внешне случайное похлопывание по обтянутой джинсами заднице в каком-нибудь зрелище вроде давно почившего «За стеклом» и его ныне живых и размножающихся клонов воспринимается как верх сексуальности...

— А непристойность, Шурик, в том, что происходит окончательное развенчание образа женщины. — Ирина Генриховна резала правду-матку с учительской безапелляционностью. — Началось с рекламы гигиенических прокладок, дезодорантов, средств для удаления волос на ногах — всего, чем женщины пользуются, но предпочитают не афишировать это перед мужчинами. Телевидение как бы говорит подсознанию мужчины: «Все женщины врут, на самом деле они волосатые и вонючие». Ну ладно, допустим, подмышки и прокладки — до всех этих интимностей мужчина добирается не сразу, а постепенно. Но ведь знакомятся люди лицом к лицу! Раньше мужчина имел право думать, что хотя бы черты лица у женщины свои, не купленные за большие деньги в элитной клинике. Так ведь нет, оказывается, и в этом пункте женщины врут: на самом деле они уродливые, только оперированные! «Неотразимая внешность» показывает, что вся красота складывается из кусочков, как мозаика. И очень доступно. Прямо конструктор «Сделай сам»...

— Преувеличиваешь, — скептически отреагировал на тираду жены Александр Борисович. — Женский пол всегда дурил нашего брата с помощью румян, помады, туши, выщипывания бровей и уж я не знаю чего. И ничего, мир не рухнул! И влюблялись, и женились, и не слишком даже пугались, обнаружив рядом на подушке с утра пораньше лицо любимой без косметики...

Губы Ирины приняли недовольно-обиженное выражение. Имея многолетний опыт общения с супругой, Турецкий почувствовал нарастание обиды и, отложив газету, переместился из кресла на диван к Ирине, заключил ее в объятия.

— Не бери в голову, Ирка! Это все мелочи... На стадии знакомства, скажем, лицо играет роль, но потом-то становится важно, какие мысли за ним скрываются. Живут-то с человеком, а не с лицом...

И беспокойно добавил:

— А ты что это смотришь такие передачи? Не нацелилась ли сама на пластическую операцию — как ее там, обтяжку?

— Подтяжку, — поправила мужа Ирина и тут же стала оправдываться: — Ничуть я не нацелилась! Просто интересно время от времени...

— Ага. Интересная непристойность.

— При чем тут... — Ирина покраснела. — Просто интересно посмотреть, до чего дошла современная медицина.

И чтобы не вызвать новой волны иронии со стороны мужа, с преувеличенным вниманием уставилась на телеэкран.

Душераздирающие кадры операций сменила надпись, не менее душераздирающая: на черном фоне — алые, сочащиеся испугом буквы.

— В связи со смертью звезды нашего шоу, выдающегося пластического хирурга Анатолия Валентиновича Великанова... — Печальный голос стал зачитывать траурный текст.

— Надо же, — Ирина обернулась к мужу, — Великанова убили. У них тут двое хирургов, Великанов и Бабочкин, но Великанов главнее... Ну надо же, поверить не могу: убили!

— Жаль, — с глубоким чувством произнес Турецкий. — Очень, очень жаль!

— Но, Шурик, ты же никогда не смотрел эту передачу!

— Очень жаль, — повторил Турецкий. — Хотел на службе расслабиться, но, видно, не получится. Печенкой своей служебной чувствую, что дело об убийстве этого самого выдающегося пластического хирурга Великанова ляжет ко мне на стол.

Предчувствия не обманули Александра Борисовича. Но прежде чем они воплотились в действительность, много воды утекло...

Глава вторая

СЛЕДСТВЕННАЯ РУТИНА

Любой следователь, приступая к работе, составляет план расследования — разумеется, на основе имеющихся к этому времени материалов. В план включаются как намечаемые версии, так и список самых неотложных следственных мероприятий для проверки этих версий... Не стал исключением и следователь Глебов, который, склонясь над тетрадным листком, разграфленным на клеточки (почему-то именно тетради в клеточку благотворно действовали на его умственные способности со школьных времен), ковырял тыльным концом шариковой ручки подбородок, обсыпанный черными точками пробивающейся щетины — обрастал бородой Георгий Яковлевич быстро и густо... Итак, каковы должны быть первоначальные ходы?

Первым пунктом действий, занесенным в клетчатую тетрадку, стал повторный выезд на место происшествия и принятие всех мер к закреплению доказательств на месте убийства. Выявление очевидцев. Восстановление портрета киллера. По возможности составление словесного портрета и фоторобота подозреваемого. Объявления его в местный и федеральный розыск. Поиск преступника при содействии оперативных служб МВД и ФСБ.

Второе. Следствие всегда интересуют мотивы преступления. В данном случае — это сфера деятельности пластической хирургии в Москве и в России. Плюс конкретная работа потерпевшего Великанова. Здесь и личные и профессиональные связи пластического хирурга. Значит, надлежит тщательно допросить сотрудников клиники, разобраться с клиентами: кто из них был недоволен хирургом? Кто мог заказать и осуществить его убийство?

Для того чтобы выполнить первый и второй пункты, необходимо сделать третье: узнать все о пластическом хирурге Великанове. Но и этого мало... С глубоким утробным вздохом Георгий Яковлевич записал: «Узнать все о пластической хирургии в Москве, Питере и во всей России». Записал и сам испугался: ничего себе работенка ему предстоит! Под силу ли она одному человеку? Ни в коем случае. А значит, для выполнения большого объема работы вместе с прокурором города Глебов должен создать следственно-оперативную группу. В нее Георгий Яковлевич первым делом без колебаний включил молодого следователя прокуратуры Веню Васина, в качестве дежурного следователя производившего осмотр места происшествия. С ним удалось кратко пообщаться: Глебову показалось, паренек неплохой, очень старательный, хотя и больно застенчивый. Его кандидатура не вызывала сомнений.

Кого еще включить в группу? Людей как будто много, а начнешь приглядываться, не знаешь, кого и взять...

Да вот хотя бы капитан милиции Аркадий Силкин. Сообразительный парень, надежный, силач — много времени уделяет физической подготовке. А вдобавок к профессиональным достоинствам Аркадий — широкоплечий, темно-русый, кареглазый красавец с бровями вразлет — производит неотразимое впечатление на женский пол. Это хорошо, это может пригодиться. Ведь кто в основном пользуется услугами пластической хирургии? Бабы, кто ж еще! Чтобы раскалывать этот сложный контингент, Силкин незаменим.

Когда Глебову пришел на ум Силкин, тут же, по ассоциации, не мог он не вспомнить майора милиции Бориса Теплова, с которым Аркадий крепко дружит. Хотя со стороны ему всегда непонятно было: что связывает этих двух столь непохожих людей? В отличие от Силкина, с его накачанными мускулами, Теплов выглядит тюфяком, даже походка какая-то неряшливая: ходит — ногами загребает. Лицо отсутствующее, будто мысли витают за тридевять земель. Однако тем, кто узнает Теплова получше, скоро становится ясно, что на самом деле ни одна подробность не ускользнет от взгляда его обрамленных белыми ресницами глаз. А если Теплов заприметил какую-то ценную для следствия деталь — все, сливай воду, туши свет: не уйти преступнику! Вцепится намертво. Благодаря таким талантам Борис быстро продвигался по служебной лестнице: вот и майора получил в тридцать с небольшим.

Одним словом, Глебов решил привлечь к оперативной работе этих двух оперов МУРа, будучи заранее уверен, что им не придется бездельничать.

23

...Несмотря на то что Тропаревский парк служит излюбленным местом отдыха многих окрестных жителей, он вовсе не является закрытой зеленой зоной, предназначенной только для избранных. Поэтому появление в нем никому не знакомого мешковатого молодого человека с задумчиво-отсутствующим выражением на лице удивить местных не могло. Что о нем подумали? «Ну вот, еще один вырвался из загазованного центра, чтобы лишний часок подышать свежим воздухом», — примерно таков был ход мыслей тех обитателей Тропарева, которые вообще удостоили своим вниманием эту скромную фигуру.

На самом деле обитатели Тропарева ошибались. Борис Теплов прибыл на место происшествия не по личной, а по служебной надобности. «Нам нужна зацепка на киллера, — напутствовал его следователь Глебов, — найди нам зацепку, я в тебя верю». Без ложной скромности, Теплов и сам верил в себя. В свою дотошность, в свое умение видеть то, что другие не замечают, в свою счастливую звезду, в конце концов... Не может быть, чтобы он не обнаружил зацепку, — даже некоторое время спустя после убийства, когда, казалось бы, все следы должны изгладиться. Ну а если случится так, что не обнаружит, — значит, Веня Васин, которому тоже с этим не повезло, ни в чем не виноват. Оправдать коллегу — тоже ценно. Теплов развивал в себе альтруизм, как бы отвечая на обвинения тех, кто считал его бездушным карьеристом.

Со стороны могло показаться, что мешковатый увалень совершает по парку моцион, стремясь похудеть. В действительности Борис Теплов уже пятый раз проходил маршрутом, которым убийца, согласно данным, установленным с помощью ищейки Этны, покинул место происшествия. Было это утром, часов около восьми. Парк в это время не безлюден, но убийце удалось сделать свое черное дело быстро и чисто, практически бесшумно, не вызвав ни у кого подозрений, не привлекая лишнего внимания. Да-а, очевидно, убийство Великанова было совершено на высоком профессиональном уровне... Версия об убийстве из хулиганских побуждений была отброшена следователем Глебовым практически сразу.

«Искать свидетелей, — отметил про себя Борис Теплов. — Опросить всех жителей окрестных домов».

Дохлый номер! Во-первых, любителей утренних пробежек и прогулок с собаками опросили сразу же — и получили в ответ только то, что никто никого не видел. Во-вторых, в этом районе проживает немало представителей элиты, а они терпеть не могут беспокойства со стороны милиции, пусть даже речь идет о смерти их бывшего собрата. Великанов погиб — ну так что же, а живым надо жить. Если бы речь шла о маньяке, который мог покуситься на их драгоценные жизни, — ну, тогда они расщедрились бы на помощь! Но Великанова, по утвердившимся слухам, убили из-за разборок в сфере пластической хирургии, а это дело частное, а значит, беспокоиться не о чем.

В шестой раз прогулявшись от пруда к выходу из парка, Борис Теплов наконец покинул его пределы.

И тут его поджидало открытие. Точнее, намек на открытие, который мог никуда не привести. А мог дать очень и очень многое... Сразу возле выхода из парка стояла палатка, украшенная изображениями детишек и зверушек, с надписью «Мороженое». За темным окном проглядывалась фигура продавщицы, которая куксилась, свернувшись в три погибели и уткнув нос в воротник зимней куртки, среди своего товара, не пользующегося высоким спросом, когда вокруг и без мороженого жуткая холодрыга.

— Девушка, а девушка, — постучал в окошко Теплов, причем выражение его лица сделалось еще более идиотически-сосредоточенным, чем всегда. Едва девушка, оказавшаяся китаянкой неопределенного возраста, отворила в ответ на стук окошко, в проем всунулось служебное удостоверение в развернутом виде. Китаянка так испугалась, что, неведомо с какой стати, вручила Теплову шоколадный пломбир. Опасаясь обвинений во взяточничестве, деньги за пломбир Теплов тут же отдал и, расспрашивая продавщицу, от какой организации она работает, с которого часа начинает рабочий день и кто ее сменщица, поневоле грыз до такой степени застывший, что почти уже несладкий, мороженый кирпич на шершавой палочке. Никакого удовольствия не получил, только еще сильнее замерз, но это издержки службы, и из-за этого переживать не приходится.

К счастью для майора Теплова, его законное торжество не было омрачено необходимостью предъявлять Глебову свидетельницу, плохо говорящую по-русски. Выяснилось, что в день убийства Великанова в палатке «Мороженое» дежурила продавец-кассир Клавдия Барыгина. Правда, она оказалась еще более робкой и запуганной, чем китаянка. Имя «Клавдия Барыгина» приводит на ум огромную толстомясую бабищу с громким голосом и борцовской фигурой, а продавщица мороженого выглядела худой и какой-то захиревшей, как комнатное растение, оставленное без воды. Маленький рост, тощие ручки, тощий пучок волос, собранных на затылке. Глебов обращался к ней ласково, точно к ребенку, и все равно она от каждого его вопроса бледнела, вздрагивала и отвечала с большой задержкой. Присутствовавший при допросе Теплов вспомнил, что, когда он учился в начальной школе, у него в классе была чем-то похожая на эту Барыгину Люба Шильнова, которая не могла отвечать у доски — ее буквально парализовывало, и она не в состоянии была издать ни звука. Из-за этой особенности Шильнова постоянно получала плохие отметки. Может быть, Клавдия Барыгина тоже плохо училась и поэтому пошла продавать мороженое?

— Так, значит, вы любите смотреть в окно на рабочем месте? — спрашивает Георгий Яковлевич.

Барыгина посмотрела на него такими расширенными почерневшими глазами, точно ее собираются арестовать за нарушение трудовой дисциплины.

— Не стесняйтесь, — уговаривает ее Глебов. — Это естественно: чем вам еще заниматься... Так смотрели вы в окно или нет?

Поразмыслив, Клавдия робко кивнула.

— И в то утро тоже?

Снова кивок — с задержкой, отсроченный.

— И кого же вы видели?

Клавдия надолго задумалась, глаза ее сделались стылыми, как у дохлой рыбины, — точь-в-точь Люба Шильнова у доски. Глебов стал медленно свирепеть, но — профессионал! — стал только внимательнее и ласковее...

В общем, путем нечеловеческих терзаний от Клавдии Барыгиной удалось добиться, что в день убийства она видела молодого, примерно двадцатидвухлетнего блондина с распущенными волосами до плеч, одетого в кожаную куртку желтого цвета, выбегавшего из парка. Это было в восемь часов двадцать пять минут — Клавдия как раз взглянула на часы, решив, что если люди так резво побежали в направлении ближайшей станции метро, значит, скоро девять. После установления этого факта по барыгинским показаниям стали составлять фоторобот спешившего мужчины. Как ни странно, при составлении фоторобота Клавдия повеселела, сделалась смелее и раскованнее. Может быть, этому способствовала темнота. А может быть, свидетельница решила, что самое страшное осталось позади...

Фоторобот был размножен и направлен во все отделения милиции страны. Теперь личико убийцы красовалось повсюду на стендах с надписью «Их разыскивает милиция».

— Вот надорвутся рядовые сотрудники! — доверительно сообщил Теплов Аркадию Силкину. — По нашему фотороботу каждого пятого хватай — не ошибешься. Нос прямой, брови прямые, глаза средние... Портрет Дубровского в молодости, одним словом.

Не желая ставить под сомнение результаты проделанной другом работы, Аркадий осторожно хмыкнул. Он не хуже Теплова представлял, что по этим несовершенным распечатанным рисункам обычно почти невозможно опознать и арестовать убийцу.

Готовясь к беседе с Ксенией Михайловной Великановой, назначившей встречу у себя дома, Глебов позволил себе немного пофантазировать, представляя вдову и квартиру. Он частенько давал волю фантазии, подключая свою интуицию, и, как правило, она его не подводила, рисуя до мелочей частности, не поддающиеся, казалось бы, просчитыванию, — тем не менее эти частности совпадали с тем, что было на самом деле. Практического значения в данном случае эти упражнения в ясновидении не имели, однако в ближайшем будущем интуиции придется работать на полную катушку, не мешает ее потренировать. Стоит отметить, что Глебов был далек от телевизионных выпусков светской хроники, а значит, быт знаменитого хирурга (о котором лично он услышал, только получив дело) оставался для него чистой абстракцией — белым листом бумаги, на котором следователь намеревался изобразить то, что придет в голову. Итак, вдова... Георгий Яковлевич располагал первоначальными сведениями, что будущие супруги познакомились при тривиально-романтических (в данном случае, не без оттенка садомазохизма) обстоятельствах: он был врачом, она — пациенткой. В кого желает себя превратить женщина, когда обращается к пластическому хирургу? Конечно, в модельный идеал подиума и обложек глянцевых журналов. Какие черты формируют это понятие? Точеный прямой нос, пухлые губы, высокие скулы, широкий разрез глаз, лоб... лоб оставим в покое, обычно представительницы прекрасного пола прикрывают его челками. «Женщине высоколобость ни к чему», — как типичный домостроевский муж и отец, подумал Георгий Яковлевич, прежде чем перейти к гипотетическому описанию волос Ксении Михайловны. Вне всяческих сомнений, она блондинка — причем, судя по памятной белобрысости ее папаши Михаила Олеговича, она может быть и натуральной блондинкой. Что касается тела — силиконовая грудь, тончайшая талия и широкая... м-м, в общем, то, что ниже. Подарок онанисту! Кукла Барби, экспортный живой вариант.

Разделавшись с безутешной вдовой, для которой, судя по получившемуся описанию, вскоре сыщется не один утешитель, Георгий Яковлевич перешел к интерьеру. Здесь его фантазия забуксовала из-за отсутствия материала: относительно недавно перебравшись из интерьера коммунальной квартиры в интерьер малогабаритной «двушки» в Новых Черемушках, Жора Глебов представления не имел о всех тех модных штучках и удобствах, которыми оснащают свои накрученные жилища богатеи, а до того, чтобы облизывать глазами чужую роскошь, листая вкладки цветных газет, он никогда бы не снизошел. До глубинных корней своей пролетарской волжской души он ненавидел этих богатеев, нуворишей, «новых русских» — словом, как их ни назови, людей, вскормленных диким российским капитализмом. Добросовестному следователю есть что о них порассказать. Из-за этого на его жизнь дважды покушались неизвестные лица — мстили за отлично проведенное следствие... Так что относительно обстановки квартиры Глебов додумался лишь до того, что она должна быть как можно интимнее и уютнее, без стерильной больничной белизны и хромированного сверкания: хирургу и на работе хватает больницы. Темные шторы до пола. Какие-нибудь драпировки. Наверняка дорогие картины на стенах — покойный ценил искусство. Спонсировал конкурсы молодых дарований, меценатствовал... Где теперь это все? Пойдет ли хоть одно молодое дарование, получившее путевку в жизнь благодаря этим конкурсам, к Великанову на могилу, поставит ли свечку об усопшем рабе Божием Анатолии? А если даже пойдет и поставит, то все равно об этих конкурсах забудут в крайнем случае через год. Так проходит слава земная, ничего не попишешь.

Последняя мысль настроила Глебова на траурный лад, и он понял, что этот настрой надо удержать до встречи с вдовой. А то не дай бог неприязнь к богатым возобладает над траурностью и подпортит незамутненную чистоту зрения. Чтобы у следователя был глаз — алмаз, нужно держаться на тонкой грани между двумя крайностями, балансируя, не соскакивая ни к одной. Идеальной считается беспристрастность, но так как следователь — всего лишь представитель рода человеческого, беспристрастность, считай, недостижима.

Вахтер элитного дома вблизи Тропаревского парка, похожий на белогвардейца из советского сериала «Адъютант его превосходительства», бдительно проверил документы следователя Глебова, вследствие чего классовая ненависть в том дала о себе знать. Однако бальзам на следовательскую душу пролило то обстоятельство, что после звонка в квартиру № 42 на пороге немедленно открывшейся двери материализовалась кукла Барби, точь-в-точь похожая на нарисованный им портрет. Все при ней: и буфера, за которые не откажется подержаться всякий нормальный мужчина, и зовущие пухлые губы, и покрытая золотистым загаром кожа без единой морщинки, и уложенные кудрями белокурые волосы...

— Вы Георгий Яковлевич Глебов? Ксения Михайловна вас ждет, — проворковала Барби.

Чуть обескураженный, но не потерявший присутствия духа следователь нашел утешение в том, что, если даже белокурая красотка оказалась прислугой, предсказание относительно картин сбылось. Темноватая из-за зеленых стен прихожая, которую тянуло назвать холлом и в которой могли уместиться две его новочеремушкинские комнаты, действительно была украшена картинами, написанными маслом, — одну, ближайшую, Глебов рассмотрел, когда вывертывался из пальто. На картине выступали в цирке акробаты: стремительность движения художник передал приемом отделяющихся от туловищ, летящих в воздухе рук и ног. Тоже, гм, хирургия... Но в холле задерживаться ему не пришлось, его немедленно провели в комнату, где глебовская интуиция получила два увесистых удара под дых.

Первым ударом стала комната... Несусветно больших даже в сравнении с холлом размеров, она действительно не походила на больничную операционную.

31

Зато, серая и почти лишенная мебели, здорово напоминала пустую площадь какого-то заброшенного северного города под пасмурным небом, — Глебов даже поежился, словно от потянувшего сквозняка. Уютом здесь точно не пахло: жить на стадионе и то было бы комфортнее. А ведь, судя по широкому плоскому ложу, отодвинутому к окну, эта комната играла роль спальни... Вот извращенцы! Глебов бы в такой обстановочке нипочем не смог... В углах несли вахту нецветущие растения в фарфоровых вазах, похожие на гвардейцев с киверами. Их молчаливый надзор тоже не способствовал домашней расслабухе, как бы требуя официального фрака.

На Ксении Михайловне Великановой, которая в прихотливой позе полусидела-полусклонялась на ложе, как раз и был черно-белый брючный костюм, соревновавшийся в строгости с фраком. Женственный ровно настолько, чтобы не казаться мужским, подчеркивающий изящество узкогрудой, почти безбедрой, ласточкиной фигуры. Взглянув на вдову, Глебов в полной мере осознал глубину ошибки своей интуиции. Прежде всего, Ксения Михайловна была брюнеткой — хотя, судя по белизне слабо веснушчатой кожи и голубизне глаз, она и впрямь могла оказаться урожденной блондинкой. Но совершив решительный шаг перекраски в черный цвет, она перескочила уровень заурядной красоты: в ее овальном и полупрозрачном, как пустая яичная скорлупа, личике проступило нечто небесное. То, что напомнило вдруг Глебову его Таю, когда он ездил свататься к ней в родную Кострому, — хотя Таисия отродясь не была брюнеткой... Невинность это была, вот что, невинность нетронутой девушки! Однако невинность спорная, вступающая в противоречие с пикантной горбинкой носа и со скрытой порочностью рта —

верхняя губа узкая, нижняя выдается вперед в смутной полуулыбке. Высокий, выпуклый, как купол средневекового собора, лоб, прямой пробор... Да, это вам не пластмассовая Барби — поточное производство! Это произведение искусства, китайская, будь она неладна, шелкография... В мгновение ока Глебов оценил мастерство покойного пластического хирурга и прихотливость отношений с живописью, которую убитый так ценил. В мгновение ока успел Георгий Яковлевич восхититься созданием великановского резца-скальпеля — и отвергнуть свое восхищение.

Если на женщину тянет любоваться издали, рассматривать с выгодной точки, как музейный шедевр, а коснуться ее не хочется — что-то здесь не в порядке. Что-то перемудрил покойный Анатолий Валентинович, трудно пожелать ему царствия небесного — человеку, который пожелал жить в такой квартире и иметь такую жену.

Но, возможно, пластический хирург был здесь абсолютно ни при чем, а холод, наполнявший комнату и не позволявший зародиться типично мужским мыслям в отношении красавицы вдовы, являлся изначальной принадлежностью Ксении Михайловны, дочери своего высокопоставленного батюшки, а следовательно, неприступной, по определению, недотроги.

— Присаживайтесь. — Без упоминания имени-отчества (зачем царице помнить имена холопов) Ксения Михайловна указала на шаткий с виду, поставленный возле своего ложа стул. Глебов присел, почувствовав облегчение — рядом с вдовой, на ложе, он долго не вынес бы. Стул, хотя и дизайнерской выпендрежной конструкции, оказался вполне крепким, и Георгий Яковлевич слегка расслабился. Исключительно физически. Но не морально.

— Ксения Михайловна, — отпугивающим басом проклокотал Глебов; прочистил горло, откашлявшись, и продолжил нормальным голосом: — Ксения Михайловна, приношу вам свои соболезнования...

Движение черно-белой офраченной ручки дало понять, что ритуал соболезнований можно опустить. Двигались только руки, лицо оставалось нетревожимо-гладким. Ни морщинки, ни слезинки, ни бессонной тени под глазами. Не поймешь, о чем свидетельствует это бесстрастие: то ли об отсутствии горя, то ли, наоборот, о горе до такой степени сокрушительном, что страшно дать ему вырваться вовне. Вырвавшись, оно толкнет на самоубийство или другой безумный поступок.

— Вы — следователь? Вы пришли задавать вопросы. Задавайте.

— Ксения Михайловна, вашему мужу кто-нибудь угрожал?

— У пластических хирургов неблагодарная работа — всегда найдутся недовольные результатами операции. Знаете, психически неуравновешенные особы, которые сами не знают, что им нужно, и ждут, что новая внешность радикально преобразит их жизнь. Если этого не происходит, они считают, что во всем виноват хирург. Их должны отбраковывать психиатры еще на подступах к операции, но небольшой процент таких больных всегда просачивается. Да, они могли угрожать.

— Вам известны такие случаи? Ваш муж называл фамилии, имена?

— Спросите лучше в клинике, они должны вести учет подобным пациентам. Но не думаю, что на этом пути вы обнаружите убийцу. Если такие угрозы и были, Толя не придавал им значения, иначе он поделился бы со мной. Мы были очень близки, он полностью доверял мне.

Последняя фраза не изменила бесстрастности

лица — так же, как впервые произнесенное вслух имя покойного супруга. «Отлично держится», — отметил Глебов, чувствуя, однако, в этой сдержанности нечто неестественное. Пусть это затруднило бы выполнение его служебных обязанностей, он предпочел бы, чтобы вдова Великанова разрыдалась перед ним, а потом, еще не отошедшая от слез, заговорила наконец со следователем по-человечески и выложила уйму непричесанных подробностей, среди которых мелькнул, наконец, смысл и этого союза хирурга и принцессы, и этой неприветливой квартиры, и этого стылого, как чугунный противень на морозе, супружеского ложа. Иначе Глебов не представлял, как понять убитого, а следовательно, кто и зачем способен был его убить.

— Тем лучше, если он вам доверял. Вы женщина, вы должны тонко чувствовать его настроение. Был он в последнее время печален, встревожен? Рассказывал вам о своих проблемах?

Наконец-то гладкое личико передернулось! Правда, более человечным от этого не стало — заострилось, напоминая хищную мордочку куницы или хорька. Пластический хирург способен изменить форму носа или разрез глаз, но не в силах изменить мимику, а в мимике отражается строй души, и с ним уж ничего не поделает целый легион хирургов.

— У него была одна проблема... Марат Бабочкин!

— Это второй хирург из шоу «Неотразимая внешность»? — уточнил Глебов. Даже если бы он не провел подготовительной работы по делу, о шоу Великанова во всех красках узнал бы от дочери, главной в их семье фанатки таких недоброкачественных, на его старосветский вкус, зрелищ. Что с ними, женщинами, поделаешь, в любом возрасте интересуются красотой морды лица...

35

— Вы не ошиблись. — Лицо разгладилось, и все-таки предшествовавшая гримаска наложила на него, в глазах Глебова, отпечаток, который не стерся до конца их беседы. — Второй. Который хотел стать первым! Из кожи лез! Откровенно говоря, Толю он подсиживал.

— В чем это выражалось?

— Я не в курсе всех тонкостей их служебных взаимоотношений, поскольку далека от мира телевидения. Но буквально за день до... — Ксения сглотнула, дрогнув белоснежным горлом, — до убийства Толя сказал мне, что Марат стал болезненно амбициозен, пытается задвинуть его на вторые роли, выпячивая в шоу лишь себя, любимого. С Маратом в последнее время было трудно работать, и это очень не нравилось Толе. Он сказал, что, если будет продолжаться в том же духе, он уйдет из этого скандального шоу-бизнеса.

— Вы полагаете, он серьезно собирался покинуть телевидение? Уступить место коллеге?

— Что вы! Продюсеры его бы не отпустили. Кто такой Великанов — и, простите, кто такой Бабочкин? Это величины, не подлежащие сравнению! Я не говорю, что Марат — плохой хирург, но Толя... Толя был особенный. Это был скульптор человеческой плоти. Истинный художник.

Глава третья

СКУЛЬПТОРЫ ЧЕЛОВЕЧЕСКОЙ ПЛОТИ, ДОБРОСОВЕСТНЫЕ И НЕ ОЧЕНЬ

Любой другой юный следователь на месте Вени Васина остался бы разочарован тем, что оказался смещен под командование Глебова. Любой другой — но не Васин. В придачу к своей застенчивости, которая могла трактоваться как недостаток и как достоинство, он обладал другим амбивалентным свойством: он не был честолюбив. С одной стороны, это не сулило ничего хорошего, предполагая, что Васина будут постоянно вытеснять с главных мест, затирать локтями, задерживать назначение следующего звания. С другой — отсутствие честолюбия заставляло Веню с легким сердцем принимать то, что его рвущегося вверх по лестнице званий сослуживца вогнало бы в тяжелую депрессию, и переживания на тему «Почему другие, почему не я?» не отнимали у него сон и аппетит. Потому Васин бодро принялся за работу под глебовским руководством.

Кроме того, трезво оценивая свои возможности, Веня не стыдился признать, что ему недостает опыта. Он не знал, как справиться с этим сложным делом, и присутствие Глебова ему здорово помогло, сняло с него ответственность, которой он тяготился. В определенном смысле то, что Глебов взял на свои широкие подполковничьи плечи самую антипатичную часть обязанностей, стало для Вени благодеянием. Теперь он мог заняться тем, что по-настоящему любил: работой с людьми. Он живо интересовался и самим убитым Великановым, и коллегами, которые его окружали и которые должны были кое-что знать о причинах, за что Великанова могли убить...В частности, именно на Васина Георгий Яковлевич Глебов возложил проверку версии номер один: убийство на почве мести пациента, недовольного операцией, проведенной самим хирургом Великановым. Для проверки этой версии необходимо было тщательно пересмотреть списки всех пациентов, прооперированных Великановым в последнее время, и допросить некоторых из них.

Великанов заведовал хирургическим отделением ООО «Клиника «Идеал». Кроме того, был ведущим хиругом в Институте эстетической медицины «Омоложение». Но, поскольку главным пристанищем покойного был «Идеал», именно туда поначалу направился Веня Васин. «Идеал» производил впечатление не сказать, чтобы блистающее, под стать своему гладкому возвышенному названию, но вполне добротное. Высококлассное медицинское учреждение, сразу видать. Охрана на входе. Регистратура, отделенная от зала с гардеробом каким-то необыкновенным барьером, похожим на морскую раковину с горящей по ее краям цепью лампочек. Повсюду какие-то инкрустации, какие-то витражи вперемежку со скульптурными деталями, похожими на выступающие из стен лица со сглаженными, словно бы не до конца проявленными чертами. Вене Васину это оформление не слишком понравилось: как будто куклы стремятся вылупиться из каменного яйца! Наподобие одной знаменитой картины Дали, Веня забыл название, которая на кафедре судебной психиатрии украшала стену лекционного зала, — одним словом, та, на которой из растресканного земного шара или тоже вроде бы яйца, истекающего кровью, рождается могучая сгорбленная фигура какого-то атлета, символизирующего человечество. Мрачновато для лечебного учреждения... Но, надо полагать, у клиентов «Идеала» вкус отличается от Вениного: в противном случае они пожаловались бы дежурному администратору, и оформление живо сменили бы им в угоду. Судя по тому, сколько Великанов брал за одну операцию, здешние пациенты — избалованный народ!

У Вени Васина отношение к медицине было амбивалентное. С одной стороны, болел он и, следовательно, лечился редко, а потому особенно плохих воспоминаний, связанных с людьми в белых халатах, приобрести не мог. С другой стороны, возможно, именно потому, что соприкасаться с медициной приходилось не так часто, эта область человеческой деятельности представлялась ему глубоко чуждой и опасной, полной топких мест, в которых можно утонуть. Врач ежедневно держит в руках человеческую жизнь — разве такая абсолютная власть не развращает? У него легко может родиться идея, что человеческая жизнь ничего не значит, а отсюда до мысли, что убийство — вещь простая и дозволенная, один шаг... Хотя Веня Васин вступил на территорию «Идеала», для того чтобы проверить подозрения относительно пациентов, коллеги покойного Великанова тоже были ему подозрительны и не слишком симпатичны. Заранее, без доказательств. Почему-то казалось, что здесь, в этом, прямо скажем, не нищем местечке подпольно клубится тот еще террариум.

Воспользовавшись для входа своими «корочками», а далее руководствуясь табличкой со списком отделений, Веня Васин поднялся на четвертый этаж. В хирургическом отделении все выглядело так же, как внизу, с тем отличием, что здесь расхаживало по коридору немалое количество людей в масках... Ну да, в белых масках, закрывающих у некоторых еще и шею с ключицами. По крайней мере, это выглядело как маски, хотя на самом деле, надо полагать, являлось хирургическими повязками. Одного такого замаскированного встретить было бы жутковато, а когда их много — ничего особенного. Таким образом утешив себя, Веня Васин постучал в дверь с табличкой «Ординаторская»: так называется комната для врачей, он был информирован об этом. Из-за двери доносились болтовня и смех. «Заходи, не заперто!» — крикнул веселый мужской голос. Веня нажал на дверную ручку — и оторопел...

Всю длину комнаты занимал стол, заставленный бутылками с вином и водкой, тарелками с фруктами, бутербродами, салатами и прочими вкусностями, которые Веня охватить одним взглядом не мог, зато обоняние ему подсказало, что питаются в «Идеале» отменно, и если таково здесь повседневное меню, то тем гурманам, которые не догадались пойти в пластическую хирургию, остается только рвать на себе волосы. Одним концом стол почти достигал двери, из-за которой осторожно выглядывал Веня, а другим упирался в простенок между двумя окнами. В простенке висела крупная фотография Великанова, чинно, в рамочке, под стеклом, перевязанная траурной лентой. Обратившиеся к Вене лица людей в медицинских халатах, напротив, несли на себе полное отсутствие траурности. Создавалась иллюзия, будто в ординаторской празднуют смерть заведующего отделением... А может, то была никакая не иллюзия? Может, здесь происходило торжество, не предназначенное для чужих глаз? По мере того как до врачей доходило, что к их теплой компании готов присоединиться не тот, кого они ждали, их улыбки превращались в замороженные оскалы.

— А я думала, это Ваня, — надменно протянула высокая врачиха, у которой из-под прямоугольной шапочки, преображающей ее в Нефертити, свисали побрякивающие цыганские серьги. — А вы кто?

— А я — Веня, — признался Веня.

На миг ему показалось, что дальнейшие объяснения не потребуются, что его попросту примут, раз уж он пришел, усадят за стол, как своего, он выпьет рюмку, не чокаясь, за помин великановской души, а после исподволь, точечными вопросами, выяснит всю подноготную...

— Какой еще Веня?

Хитрость не удалась. Какая досада. Придется снова «корочками» трясти.

Известие, что среди них присутствует следователь прокуратуры, произвело на тружеников «Идеала» сног-сшибательное впечатление. Точно тайфуном, их всех вынесло из ординаторской, моментально опустевшей: фокус-покус! Но прежде стол очистился от яств, и это был фокус-покус еще похлеще, потому что Веня не уследил, куда так быстро девалось выпивонно-закусочное великолепие. Впору было поверить, что свернули сказочную скатерть-самобранку. На самом деле, как решил Веня, ретроспективно прокручивая события, бутылки и закуски утащили с собой медики... В конце концов, на столе остался приличествующий случаю минимум: тарелка с бутербродами и красное вино. А за столом осталась та самая хирургическая дама, древнеегипетского вида с цыганскими серьгами в три яруса и косой челкой из-под накрахмаленной шапочки. В отсутствие Великанова, как сразу выяснилось, она взяла в свои женские, однако твердые и умелые руки обязанности заведующего (в данном случае — заведующей) отделением. Звали новую заведующую Владислава Яновна Линицкая: не имя, а горделиво-тяжеловесный подарок от предков. С таким хоть на сцене танцуй, хоть богатеньких пациентов кромсай...

— Я прошу вас не обращать внимания на это внеслужебное мероприятие, — великолепно поставленным голосом возвестила Владислава Яновна. — Наш молодой сотрудник защитил диссертацию, мы решили отметить это событие, которое, согласитесь, бывает раз в жизни, в нашем тесном кругу. Кроме того, я сочла необходимым устроить праздник, чтобы разрядить обстановку. Сотрудники так взволнованы произошедшей трагедией...

Линицкая деликатно кивнула в сторону портрета Великанова, который продолжал устремлять взор куда-то в иные края. Удачная фотография. И красивым, надо признать, мужчиной был покойный зав отделением.

— Да я что, я ничего, — пробормотал Веня, попадая в плен обычной своей застенчивости. — Извините, что помешал. Я-то, в общем, как раз насчет трагедии...

Ознакомившись с требованиями следователя прокуратуры, Владислава Яновна недовольно свела безупречно прорисованные черные брови.

— Само собой, вы получите доступ ко всем историям болезней наших прооперированных, — мягким голосом, противоречащим жесткости сведенных бровей, вымолвила Линицкая. — Но, по-моему, вы стоите на неверном пути. Неужели вы не в курсе, кем был Анатолий Валентинович Великанов? Каким он был?

Веня стыдливо потупился.

— Анатолий Валентинович Великанов считался специалистом номер один в своей области. Этот талантливый врач около восемнадцати лет оперировал в России и за рубежом как рядовых пациентов, так и политиков, телеведущих, актеров, звезд шоу-бизнеса. Имя Великанова означает высший класс пластических операций! А «Идеал» — клиника, которую он фактически создал... Такие вещи, которые вы подозреваете, здесь просто невозможны.

Переведя дыхание после хвалебной оды покойному и клинике, Владислава Яновна удачно завершила сказанное:

— На нас, как и на всех прочих специалистов, иногда жалуются пациенты, но с каждой жалобой мы тщательно разбираемся и находим способы исправления своих ошибок. Репутацией мы дорожим. Ни один пациент не ушел от нас недовольным настолько, чтобы прибегнуть к огнестрельному оружию... Зато среди коллег-медиков такие люди есть.

Веня Васин почувствовал, что от глебовской версии номер один он плавно перешел к версии номер два: убийство произошло по заказу хирурга-конкурента.

— Спрос на эстетическую хирургию велик, — все тем же лекционным голосом продолжала просвещать следователя Линицкая. — Одна пятая населения находит в своей внешности изъяны. Особенно в России, где все годы советской власти эти услуги не были доступны простым людям. Теперь специализированные клиники пластической хирургии растут как грибы. Казалось бы, проблема только в деньгах... Но возникли новые проблемы. И дело не в количестве пациентов, а в качестве услуг, которые предоставляют клиники. Не стану скрывать, что во многих обществах с ограниченной ответственностью, расплодившихся именно как грибы, работают, с позволения сказать, специалисты, которым я не доверила бы оперировать даже лабораторную собаку. Недоучки с сомнительными дипломами, применяющие опасные для жизни пациента методы, нарушающие основной принцип врача: «Не навреди!» Как вы сами отлично понимаете, это портит репутацию пластической хирургии в целом.

Веню Васина вдруг стал преследовать бзик: он пытался вообразить, куда девает Владислава Яновна на время операции свои цыганские сережки. Снимает и убирает в карман халата? Или они у нее продолжают болтаться туда-сюда, ниспадая на хирургическую маску? Веня тряхнул головой. Воззрев на него со строгим недоумением, точно учительница на случайно затесавшегося среди учеников дебила, Владислава Яновна продолжила:

— С этим не мог смириться Великанов — и как человек, и как врач. Он создал общественную организацию под названием «Российская ассоциация эстети-

43

ческой хирургии». В эту организацию вошли квалифи-
цированные пластические хирурги страны. Довольно
часто следственные органы и суды привлекали Великанова и его коллег к специальным экспертизам по
установлению технической правильности проведения
операций. И в этой области деятельности Великанов
мог нажить немало врагов!

— Вам известны конкретные факты?

— Факты? Сколько угодно. Все мы, сотрудники отделения, слышали, как Анатолию Валентиновичу угрожали.

— Правда, угрожали? Кто?

— Например, некий Иван Зинченко... Вам это имя
знакомо?

— Боюсь, что нет. Я только начинаю знакомиться с
миром пластической хирургии.

— Надеюсь, что в мире пластической хирургии это
имя больше фигурировать не будет. Но вам необходимо знать... Хотите выпить?

Бутылка с красным вином по-прежнему украшала
собою стол. Вина Васину не хотелось: во-первых, от
спиртного уязвимая кожа блондина Вени покрывалась
красными пятнами наподобие аллергических, что его
не украшало, а во-вторых, все питье в хирургическом
отделении было у него под подозрением в недоброка-
чественности, словно туда тайно влили снотворное или
что-то еще.

— Спасибо, на работе не пью, — ответил Веня, стараясь принять гордый высокопрофессиональный
вид. — А вот бутербродик возьму, если позволите.

— Тогда и я возьму, — смягчилась Владислава
Яновна.

Вот так, в дружеской, переходящей в застольную,
обстановке Веня Васин услышал драматическую исто-

рию, ставшую причиной столкновения Анатолия Великанова с Иваном Зинченко...

Не вспомнить, какой мудрый человек дал определение: счастье — это когда утром хочется идти на работу, а после работы хочется идти домой. Если отталкиваться от этого определения, Георгий Яковлевич Глебов мог назвать себя наполовину... нет, даже, пожалуй, на три четверти счастливым человеком. В целом любя свою работу, он не мог похвастаться тем, что каждое утро стремится туда как на праздник: юношеский энтузиазм с годами поугас, и было бы странно, если бы этого не произошло. Но вот домой Георгий Яковлевич неизменно возвращался, лелея самые приятные чувства, которые неизменно оправдывала его жена... Сегодня, после разговора с Ксенией Великановой, надменной, изысканной и вопиюще, по искренне сложившемуся убеждению Глубова, неженственной, Георгий Яковлевич особенно нуждался в том, чтобы поскорее увидеть свою Таисию, приникнуть к ней, как сердечник к кислородной подушке.

Его драгоценные девочки, Тая и Машка, с похожими круглыми ясными личиками и почти одного роста (дочка тянется ввысь стремительно, акселератка, скоро догонит мать), моментально открывают дверь по звонку. Поджидают его, что ли, в прихожей? Нет, такого быть не может: ведь Глебов приходит с работы в разное время. И тем не менее каким-то чудом они оказываются возле двери... Глебов ни разу не спросил, как им это удается: разве можно разъяснить чудо? Нельзя, да и не нужно... Радостный писк, одна хватает пальто, другая портфель, пристраивают вещи на свои места, пока глава семейства переобувается в домашние тапочки. В это время — никаких поцелуев, никаких вопросов, никаких школьных и рабочих новостей: сначала доброго молодца надо накормить-напоить, а потом уже расспрашивать. Пока Георгий Яковлевич переодевается и старательно моет руки в ванной, на стол, накрытый клеенчатой скатеркой с узором из экзотических фруктов, ставится плетенка с ломтиками хлеба, черного и белого, в три тарелки наливается суп. Первое блюдо съедается молча: Глебовым — потому что он устал и проголодался как собака, женой и дочерью — из уважения к процессу утоления голода главы семейства. А вот когда в желудке перестают завывать водопроводные трубы, за вторым блюдом можно поболтать и расслабиться. Тут-то и начинаются новости и шутки, Глебов чувствует, что он нужен, его любят, и погружается в это чувство, будто в теплую водичку...

И все-таки Глебову удалось сделать правильный выбор со своей поздней женитьбой! Было ведь ему тогда почти сорок лет, и двадцать из них он провел в Москве и обзавелся к тому времени двумя любовницами, одна из которых владела, кстати, роскошной старинной трехкомнатной квартирой вблизи Нового Арбата... А вот не захотел ни с одной из москвичек связываться! Та, с околоарбатской квартирой, так с ним обращалась, что со временем, предвидел Глебов, потребовала бы от него, чтобы он в благодарность за ее жилплощадь спал на коврике и приносил тапочки в зубах. Другая не требовала ничего — более того, возводила это отсутствие требований в принцип и настаивала, чтобы Глебов тоже ничего и никогда от нее не требовал, чтобы у них, как она заявляла с придыханием, осуществился союз двух свободных людей. Здрасте, я ваша тетя! Зачем же тогда жениться? Если так ценишь свою свободу, дорогая, будь и дальше свободной, без мужа, сама по себе. Короче, вдоволь поломав голову над матримониальными причудами жительниц нашей столицы, Георгий Яковлевич отбыл в отпуск к себе на родину, в Кострому.

Древний волжский город, носящий имя богини, которую полагалось почему-то раз в год сжигать в виде чучела, остался все так же красив, непредсказуем и нелогичен. Здесь под сумеречными заборами пряталось глебовское детство, пропитанное опасными мальчишескими играми и непонятными взрослым страхами, а над Волгой, видные с пристаней, плыли по небесным волнам золотые купола, напоминая о вечности. Весь свой деловой отрезок жизни Глебов провел вдали от здешних мест, приезжая только на значительные события, вроде свадьбы брата или похорон матери; но его здесь не забывали. На него даже имели виды... Состарившийся, погрустневший от вдовства, но все еще сильный и разумный батя первым делом дал сыну с дороги отдохнуть в том самом доме, откуда он некогда отбыл в Москву, — это уж как водится. Потом потащил его показывать родне, — это куда ни шло. Ну а после, дав протрезветь после пирушек (каждая ветвь рода Глебовых, принимая москвича, старалась не ударить в грязь лицом), тихо и целомудренно повел в дом давнего, хоть и помоложе Якова Алексеевича, друга и очень хорошего человека. В этом доме спиртное употребляли редко, зато здесь подрастала младшая дочь Таисия — девушка на выданье. Истинное сокровище, если кто понимает. Яков Алексеевич хранил про себя давнюю мыслишку: вот увидит Егор красивую да ласковую Тайку, втрескается насмерть, да так в Костроме и останется. Не захочет никуда уезжать...

Со своими замыслами старый Глебов наполовину просчитался: после Управления по расследованию бандитизма и убийств Мосгорпрокуратуры карьера участкового в Костроме не казалась Георгию Яковлевичу главным светом в окошке. Так что в Москву он все-таки уехал. Однако через месяц вернулся, чтобы увезти с собой Таисию... Нет, не так, как злой татарин-похититель, а все честь по чести: с регистрацией в загсе, с венчанием и со свадьбой. А после свадьбы уехали уж вдвоем — окончательно.

Тут-то и выяснилось, что, доковыляв до сорока годков, Георгий Яковлевич понятия не имел, что такое семейная жизнь! Сколько в ней света, тепла и радости — не сравнить с перепихонами на стороне, если даже они называются значительным словом «страсть»... Таисия, моложе его почти на восемнадцать лет, ненавязчиво наставляла мужа в этой сложной и упоительной науке. Георгий Яковлевич с самого начала подозревал, что эта девочка, не успевшая окончить техникум, в два раза умнее его, старого закаленного следователя, но при этом умна достаточно, чтобы не демонстрировать на каждом шагу свой ум. Так ее воспитали — или она переняла эту мудрую тактику от своей матери? Все делалось без споров о превосходстве, о том, кто должен быть главным в семье, — тихо, ненавязчиво, но неуклонно. Муж — голова, жена — шея: куда повернет, то и выйдет. Георгий Яковлевич, с его следовательской проницательностью, вскоре вычислил это руководство, но противиться ему не стал: даже умилялся втайне. А потом Таюша сходила в женскую консультацию и указала пальчиком на свой пока еще плоский живот, мол, скоро появится на свет еще один человек, которого будут любить...

Да есть ли для Глебова на свете что-то важнее Таи с Машкой? Ради этих бесценных существ он легко расстался с холостяцкими привычками, тянувшими его прочь от дома. Ради того, чтобы его девочки жили счастливо, берег каждую копейку. Бросил курить, не ходил с коллегами в пивную после получения зарплаты, перестал посещать недорогую прокурорскую столовую, ограничиваясь домашними бутербродами. Одним словом, экономил на всем. В связи с этим коллеги присвоили другану Жоре, изменившему прежним разгульным привычкам, вторую, после Подполковника, нелицеприятную кличку — Наш скупердяй. Ну и пусть! Георгия Яковлевича не задевает, как истолковывают его поступки посторонние люди: пусть думают, что им угодно, главное, чтобы в семье все было хорошо.

Созерцая Таино лицо — круглощекое, с монголоидной приплюснутостью, без намека на изысканную красоту, но такое трогательное и милое, — Георгий Яковлевич задумался о том, что убитому Великанову счастья в семейной жизни, по-видимому, не перепало. Если бы он по-настоящему любил свою Ксению, разве стал бы ее переделывать, перекраивать? Жену надо любить такой, какая она есть, любить до того, чтобы в изъянах внешности находить нечто привлекательное, свойственное ей одной. Любовь останется неизменной даже тогда, когда жена с течением лет сделается маленькой сгорбленной старушкой... А когда соединение мужчины и женщины ставится в зависимость от внешней привлекательности, богатства и тому подобной ерунды — это, извините, не любовь, а коммерция. А коммерция в семейных отношениях — то, чего Георгий Яковлевич терпеть не может.

Ольга Михайлова не вписывалась в традиционный портрет клиентки косметической клиники, который большинство населения представляет как богатую старуху, старающуюся вернуть молодость. Ольге было всего двадцать три года, она была длинноногой и стройной, и ее чересчур вытянутое, с уклоном в лошадиность, но милое и пикантное личико вызывало интерес мужского пола безо всякого хирургического вмешательства. Но этого ей было мало. Уделяя большое внимание своей внешности, Ольга выискивала в ней недостатки, приводя в недоумение свою мать. Вспоминая себя в молодости, Елена Леонидовна признавала, что была не так пригожа, как ее Оля, — гораздо хуже; но ей бы и в голову не пришло так сходить с ума из-за каких-то микроскопических дефектов, существующих, скорее всего, только в воображении дочери.

— Мамуль, посмотри-ка, — призывала Ольга Елену Леонидовну, принимая перед зеркалом изящные позы, — по-моему, у меня по бокам жировые складки свисают. Как тебе кажется?

— Нет у тебя никакого жира! Тощая, как спичка, придумаешь тоже... Если и есть какая-то складка, то это от купальника.

— А-а, ну ладно... А не слишком заметно, что одна грудь больше другой?

— Какие глупости! Кто тебе сказал, что больше?

— Так у меня глаза на месте, я же вижу!

— И у меня пока что глаза на месте, — принималась сердиться Елена Леонидовна. — И я вижу, что если кое-кто не пойдет сейчас же готовиться к экзамену, вместо того чтобы крутиться перед зеркалом, то этот кое-кто сессию не сдаст!

Про себя Елена Леонидовна начинала уже волноваться: может, это болезнь такая психическая — когда человек видит в своей внешности недостатки, которые незаметны окружающим, и жутко из-за этого страдает? Она читала в журнале о такой болезни... Может, направить Ольгу к психологу? Но стоило Елене Леонидовне увидеть свою Олечку, такую ладненькую, со вкусом одетую, в компании друзей и подруг, которые вокруг нее так и роились, — и грустные мысли улетучивались. В конце концов, мир помешался на внешней привлекательности: в прессе и на телевидении звезды делятся секретами красоты, выкладывают интимные подробности относительно макияжа и перенесенных пластических операций... И это солидные, добившиеся высокого положения люди! А у Ольги что? Наверняка ничего серьезного! Молодая, вот и переживает из-за всяких пустяков. Кто молод не был? Вот повзрослеет, окончит институт, выйдет замуж — и забудет свои глупости. А когда дети пойдут — о, ну тут забот полон рот, и какое дело матери до размеров своей груди, если она с умилением смотрит, как сосет эту грудь родной младенец?

Однако Ольга не спешила осчастливить мать свадьбой и младенцами. Она, насколько поняла Елена Леонидовна, боялась оказаться в постели с любимым человеком... почему бы вы думали? Оказывается, потому, что любимый обязательно заметит эту отвратительную капиллярную сеточку на правом Ольгином бедре. Да, отвратительную, ужас-ужас, как у старухи! Все доводы относительно того, что по-настоящему любящий мужчина не станет выискивать на коже любимой девушки какие-то капилляры, и того, что надо очень сильно приглядываться, чтобы обнаружить эту сеточку, не действовали. Ольга твердо была намерена избавиться от дефекта, препятствующего, как она верила, ее счастью. Ради этого Ольга собралась лечь на пластическую операцию.

Когда дочь предъявила свой ультиматум, Елена Леонидовна содрогнулась: слово «операция» ее пугало. Самой ей, Бог миловал, не довелось побывать на операционном столе, но ее старшей сестре год назад удалили желчный пузырь, и после этого сестра до сих пор толком не оправилась. Выглядит — краше в гроб кладут! Зачем ее девочке навлекать на себя несчастье? Пусть подольше минуют нас всякие операции!

— Ой, мама, ну ты же ничего не понимаешь, — ныла Ольга. — Это совсем не такая операция, как у тети Люды. У меня она будет легкая, поверхностная, ты же видишь, в пределах кожи. Все равно что уши проколоть! И вообще, это даже не операция называется, а косметическая процедура...

— Дура ты и есть дура, — сердилась Елена Леонидовна. — Лучше бы записалась в обычную районную поликлинику к специалисту по аллергиям, полечила бы свою сенную лихорадку. А то как придет лето, как начнешь чихать на принца своей мечты, он тебя точно бросит. И правильно сделает!

Постепенно Елена Леонидовна сдала свои позиции: так она поступала и когда маленькая Олечка принималась особенно настойчиво клянчить дорогую игрушку, и когда подросшая дочь выпрашивала у матери модные вещи. Работая на двух работах, Елена Леонидовна не уставала напоминать Ольге, что они должны жить по средствам, но Ольга привыкла к материнским заклинаниям, не вызывавшим в ней упреков совести, и если вбивала что себе в голову, то была уверена, что мать рано или поздно пойдет на попятный... Так в итоге и получилось.

Почему Елена Леонидовна дала себя уговорить? Этот вопрос она себе после задавала постоянно — и в слезах, и в том сухом страдании, из которого невозможно исторгнуть и капли слез. Как она это позволила — она, с ее материнским опытом? С интуицией, которая позволяла Елене Леонидовне безошибочно предсказывать мелкие неприятности, вроде Ольгиных двоек, а относительно настоящего несчастья промолчала? Конечно, не последнюю роль сыграли здесь уверения Ольги, что все будет хорошо, что манипуляция пустяковая. И на первый план всплыла реклама «Клиники доктора Зинченко» — шквалистая, по всем каналам, в самый прайм-тайм. Человек советских представлений, Елена Леонидовна все еще пребывала в наивной уверенности, что плохой продукт рекламировать не станут... Ну а кроме того (стыдно признаться, но это так), запредельная для «пустяковой манипуляции» цена позволяла надеяться, что все будет отлично. За такие деньги — не может не быть!

Ольга Михайлова заранее записалась в «Клинику доктора Зинченко» и внесла аванс. Дома рассказала, что там ей очень понравилось: все белое, чистое, персонал вежливый. А оперировать ее будет доктор Зинченко — собственноручно! Так что за результат можно не волноваться. Не волнуйся, мамочка...

Летним утром, на которое была назначена операция, Елена Леонидовна попыталась накормить Ольгу легким завтраком, но та отказалась: обезболивание делается только на пустой желудок. Так и ушла: голодная, бледненькая, с разбросанными по плечам длинными волосами, в платье, сквозь которое просвечивал бюстгальтер. Елена Леонидовна долго смотрела из окна Ольге вслед, как она пересекала их гулкий и темноватый, почти крепостной, двор, уходя через арку в сияющее пространство, где пекло солнце и шуршали по асфальту машины... Долго смотрела. Не потому, что на нее напали предчувствия; просто думала с гордостью: «Какая же у меня красивая, замечательная, взрослая дочь!»

Елена Леонидовна ждала, что Ольга после операции позвонит ей на работу, но звонка не последовало. Наверное, отлеживается после обезболивания... Вернувшись домой долгим летним вечером, который обманчиво выдает себя за бесконечно длящийся день, Елена Леонидовна обнаружила, что дочь домой не пришла. Неужели решила остаться в клинике? Но ведь это так дорого! А вдруг ей пришлось остаться, потому что... потому что возникли осложнения... Додумывать эту мысль до конца Елена Леонидовна не стала. Она схватила телефонную трубку и принялась судорожно набирать номер мобильного дочери. Мобильный был отключен. Перерыв все бумаги на столике, Елена Леонидовна отыскала газетную страницу с рекламой всемогущего волшебника пластической хирургии доктора Зинченко, где был указан телефонный номер клиники. В клинике, когда услышали, что речь идет не о новом клиенте, желающем прооперироваться, а о пациентке, которая ушла на операцию и не вернулась, внезапно потеряли вежливость и в приказном тоне велели матери позвонить по другому, продиктованному телефону. Там никто не брал трубку. Волнение Елены Леонидовны нарастало. Бедная моя девочка, куда же тебя занесло, в какое людоедское логово? Что там с тобой сделали? Елена Леонидовна, не церемонясь, опять позвонила по первому телефону, пробившись через море коротких гудков, и принялась кричать в трубку, что если ей не ответят, где ее дочь, она немедленно едет в клинику — и с милицией! Это произвело впечатление. Голос в трубке лишился хамоватых интонаций:

— Подождите, с вами будет говорить доктор Зинченко.

Доктор Зинченко разговаривал убедительным баритоном с вальяжной хрипотцой:

— Да, я слушаю. Вы — мама Ольги Александровны Михайловой? Вам все равно придется приехать, так что приезжайте поскорее. Вы должны забрать свою дочь.

Короткие гудки. Все. Ни слова о том, что случилось с Ольгой, которая утром ушла из дома на своих ногах, и в каком она состоянии. Но Елена Леонидовна была далека от намерения звонить снова и переспрашивать Зинченко на этот счет. Она схватила сумочку, заперла дверь (переодеваться не потребовалось, поскольку, придя с работы, Елена Леонидовна так и не успела сменить выходную одежду на домашнюю) и понеслась ловить такси. Дороговатое удовольствие, но, во-первых, быстрее сейчас ничем не доберешься, а во-вторых, если Ольгу придется забирать из клиники, такси окажется все равно необходимо. Наверное, у нее сильное кровотечение из раны. А может быть, она плохо перенесла обезболивание — мало ли какие бывают послеоперационные осложнения!..

Елена Леонидовна, как потерянная, стояла в длинной комнате, выложенной зеленым кафелем по полу и стенам. Ее поддерживал под руку доктор Зинченко — приземистый, коренастый, светлые усы щеточкой; но Елена Леонидовна не смотрела на Зинченко. Она смотрела ничего не выражающими от запредельного горя глазами на лицо Ольги, с которого только что подняли простыню. Дочь лежала такая же бледная, как утром, с синеватыми губами, на которых задержались остатки ее обычной помады, казавшейся чересчур яркой на фоне ее теперешней бледности. Выражение Ольгиного лица оказалось неожиданно довольным, как будто она радовалась тому, что все-таки добилась своего, оказавшись в клинике Зинченко. Вот только операцию ей так и не сделали: приподняв, уже по собственной инициативе, край простыни с правого бедра, Елена Леонидовна обнаружила фиолетовую сеточку капилляров на прежнем месте. В этом было что-то глумливое: послужив косвенной причиной смерти, это крошечное уродство останется со своей обладательницей навсегда.

Елена Леонидовна не верила, что ничего нельзя сделать. Ведь здесь же клиника, здесь полным-полно всяческого хитрого оборудования для реанимации, для чего угодно! Но из того, что медицинский персонал клиники стоял вокруг со скорбным видом, а не кидался к Ольге со шприцами, кислородными подушками и капельницами, она с трудом умозаключила, что да, что сделать больше ничего нельзя. До чего же холодно... Среди лета. Даже в январе ей никогда не бывало так холодно.

— Нам всем страшно жаль, — бормотал своим баритоном доктор Зинченко, — но в медицине до сих пор много непредсказуемых ситуаций... Невозможно все предусмотреть... Держитесь стойко... Страшная неожиданность...

— От чего она умерла? — спросила Елена Леонидовна, вытирая платком нос. Под носом собралась капля — от холода, а не потому, что Елена Леонидовна плакала. Она не могла плакать. Она не способна была плакать, пока все не разъяснится. Когда все разъяснится, смерть Ольги будет полноценным несчастьем, а пока это чья-то дикая ошибка.

— От анафилактического шока. Во время премедикации — подготовки к обезболиванию. Почему она скрыла, что страдает аллергией? Может быть, сама не знала?

— Оля? Что вы говорите?! Оля прекрасно знала, что она аллергик, — сенная лихорадка ее посещала каждое лето. Она не стала бы скрывать, тем более от врачей... Вы что-то не то говорите!

— Но факт тот, что она нам не сказала о своей аллергии.

— А вы спрашивали?

Разыгралась омерзительная сцена — и вдобавок над Ольгиным трупом! Елене Леонидовне все время хотелось прикрыть мертвые глаза Ольги простыней, как будто они могли еще видеть этих безобразно вопящих, ругающихся, едва не дерущихся из-за нее людей, одна из которых — ее мать. Елене Леонидовне совали подписанную Ольгой бумажку о том, что никаких претензий она (ныне покойная) не имеет и о возможных последствиях (читай: о смерти?) предупреждена. Елена Леонидовна кричала, что в случае таких последствий никакие подписи юридической силы не имеют. Что за сумасшедший дом, отвечает здесь хоть кто-нибудь за что-нибудь? Ей кричали, что вернут деньги за операцию, если она так настаивает. Елена Леонидовна, с осипшим надорванным горлом, отвечала, что пусть они своими деньгами подавятся, ей нужна только справедливость. Под конец они все, во главе с Зинченко, начали ей угрожать, причем так тупо и нагло, что Елена Леонидовна, окончательно лишившаяся голоса, повернулась и ушла. Уже зная, куда она пойдет...

На месте Елены Леонидовны другая женщина, может быть, полностью растворилась бы в горе матери, потерявшей ребенка, а происшествие, которое стало причиной горя, отодвинулось бы на задний план. Но Елена Михайлова была не из таких. Не сказать, что ее снедала корсиканская жажда мести, но то, что ее дочь умерла в шикарной, рекламируемой повсюду клинике среди бела дня, не давало ей покоя. Поэтому заботы о похоронах совмещались у нее с хождением в прокуратуру. Сослуживцы знали, что Елена Леонидовна — женщина сильная и энергичная, а когда речь идет о дочери, она готова горы своротить. Дочери теперь ничем нельзя было помочь, но это ничего не меняло. Даже для мертвой Ольги Елена Леонидовна совершит все, что возможно.

Экспертизу по заданию прокуратуры провел доктор Великанов, вооружась заключением патологоанатома и заранее поставив себе ряд вопросов. Прежде всего, следовало узнать, были ли занесены в амбулаторную карту Ольги Михайловой данные об аллергическом статусе. Если это условие было выполнено, тогда непонятно: как опытный врач Зинченко, зная, что она страдает сильнейшей аллергией, согласился оперировать пациентку с применением анальгетических средств, которые могут спровоцировать аллергию? И наконец, на случай анафилактического шока, который может возникнуть непредвиденно даже при соблюдении всех надлежащих мер, в перевязочных, процедурных и операционных должны храниться адреналин, преднизолон, пипольфен — почему их не ввели? Ну, на худой конец, если у больной при введении лекарства появилось чувство жара, удушья, головная боль, кожный зуд, резко понизилось давление или появились другие признаки анафилактического шока — почему хотя бы не наложили жгут выше места укола, препятствуя поступлению опасного лекарства в кровь, пока не подоспеет сестра или врач с раствором адреналина? Почему, почему, почему? Сотрудники «Клиники доктора Зинченко» по какой-то неизвестной причине намеренно погубили Ольгу Михайлову, или они попросту так непрофессиональны, что это могло случиться с любым пациентом?

Худшие подозрения относительно квалификации работников «Клиники доктора Зинченко» оправдались. Осмотр пациентов и сбор анамнеза перед операцией проводился формально — да, откровенно признаться, фактически не проводился, хватало чека об авансе. Если деньги заплачены, стоит ли тянуть резину и расспрашивать пациента о том, чем он за всю жизнь болел и нет ли у него аллергии! А вот адреналин, преднизолон, пипольфен в клинике водились — но, к величайшему сожалению, воспользоваться ими было некому, поскольку персонал не владел простейшими и обязательными для всех медиков навыками оказания первой медицинской помощи. Нонсенс, но, как выяснил Великанов, доктор Зинченко отбирал персонал для своей клиники по каким-то странным критериям, причем диплом и свидетельство о квалификации не играли никакой роли. Для медсестер главным критерием служили, очевидно, внешние данные: половина этих красоток не закончила медучилище. Что касается врачей, их главным козырем выступали свидетельства об окончании краткосрочных курсов пластической хирургии; не все из них могли даже предъявить дипломы о высшем образовании. Надо полагать, Иван Зинченко собрал эту шайку малообразованных врачей, чтобы самому выглядеть на их фоне корифеем, — в другом коллективе у него, проработавшего по специальности едва год, этот номер не прошел бы.

Анатолий Великанов направил обоснованное письмо в Минздрав. В нем он писал, что в такой сверхприбыльной отрасли российской медицины, как пластическая хирургия, сегодня работают люди алчные. В погоне за деньгами они не гнушаются ничем. Нередко они — слабые специалисты в своем деле. В США, чтобы стать пластическим хирургом, уже состоявшемуся доктору нужно проучиться по новой специальности семь лет. В России переподготовка занимает всего несколько месяцев. После чего в медбизнес приходит «специалист», который берется изменить внешность человека за час.

По результатам проверки Минздрав сделал выводы. Отныне одним из лицензионных требований и условий лицензирования является не только высшее медицинское образование у персонала, но и спецподготовка, стаж работы (не менее двух лет) по лицензированной специальности. Началась работа по утверждению косметологических методик...

А врач Иван Зинченко после заключения Великанова был лишен лицензии Департаментом здравоохранения Москвы. Его клиника перестала функционировать. Мошенник перестал зарабатывать бешеные деньги. Чем не мотив для убийства доктора Великанова?

Веня Васин в молчании выслушал драматическую историю Ольги Михайловой из уст Владиславы Яновны.

— Ну а потом Зинченко встречался с Великановым? — не мог не спросить он. — Может быть, звонил ему по телефону? Угрожал?

— Нет, ничего подобного я не помню. — Морщинка между бровями стала резче и заметнее. — Но разве это обязательно? Если человек по-настоящему решился мстить, он не станет спугивать объект прежде времени. А Зинченко был достаточно зол на Великанова, чтобы решиться мстить.

— Спасибо, что поделились со следствием своими подозрениями, — поощрил заведующую отделением Веня Васин. — Если еще какие-нибудь соображения появятся, высказывайте их, не стесняйтесь. А сейчас я все-таки хотел бы заняться историями болезней пациентов, которые имели основания жаловаться на Великанова.

Владислава Яновна раздосадованно тряхнула головой, заставив цыганские серьги издать мелодичное позвякивание. Одно из двух: либо она имела зуб против ушедшего со сцены Ивана Зинченко, либо была недовольна тем, что не удалось перевести на него стрелки с историй болезней, которые она по каким-то скрытым причинам не хотела обнародовать. Но ситуация не оставляла возможности выбора, и Владислава Яновна, взяв себя в руки, радушно молвила:

— Пожалуйста. Они в вашем распоряжении. Приступайте хоть сейчас.

Глава четвертая

СКАЛЬПЕЛЬ В СВЕТЕ СОФИТОВ

Помимо пластической хирургии, у Анатолия Великанова незадолго до смерти появилась еще одна сфера деятельности, быть может, имеющая отношение к убийству: он принимал участие в новом телевизионном проекте. Телекомпания «Радуга» обогатилась, снимая реалити-шоу «Неотразимая внешность», в котором участников прямо перед камерой оперируют пластические хирурги. На самом деле проект, созданный продюсерами Мариной Ковалевой и Стасом Некрасовым, являлся клоном популярного американского реалити-шоу «Экстремальное омоложение», но так ли это важно, откуда он заимствован, если нравится публике? Опыт показывает, что на родных широтах с легкостью приживаются американские шоу... В проект «Неотразимая внешность» были включены двадцать участников, которые согласились на операцию перед камерой. В их числе были знаменитая писательница, автор милицейских детективов Анастасия Березина, актриса Екатерина Лощинина, снимавшаяся в популярных сериалах, джазовая певица Татьяна Антонова, чьим голосом пела не одна героиня советских фильмов... Оперировать знаменитостей должен был сам Анатолий Великанов и также известный, хотя и не такой популярный хирург Марат Бабочкин.

На Марата Бабочкина жаловалась Ксения Великанова, обвиняя его в подсиживании своего покойного мужа. Да и вообще, телевидение — область повышенной конкуренции, сопряженной с немалыми деньгами. Мало ли кому мог стать неугоден блестящий хирург? Так что для Глебова назрела необходимость съездить в телекомпанию «Радуга» и поговорить с продюсерами Мариной Ковалевой и Стасом Некрасовым.

Станислав Некрасов в некотором смысле Глебова потряс — правда, не как тот ожидал. Глебов предполагал, что он столкнется с превосходным профессионалом, но потрясение лежало в области внешнего эпатажа. Видно по всему, этот словоохотливый и довольно-таки смазливый молодой человек уделял огромное, ни с чем не сравнимое внимание растительности на своей голове. Наверное, он считал, что продюсера видно по прическе, и постарался сделать ее как можно более оригинальной, выбрив половину головы наголо, до зеркальной гладкости, точно он пользовался какими-то средствами для удаления волос. На другой половине беспорядочно торчали, точно сорняки на нестриженом газоне, белые щетинистые космы. Все вместе живо напомнило Георгию Яковлевичу занятия по истории криминалистики, на которых описывали похожий тип прически — по ней опознавали в России XIX века беглых каторжников... Растительность на подбородке тоже выглядела достаточно оригинально: Стас Некрасов носил диджейскую козлиную бородку, с которой во времена глебовской молодости журнал «Крокодил» постоянно изображал на карикатурах дядю Сэма. К бородке и прическе на редкость подходили коротковатые, выше щиколоток, широкие серо-сиреневые портки в розовый цветочек, точно сшитые из любимого рядна какой-то провинциальной прабабушки, а также синий шерстяной пуловер, сплошь исписанный надписями на трудноидентифицируемом языке. Судя по обилию восклицательных знаков, надписи служили лозунгами. На ногах Стас демократично терпел белые кроссовки и белые, с тонкими красными полосками, носки, которые выставлялись на полное обозрение короткими штанинами.

Общее заключение относительно внешности Стаса Некрасова, сформулированное Глебовым, конечно, не вслух, звучало так: «Ну и чучело!»

Чучело? Скорее всего, да — на взгляд человека, не причастного к чарующему телевизионному миру. Однако Стас Некрасов был очаровательным чучелом. Он был влиятельным чучелом. Он был чучелом, от которого многое зависело — судя по тому, что во время прохода по коридорам «Радуги» в сопровождении Глебова его буквально рвали на части. Стаса спрашивали о времени следующего выхода в эфир, о полетевших софитах, о заболевшем осветителе и обо всем подобном. И только ленивый не спрашивал:

— Стас, а это кто с тобой? Представь своего друга...

— Герой новой передачи, — отвечал Стас, таща за собой Глебова. Отвечал он, как и вообще разговаривал, с такой почавкивающей артикуляцией, точно перекатывал жевательную резинку во рту.

Они остались наедине, только закрыв за собой задвижку на двери комнаты, служившей, по-видимому, рубкой для озвучивания или чем-то вроде того. Стеклянная перегородка. Стол с наушниками. Наушники висят также и на штативе. Неизвестная Глебову, но, кажется, звукозаписывающая аппаратура. Вроде магнитофонов, подсоединенных к компьютеру, только более совершенных. Стулья хаотически разбрелись по всей комнате, кое-где образуя скопления, но никак не координируясь со столом. Молча подвинув Георгию Яковлевичу стул, Стас выдернул из скопления за спинку другой и сел напротив. Всем своим видом он показывал, что у них тут, в «Радуге», запросто, без церемоний. И следователю рекомендуется быть проще, влиться в общий поток. Тогда с ним, как со своим, поделятся всем, что знают.

— А я как-то, между прочим, не понимаю, что мы вам можем сказать, — перехватил инициативу продюсер Некрасов. — Скорбим, да. Жаль. Все мы смертны. Печальная участь рода человеческого. Мы уходим, но остаются на земле дела наших рук. Анатолий Великанов за неделю до того, как его убили, прооперировал пациентку, и сейчас она проходит реабилитацию в одной из клиник. Жизнь продолжается.

Все это — и о печальной участи, и об убийстве — Стас проговаривал так, будто речь шла о курсе доллара или об атмосферном давлении.

— Кто эта пациентка?

— Писательница Анастасия Березина.

— Я могу с ней поговорить?

— Жаль отказывать, но — не можете. Плохое самочувствие, посленаркозные осложнения, бред и все такое. Кроме того, пока лицо не зажило, она не позволит никому на него смотреть. Из-за этого она разволнуется и, как знать, может выдать неправильные показания. Вы же знаете женщин — как много у них зависит от внешней привлекательности! — Стас многозначительно провел ладонью по выбритой половине головы, деликатно намекая, что внешняя привлекательность важна не только для женщин. — Если мы выдадим вам Анастасию в таком состоянии — все, проект можно пускать под нож. — Стас чиркнул ребром ладони поперек горла, оскалив зубы, как дикий абрек. — Коммерческая тайна, ну, меня компрене? Скоро у нее все заживет, и вы получите Березину в полное распоряжение... Правда, она и так в вашем распоряжении: она же милицейские детективы пишет, если не ошибаюсь. Не ошибаюсь? Странно, что не читал. Правда, ума не приложу, что она вам может сказать? Она Великанова видела только под наркозом!

Речь Стаса представляла собой отдельный дивертисмент, что-то вроде циркового номера, где гимнасты исполняют на трапециях разнообразные элементы. Слова его, вместе как будто образуя единое целое, по отдельности как-то рассредоточивались, так что неопытный слушатель терялся, за каким из них следить, — прием этот, наверное, очаровывал телевизионную публику. Но Глебова трудно было назвать неопытным, поэтому он, отложив до поры до времени вопрос об Анастасии Березиной, продолжил задавать вопросы:

— А с Маратом Бабочкиным могу я поговорить?

— Можете. Правда, если найдете.

— Он сбежал?

— Нет, с какой стати? Мы с ним постоянно созваниваемся, но он даже мне не признается, где он территориально пребывает. Марат Бабочкин сразу же после убийства обратился к услугам одного из ЧОПов и сейчас находится под охраной детективов.

— Он чего-то опасается?

— Почем мне знать! Я его не пасу. Наверное, опасается маньяка, который убивает исключительно пластических хирургов — участников телевизионных шоу. —

Стас громко хмыкнул, на случай, если до следователя не дошло, что это шутка.

— А кто, по-вашему, мог убить Великанова? У него были враги на телевидении?

— О нет, это — нет! — Стас замахал руками. — По поводу убийства у меня нет никаких версий! Так и запишите.

— Может быть, враги были у проекта «Неотразимая внешность»? Или у вас лично?

— У меня? Сколько угодно. У проекта? Конкуренты не спят. Но — убивать? Нет, нет! Если даже так, чего они добились? Проект ни в коем случае не остановлен. Клиника «Идеал» будет продолжать работать, но уже без Толи Великанова. Помимо этого есть и вторая группа пластических хирургов из клиники «Кристина» под руководством доктора Марата Бабочкина.

— А он намерен работать? Или убийство так его потрясло...

— Будет, будет! Это у него пройдет!

— А есть еще в шоу люди, которые отказались работать из-за убийства?

Против обыкновения, Стас не принялся тотчас же частить словами, а раскрыл рот, упершись глазами в кого-то позади Глебова. Глебов обернулся — в комнату вплыла женщина... Если возраст Стаса так же невозможно было определить, как возраст экзотического животного, то вошедшая выглядела лет на тридцать пять. Не красавица, но и не чудовище — темно-русая толстушка со стрижкой «каре», консервативно облаченная, как бы в пику своей фигуре, в прямую серую юбку ниже колен и бесформенную коричневую кофту на некрупных роговых пуговицах. Рядом со Стасом она выглядела добропорядочной старшей сестрой хулиганистого братца. Сравнение усугублялось тем, что ее

66

вдруг обнаруженное присутствие заставило Стаса напрячься и даже как бы оробеть.

— Марина... а я тут объяснял гражданину... то есть господину следователю Глебову...

— Я поняла, Стасик, — мимоходом, как бы погладив собаку, успокоила Стаса та, которая, по всей очевидности, была не кем иным, как Мариной Ковалевой. Далее она обращалась прицельно к Глебову, словно присутствие такого феномена, как Стас, игнорировалось по определению: — Смею вас уверить... Георгий Яковлевич? Смею вас уверить, Георгий Яковлевич, все участники реалити-шоу происходящее поняли правильно и поэтому остались в проекте. Если у кого-то временно сдали нервы, это не причина хоронить «Неотразимую внешность». Следующая передача выйдет в эфир, как намечено.

Марина Ковалева — не чета Станиславу Некрасову! После ее пятнадцатиминутного допроса Глебов взопрел. Кроме того, он чувствовал себя так, будто на протяжении этих пятнадцати минут бился в железобетонную стенку. Марина выкладывала ему в принципе то же, что Стас Некрасов, но делала это так уверенно, что факты, которые в передаче Стаса приобретали неуловимую разъезжающуюся двусмысленность, у нее преподносились как истина в последней инстанции и не требовали дополнительных уточнений. Всякое «нет» у нее имело статус абсолютного запрета, всякое «да» — непостижимой прямоты. И интересы шоу... Да, интересы шоу значились у Марины Сергеевны на первом месте.

По завершении этого нелегкого визита Георгий Яковлевич взял себе на заметку две вещи. Во-первых, мыслительным и волевым центром проекта «Неотразимая внешность» выступает, безусловно, Марина Ковалева. Во-вторых, за фасадом реалити-шоу вполне может что-то скрываться. Чтобы это выяснить, мало взгляда с продюсерской стороны. Необходимо встретиться с рядовыми, точнее, богатыми и знаменитыми участницами шоу.

А кроме того — кровь из носу! — надо хоть из-под земли достать врача Марата Бабочкина!

Знал бы Глебов, что Ксения Великанова, говоря о пациентках, которые идут на пластическую операцию в надежде, что она преобразит их жизнь, отчасти имела в виду себя! С тем отличием, что ее никак нельзя было назвать психически неуравновешенной особой — скорее, чересчур уравновешенной. И еще — в результате операции жизнь ее действительно изменилась...

Начать с того, что изменение внешности стало первым труднореализуемым желанием в Ксениной жизни. В предшествующий период единственная, на старости лет рожденная дочь Михаила Олеговича Маврина получала все, что угодно, прежде чем успевала этого захотеть. Игрушки, книжки? В преизбытке. Заграничные поездки? Музейные сокровища Лондона, Парижа, Мадрида и Венеции помогали формированию чувства прекрасного. Живую лошадь? Ко дню двенадцатилетия. В иняз Ксения Маврина поступила не моргнув глазом, не успев перенапрячь над пособиями для абитуриентов свой молодой и гибкий ум.

В результате Ксении не хотелось ничего. С говорящими куклами и огромными плюшевыми зверьми она играла мало, скорее для того, чтобы удовлетворить родителей. Лошадь пришлось продать в спортивную секцию. Иностранные языки давались легко, и к этому своему таланту Ксения относилась пренебрежительно, как к чему-то подсобному. Переводы у нее получались неплохие; преподаватели хвалили стиль и спрашивали, не пробовала ли она писать. Ксения в течение длительного времени подумывала, не накатать ли ей роман о буднях обитателей Рублевского шоссе, но думала она так неторопливо, что дождалась, что эту тему перехватила Оксана Робски, а больше Ксении писать было не о чем. Да и вообще, литература — это не для нее. А что для нее? Чтобы заполнить пустоту, Ксения изредка пробовала на молодежных пати наркотики, но не подсела, каждый раз убеждаясь, что байки по поводу измененного состояния сознания здорово преувеличены: глюки так же скучны, как реал. А может быть, ее изнуренный скукой мозг не в силах выжать из себя даже интересных галлюцинаций...

Часами валяясь на постели или разглядывая себя в зеркале, Ксения размышляла на тему, что, если бы она родилась в бедной семье, у нее была бы сильная воля. Она усвоила бы с первого класса школы, что, если хочешь вырваться из нищеты и удержаться на приличном уровне, надо круглосуточно вкалывать. Вкалываешь — лопаешь шоколадки, перестанешь вкалывать — никакой шоколадки тебе не будет. А попробуй тут вкалывать, если шоколадки вокруг валяются, только руку протяни! Когда тошнит от них... Впрочем, от вкалывания тошнит тоже. А сильнее всего тошнит от самой себя.

Смотрение в зеркало, сопровождаемое такими мыслями, постепенно заставило Ксению возненавидеть собственную внешность. Вроде бы охаивать нечего: натуральная блондинка, правильные, хотя и мелкие, черты лица — а в целом получается нечто размытое, бесхребетное. Одна радость, что не урод... Радость? Уроды, и то больше внимания привлекают! Мимо Виты Целлер, с которой она училась в одной группе, ни один мужчи-

на не пройдет, не оглянувшись на ее длиннейший бура-
тиний нос и толстые красные губы, и в результате у Виты
отбоя нет от поклонников. А мимо Ксении проходят, как
мимо пустого места. Смотрят на нее только из любопыт-
ства, направленного на ее папу: «Это Маврина? Дочь
самого?» — «Она». — «Ну и как?» — «Так себе, ничего
выдающегося».

Не зная, как изменить свою жизнь, Ксения решила
изменить хотя бы внешность.

Это был первый семейный скандал такого масшта-
ба! Как домашняя девочка, Ксения не могла не сообщить родителям о том, что собирается лечь на пластическую операцию, тем более что на операцию требуют-
ся большие деньги. Михаил Олегович схватился за
сердце, а потом встал на дыбы. Забыв о том, что когда-
то хотел мальчика, он относился к дочери, как к своей
главной сбывшейся мечте, видя в ней предельное, до
последней черточки, совершенство, осуществленное его
усилиями. Ему мерещилось, будто он при зачатии вло-
жил в утробу жены некий генеральный проект, в соответствии с которым ребенок должен расти и развивать-
ся все последующие годы. Теперешняя Ксения из проекта не выбивалась: чертами лица, волосами,
крепенькой фигуркой без выраженных груди и талии она
как две капли воды походила на Михаила Олеговича в
молодости и — через него — на незабвенную его мать
Наталью Гавриловну, Ксенину бабушку, которая умерла
за десять лет до рождения внучки. Что же эта шмако-
дявка удумала? Предать отца, предать свой род? На что
ей, спрашивается, другая внешность, чем ей плоха эта,
которую она унаследовала с мавринскими генами?

Ксении никогда еще не доводилось попадать в эпи-
центр такого цунами! Она неоднократно слышала, как
папа кричит на подчиненных, но чтоб на нее? Мама

робко попробовала его успокоить, а обнаружив, что ничего не получается, тихонько ретировалась в свою спальню. В отличие от нее, Ксения не испугалась ни-чуточки. Она росла слишком послушным, бесконф-ликтным ребенком и теперь почти наслаждалась семей-ной грозой. Может быть, это и есть настоящая жизнь? Ксения с любопытством выжидала развития событий...

События затянулись на два с лишним месяца, то взрываясь активными боевыми действиями, то затухая и переходя в партизанскую войну. В конце концов, не сдержавшись, Михаил Олегович отвесил дочери поще-чину и, напуганный своим поступком, отдернул руку, точно от раскаленной сковороды. Щека загорелась пламенем, на трепещущие ресницы навернулись сле-зы — Ксению никогда не били! Пощечина решила ис-ход войны: Михаил Олегович, чувствуя себя винова-тым, изъявил готовность выделить на пластическую операцию столько денег, сколько потребуется.

— Но учти, — подытожил он, — я тебя не отдам пер-вому попавшемуся коновалу. Много их теперь разве-лось — туда же, с дипломами... Найдем самого лучше-го врача.

Анатолий Великанов — самый лучший! Это Ксения поняла, едва увидела его — в сиянии зимнего утра, на фоне морозного стекла, где солнце образовало подо-бие нимба вокруг головы, с которой хирург только что снял форменную зеленую шапочку. И еще — какой-то вдруг зашевелившейся внизу живота теплой точкой, о которой раньше не подозревала, — поняла, что опасе-ния ее насчет своей жизни напрасны: она способна желать. Да еще как! Когда такое желание посещает людей, вялых оно делает энергичными, слабых — силь-ными, робких — беспредельно храбрыми. Ксения, ко-торая из скромницы вдруг за считанные секунды превратилась в бесстыдницу, отдавала себе полный отчет в том, что хочет этого мужчину. И готова совершить что угодно, пройти по чьим угодно трупам, только чтобы Анатолий Великанов принадлежал ей. Ей одной.

Он был самым лучшим. Таким и останется. Если Толя видит ее с того света, пусть простит за то, что ей пришлось кое в чем солгать следователю... Точнее, кое о чем умолчать. Солгать умолчанием. Она сделала бы это снова, даже если бы точно знала, что это направит следствие по неверному пути.

Это ложь во спасение. Так надо — чтобы сияющий прижизненный облик Анатолия Великанова не омрачила грязная тень...

К Марии Сильницкой, гендиректору журнала «Всходы», который спонсировал и где печатался Анатолий Великанов, Георгий Яковлевич пришел самолично. Он мог бы вызвать ее на допрос к себе в кабинет, но ему страшно хотелось самому взглянуть изнутри на редакцию «Всходов», так как подобные учреждения и их работники вызывали у него воспоминания... Когда-то, по молодости, будучи еще опером, Глебов писал плохие милицейские стихи и посылал их в редакции разных журналов. Надо отдать должное редакционным работникам, которые в те советские годы не напрасно ели свой хлеб: ни одно письмо не осталось без отзыва. Отзывы приходили в конвертах с особыми штампами. Жора Глебов вскрывал их трясущимися руками с замиранием сердца — чтобы получить в высшей степени критический разбор строчек, выступавших тогда квинтэссенцией его тревожной жизни. Разбор завершался вежливым пожеланием молодому таланту больше работать над стихами и чаще читать поэтов-классиков.

Жора не хотел видеть в пожелании больше работать завуалированную просьбу никогда не отсылать свои рукописи и воспринимал это буквально: писал новые стихи. Писал, писал и писал...

На втором году поэтических мытарств, не довольствуясь письменным общением, опер Глебов принес стихи в редакцию лично, чтобы так же лично прийти за ответом спустя неделю. Эту неделю он пережил, точно критический период болезни, утратив сон, аппетит и здравое ощущение действительности. Если бы не работа, сдох бы, как пить дать. Направляясь снова по редакционному адресу, готовился к встрече с литературным консультантом, судя по имени-фамилии — женщиной. Эта женщина представлялась не искушенному в литературных делах Жоре высокой и красивой, как Натали Гончарова на картине, где она под руку с Пушкиным поднимается по лестнице царского дворца, и язвительно-остроумной, как майор Демченко, его непосредственный начальник. А за письменным столом, заваленным грудами чужих рукописей (судя по толщине, попадались там поэмы, а то и романы в стихах), сидела, едва над ними возвышаясь, коротенькая старушка с кое-как покрашенным в рыжий цвет пучком волос, начесанным на крупные уши, оттянутые серьгами, похожими на пуговицы от пальто. Говорила вяло, скорее цедила, в час по чайной ложке — и притом что-то нудное, уклончивое, необязательное... И это — литератор, специалист в области поэзии? Среди милиционеров, да что там, среди уголовников Жоре сплошь и рядом попадались более интересные, вдохновенные и поэтические люди. И вот такому фуфлу доверен отбор стихов для ведущего литературного журнала СССР? Столкнувшись с реальностью, Жора бросил писать. И хотя впоследствии Глебов, улучшив свой вкус, признал, что стихи его были так себе, это не способствовало в его глазах реабилитации работников журналов. Впечатление убогости и нелепости осталось с ним навсегда.

Так что теперь ему было любопытно: изменилось ли что-то в редакционном мире?

Ну конечно же изменилось! Если прежняя увиденная Глебовым редакция походила на овощехранилище, где вместо овощей были рукописи, то теперешняя — на офис. Типичный офис: на окнах — жалюзи, на столах — компьютеры. Бумаг — минимум. Вот только сотрудники мало походили на клерков: все, как на подбор, энергичные, раскованные, они свободно отвлекались от бумажной рутины, часто работали на компьютере, общались друг с другом, хохотали над понятными только им шутками, обсуждали такие заумные, с точки зрения следователя, вещи, как конфликт между постмодернизмом и модерном, причем постмодернизм, с их точки зрения, тоже достоин был того, чтобы отправить его в утиль. Среди них было много молодежи, и это отчасти изгладило призрак старушки-литконсультанта, по-прежнему витавший перед Глебовым.

Мария Сильницкая не выглядела юной девушкой, но и старушкой ее было трудно назвать. Подтянутая, с умеренным количеством косметики на оживленном приветливом лице, с простой короткой стрижкой, она сохраняла в себе что-то студенческое. Одета в джинсы, полосатую рубашку и теплый вязаный жилет — рационально, удобно, демократично. Сильно и резко, по-мужски пожав руку следователю, представилась: «Мария Ашотовна. Маша», — ввергнув Георгия Яковлевича в сомнения, действительно ли она предлагает называть себя Машей или это обычная дань современной, демонстративно игнорирующей возраст вежливости. Все-таки он вывернулся, заявив: «А я Жора», — и в дальнейшем без церемоний перешел на обращение «Маша». Тем более что имя такое родное — его дочки имя...

— Среди литераторов у Толи врагов не было. — По всему видать, не промахнулся Георгий Яковлевич: в этой среде все, повально все, до седых волос — Толи, Маши, Нины, Жоры... — Исключительно друзья. Знаете, дружба писателей — амбивалентная вещь, все равно что террариум единомышленников. — Она многозначительно хмыкнула. — Но Толя — совершенно особый случай. Как литератор, он не был честолюбив. В то же время он был настолько известен как врач, настолько обласкан в этом смысле и вниманием, и наградами, что литературная слава представлялась ему... лишней, может быть. Он был яркой личностью, он имел право выбирать. В то же время принадлежность к литературной среде, по-моему, ему нравилась.

— Он что-нибудь писал?

— В основном статьи о состоянии современной медицины в России. Они всегда вызывали широкий читательский резонанс. — В этом словосочетании «читательский резонанс», точно в капле воды, мелькнула для Глебова старая редакция, заваленная пыльными рукописями. Только в нем и мелькнула... — Написаны отличным языком. Я всегда, готовя их для печати, восхищалась Толиным умением обращаться со словом. Ставила его в пример молодым журналистам, но, по-моему, напрасно: этому невозможно научить, это врожденный дар.

— А кроме статей?

— Сложный вопрос. — Мария Ашотовна еле приметно нахмурилась, будто сложный вопрос царапнул ее чувствительное сердце. — Скажу вам, что если бы Толя Великанов посвятил себя литературе, оставив другие дела, он мог бы претендовать на значительное место среди авторов.

— Маша, он вам показывал свои... произведения?

— Скорее, наброски. Я бы не удивилась, если бы через несколько лет Толя объединил их в большое произведение — возможно, роман.

— Что за роман?

— Проза с намеком на автобиографичность. Знаете, книга, которую может оставить после себя любой человек, конечно, не лишенный литературного дарования. — Это книга о своей жизни.

— Ну а вкратце? О чем была бы книга Великанова, если бы он ее написал?

— О непонятости.

— Не понял...

— Думаю, и Толю немногие поняли бы, если бы он завершил этот роман. Повествование велось от лица человека, чьи мысли и чувства недоступны окружающим. Окружающие предпочитают видеть в нем кого угодно, только не того, кем он на самом деле является.

— Кто его конкретно не понимал? Семья? Коллеги?

— Жора, давайте не будем примитивизировать! Автобиографичность означает здесь скорее не буквальное следование натуре, а интимность, лиричность переживаний. При чем здесь грубая конкретика? При чем здесь коллеги? Главный герой набросков Толиного романа был не медиком, а художником.

— Великанов разбирался в живописи?

— Да, и, по-моему, для любителя неплохо. Его влекли самые разные области искусства. Он был многогранным человеком, и мне безумно жаль, что он сумел реализовать себя едва ли на десятую часть...

Услышав, что Великанов не описывал собственную жизнь в том тривиальном аспекте, который может пригодиться следователю, Георгий Яковлевич потерял к теме всякий интерес. Художник, фу-ты, ну-ты, скажите на милость! Эти творческие личности — ну чисто дети малые, которые примеряют на себя маски то короля, то волка, то ведьмы... Недостаточно им быть самими собой! Наверное, самокритично подумал Глебов, я все-таки личность нетворческая, потому что мне полностью хватает себя. И своей семьи. Словом, строить из себя кого-то еще не возникает необходимости.

Задав еще несколько необязательных вопросов о взаимоотношениях Анатолия Великанова с различными членами «всходовской» редакции, Глебов откланялся, чувствуя, что полностью разобрался с воспоминанием о тех давних отвергнутых стихах. Если бы его стихи (чем черт не шутит?) одобрили, то... то он мог бы превратиться в творческую личность. И кончить, как Великанов. А так, он жив и расследует дело об убийстве Великанова. Каждый сам отвечает на вопрос, какая альтернатива из предложенных ему больше подходит, но что касается Глебова, его вполне устраивает то, что есть.

Иван Зинченко откусил хвостик дорогостоящей, подлинной кубинской сигары. Не спеша, с удовольствием. Никогда не следует торопиться в таких вещах. Торопиться можно во всем другом... Странно подумать, какой хлопотной жизнью жил он раньше! Присесть не дадут, сразу зовут к больному, или информируют, что операция прошла не так хорошо, как планировалось, или паникуют, что очередная пациентка задумала взыскать с них огромную денежную компенсацию за свой нос, который оказался не таким прямым, как она хотела, или за морщины, которые, будучи убраны в одних местах, проступили в других... Мрак! Бред! Полный кошмар! Нет, то, что он по стопам отца поступил в медицинский институт, было крупнейшей ошибкой и Ивана Зинченко, и его родителей. Он никогда не хотел быть врачом, он хотел зарабатывать большие деньги. Конечно, он всегда мечтал о том, чтобы деньги появлялись у него в бумажнике просто так, сами по себе, безо всяких усилий с его стороны; но если эта мечта принадлежит к несбыточным, пожалуйста, он готов заработать. Вот только медицина в период, переходный от социализма к капитализму, предоставляла для этого слишком мало возможностей. Что делать? Ожидать, пока этот переход до конца завершится и высококлассный специалист сможет много зарабатывать и в России. Но этот период на нашей холодной почве может тоже затянуться лет на семьдесят, а ждать столько времени, профессионально совершенствуясь и потуже затягивая пояс, глотая слюну при виде более смелых и удачливых, для Зинченко представлялось невыносимым. Нет, он не из таких! Поэтому, все рассчитав и взвесив умом прирожденного бизнесмена, Иван Зинченко основал клинику по самой ходовой специальности: пластическая хирургия. Пришлось, правда, перед этим чуток подучиться, но слегка, не перенапрягаясь, так как учиться Зинченко не любил. «Лучше иметь синий диплом и красное лицо, чем красный диплом и синее лицо» — так парировал он в студенческие годы шутки соучеников по поводу его постоянных пересдач...

Ну и что же, что «Клинику доктора Зинченко» постигла такая плачевная участь? Все-таки перед крушением денег изрядно заработали: вложения в рекламу полностью окупились. Конечно, к этой бы рекламе еще и профессиональное мастерство, которое помогло бы им оказывать рекламируемые услуги так, чтобы клиент оставался доволен... Но тут, извините, что-нибудь одно: нельзя сидеть на двух стульях одновременно. Зинченко выбрал чистый бизнес, без примеси медицины. Чистейшее, если хотите, облапошивание. И оно действовало! Несмотря на активность недовольных клиентов, они не сумели закидать его грязью до такой степени, чтобы народ перестал к нему валом валить. И если бы не эта девушка... как же ее звали? Ах да, Ольга... работали бы и по сей день.

По отношению к Ольге Михайловой Иван Зинченко не испытывал сейчас ничего: ни жалости, ни ненависти, ни чувства вины. Кого здесь винить, что он не смог ее спасти? Анафилактический шок — редкий случай. Хотела избавиться от капиллярной сеточки, получила смерть в придачу. Чистая философия. Естественная убыль. Раз на раз не приходится. «У каждого врача есть свое кладбище», — любил говаривать папец. Папочка у него врач не слишком талантливый и не слишком удачливый, это Зинченко-младший понял еще на втором курсе мединститута. Хотя, понятно, после того как зарежешь на операционном столе пациента из-за трясущихся с похмелья рук, особенных перспектив в профессии ждать не приходится. Обычная история: папец в жизни не смог добиться того, о чем мечтал, поэтому хотел, чтобы сын компенсировал его неудачи за него. Видел в сыне свое отражение. А зря. Если бы не толкал Ивана в медицину, которую тот ненавидел, а позволил ему поступать в экономический, Ольга попала бы на операцию к понастоящему квалифицированному врачу и жила бы по сей день.

А может быть, и нет! Ему ли не знать о состоянии нынешней пластической хирургии на родимых российских просторах? Ну, не он, так другой. Как говорится, все там будем... По отношению к Ольге Михайловой Зинченко не в состоянии был выжать из себя даже крошечной слезинки.

По крайней мере, можно считать, что Зинченко искупил свою вину тем, что впредь никто не умрет от его руки. Когда его лишили лицензии, он предпочел расстаться с медициной, хотя такого решительного поступка от него никто не требовал. Как раз в это самое время старый друг, с которым они играли в одном дворе, основал фирму по торговле автомобильными запчастями, и ему требовались помощники. На то, что в его фирме будет работать человек с подмоченной репутацией, чье лицо еще несколько месяцев назад с мушиной назойливостью мелькало по всем программам, старый друг великодушно закрыл глаза... И не прогадал. А Иван Зинченко наконец-то смог найти приложение своим способностям в настоящем бизнесе. Ему понравилось. Он пошел вверх, не останавливаясь на достигнутом... Да, признаться, он наконец-то нашел то, что искал.

Папец, конечно, стоял на ушах, не в силах смириться с фактом, что его сын больше никогда не наденет белоснежный накрахмаленный халат, не сядет в кожаное кресло владельца престижной клиники. Но в конце концов смирился. А куда деваться? Заработок-то весь принадлежит Ивану. Кто еще будет давать деньги на жизнь отставному врачу, немолодому и любящему выпить? Волей-неволей приходится ему быть с сыном вежливым. А когда папец, поддав, выходит за рамки вежливости, Иван ему прощает — батя, как-никак.

А в общем, жизнь удалась. Хотя не сразу, хотя ценой Ольгиной жизни... А ведь, по существу, за свое теперешнее благополучие он должен благодарить мертвую Ольгу. И Великанова, который написал о его клинике аргументированное письмо в Минздрав... Великанова, тоже ныне мертвого. Иван Зинченко редко смотрел телевизор и о смерти Великанова узнал только от милиционеров, которые пришли его навестить в связи с этой смертью. Не было ли, значит, тут мести со стороны доктора Зинченко? Тем более что, согласно данным, которыми располагают следственные органы, он доктору Великанову угрожал...

Касательно того, чтобы угрожать, он и сам уже не помнил. Да, должно быть, что-то похожее произошло сразу после того, как отобрали лицензию. Не понимал он тогда своего счастья, терзался публичным позором, растиражированным в газетах, и мучился. Рыжая красотка, которая прожила с ним до этого чуть ли не полгода, бросила покатившегося под откос авантюриста. Папец постоянно напивался и гундосил, что Ванька повторяет его судьбу, что не хватало еще, чтобы его сына настиг тот же печальный конец, что и его, — будто он уже в гробу одной ногой стоит, да что ж за гнусь такая, честное слово! Ивану казалось, что все, начавшееся с невероятной, случайной, непостижимой смерти Ольги Михайловой, которая никак не должна была умереть, — настоящий бред, направленный конкретно против него. Помнится, в таком горячечном состоянии он в самом деле ходил на работу к Великанову. А что там было дальше, угрожал или нет, трудно сказать. Какую ерунду нес, сам не помнит. А вот что нес именно ерунду, полностью уверен: что же умное он мог тогда сказать? Единственное, что помнит, — это как Великанов ему ответил, что врач не должен так себя вести и что Зинченко лучше сменить профессию. Для любого другого на его месте эти слова стали бы оскорблением. А для Зинченко, подсознательно уже распрощавшегося с нелюбимой профессией, стали благодеянием...

Зинченко следакам, или кто они есть, так и сказал: во-первых, я больше не доктор — и горжусь этим. Во-вторых, Великанова мне сейчас хочется не убивать, а спасибо ему сказать, и если бы он не погиб, сказал бы обязательно. В-третьих, что зря трепаться, — копайте. Что накопаете обо мне, все ваше будет. Отвязались. Видно, накопали достаточно. Ну и на здоровье. А здоровье — одна из главных жизненных ценностей. Как бывший врач, Зинченко это признает.

Владислава Яновна Линицкая в любом коллективе, начиная со студенческого, стяжала репутацию человека без нервов. На самом деле нервы у Влады имелись, как у всех, и сделаны они были не из железа и не из нержавеющей стали, и поджилки в случае непосредственной опасности тряслись будь здоров, особенно в прежние времена, когда она еще не стала заведующей отделением. Просто она умела держать свои нервы под контролем. На экзамене по анатомии, где до нее уже успело срезаться полгруппы, на свидании с парнем, который лузгает девчонок, как семечки, Владочка зажимала себя в кулаке. Ни красных щек, ни резкой бледности, ни прерывистой речи: в любой ситуации — прирожденная польская панна, без пяти минут графиня, хладнокровная и невозмутимая. И это действовало: хладнокровие помогало переломить ситуацию в свою пользу. Там, где полгруппы сыпалось на простом вопросе из-за того, что теряли в панике голову, Линицкая получала пятерку; избалованный кумир всех красавиц третьего курса бегал за ней, точно на веревочке привязанный, пока она его не отшила, потому что ей стал неинтересен мужчина, не умеющий держать себя в руках. Влада стопроцентно знала, что внутри могут бушевать любые бури, но снаружи обязан царить полный штиль. Иначе человек становится уязвимым. Податливым становится. Эмоции нельзя расшвыривать во все стороны, их нужно бережно сохранять для себя, тогда они приносят настоящую силу.

Все так и произошло, когда Владочка — век жить будет, не забудет! — впервые встала за операционный стол... На втором курсе привели на практику в операционную. Операция не чрезмерно сложная: удаление варикозных подкожных вен по Бэбкоку. Всего-то и дел, что просунуть в надрезанную сверху и снизу вену зонд с пуговицей на конце, закрепить и дернуть зонд в обратном направлении, натягивая вену на него и выворачивая, будто перчатку. Вроде несложно, но второкурсникам и такой манипуляции, как правило, не доверяют — только глазками, только смотреть. Вдруг преподаватель говорит: «А ну, кто смелый? Мыться на операцию!» Мальчишки из их группы забоялись, один за другого прятались. А Владочка с абитуры знала, что станет хирургом. Она принципиально пошла на операцию, не испугалась ни крови, ни вены, ни зонда. Зато как потом препод с ней носился! В пример Линицкую ставил. В кружок ее записал, продвигал. А все из-за чего? Из-за смелости и хладнокровия.

Это хладнокровие сыграло и не последнюю роль при ее приеме на работу в «Идеал». Владислава Линицкая тогда доходила до отчаяния, вынужденная кормить на свою скромную зарплату больную маму и маленькую дочку — деньги ей позарез требовались. К тому же, сотрудничество с таким классным хирургом, как Великанов, стало бы лучшей рекомендацией впоследствии, если она решит отправиться в плавание по иным морям... Собеседование проводил Великанов собственной персоной — совместно с каким-то брюнетом: потом Владислава Яновна узнала, что фамилия брюнета — Николаевский и в «Клинике «Идеал» он что-то вроде директора и мозгового центра по совместительству. Они на пару с Великановым задавали ей вопросы, и если вопросы Великанова, пусть иногда каверзные, касались профессиональной области, то Николаевский спрашивал главным образом о не сложившейся личной жизни. На те и другие вопросы Владислава Яновна отвечала сдержанно, без намека на смущение и обиду. Как пишется в плохих, но иногда правильных книгах, ни один мускул не дрогнул на ее лице. Где-то к середине разговора она почувствовала, что ведет со счетом «один — ноль»: ей удалось перетянуть на свою сторону Великанова, который, защищая коллегу, резко прервал Николаевского. Великанов стал настаивать на том, что такого отличного профессионала, как доктор Линицкая, невозможно не принять, и дело было на мази. А если бы не сдержалась, дала волю обидам, то осталась бы и без денег, и с тягостным чувством, что ее понапрасну оскорбили. Вот так!

А тут настали такие прискорбные времена, что железную выдержку Владиславы Яновны постоянно испытывают на прочность. Она уж не знает, сможет дальше держать себя в руках или нет. Проклятый Великанов! «О мертвых — либо ничего, либо хорошо», — мудрость древних римлян, к которым Владислава Яновна питала уважение, усугубленное католицизмом ее предков, в данном случае не работала. Владислава Яновна не могла не думать о Великанове, и думать хорошо о нем тоже не могла, потому что злилась. Злилась на этого человека, который, занимая такую ответственную должность, дал себя убить. Влада после него приняла под свое крыло всю громадину хирургического отделения «Идеала» и лишь тогда поняла, что это такое... Нет, речь не идет о трудностях собственно руководства отделением: сотрудники отлично ее знали и без проблем приняли как нового начальника. Но по долгу службы зав отделением обязан ведать еще и материальной частью, а для этого не миновать постоянных контактов с теми, кто на самом деле возглавляет ООО «Клиника «Идеал». А в том, прямо сказать, мало приятного. Вот поэтому, пусть простит ее покойный, Владислава Яновна его и ругнула: проклятый Великанов, так ее подставить, бросить без помощи. Да как он мог? И если так пойдет дело, ругнет еще не раз.

Этот Игорь Кириллович Бойков, работающий в тесной связке с ее бывшим мучителем Николаевским, ей отвратителен. Не внешне — нет, внешне мужчина как мужчина, правда, рыхловат и полноват, сразу видно, ведет малоподвижный образ жизни, главная радость — пожрать, что-то в нем есть от кастрированного кота, но это оставим в стороне, это, скорее всего, следствие ее женской злости... Когда Бойков пригласил ее в свой кабинет, лишенный таблички, на верхнем этаже клиники, он поначалу не вызвал ни симпатии, ни антипатии. Кабинет, разве что, поражал: слишком уж неслужебный, богатый, картины кисти настоящих художников (Владислава Яновна разбиралась не только в пластической хирургии, но и во всем, имеющем отношение к красоте), стулья с гнутыми в стиле «модерн» спинками, кресла и диваны с бархатной обивкой, каскадная, точно из театра украденная, люстра... Но это бы еще ничего. Бойков стал отвратителен Владиславе Яновне, когда принялся расписывать, что она должна говорить следователям и чего ни в коем случае говорить не должна. Владислава Яновна была наделена умом и знанием жизни в достаточной степени, чтобы сложить эти рекомендации и умолчания в стройную систему. Когда головоломка сошлась, волосы встали дыбом на голове заведующей отделением, приподняв накрахмаленную шапочку в стиле древней египтянки

Нефертити, которой никогда не приходилось терпеть подобных административных унижений. Владислава Яновна была вышколена настолько, что сумела промолчать. Не покраснеть, не побледнеть, не выругаться. Хранить послушное молчание. И в самом деле, что ей еще оставалось?

В несколько взвинченных чувствах вернулась Линицкая из административного блока на свой этаж. После безвременной кончины Анатолия Валентиновича клиника изменилась — или так всего лишь мнилось? Здесь было по-прежнему людно, по-прежнему медперсонал принимал пациентов, по-прежнему оживленная деятельность по удовлетворению эстетических запросов населения двигалась полным ходом. Но во всем этом ныне брезжила, как показалось Владиславе Яновне, какая-то неуверенность. Никто понятия не имел, за что убили Великанова (хотя предположения на этот счет множились в ординаторских и курилках, точно тараканы на грязной кухне), и никто не был уверен, что следом за Великановым молния не ударит в кого-то еще. Каждый, наверное, сознавал за собой нечто, вследствие чего этот удар молнии превращался в справедливое возмездие. Невозможно прожить жизнь без ошибок, а в пластической хирургии цена ошибки слишком велика... И для врача, и для пациента.

Заведующая хирургическим отделением уверенным шагом, впечатывая в линолеум высокие каблуки туфель, надетых специально для общения с администрацией, двинулась первым делом к себе в кабинет — переобуться. Вспомнила, что оставила свои привычные рабочие сандалии в ординаторской (кабинет заведующего еще не стал для нее полностью своим), круто развернулась и двинулась в обратном направлении... И тут, возле двери ординаторской, почувствовала, что ее умение держать себя в руках дало, впервые за долгие годы, первый сбой. Горячая волна эмоций накрыла Владиславу Яновну с головы до пят, она побледнела, потом покраснела — вегетативная нервная система словно мстила за все то время, когда ее держали в узде. А все потому, что из-за двери ординаторской доносилось:

— Пластическая хирургия и криминал — тема, понимаете, серьезная...

Голос принадлежал следователю — одному из тех, которые шныряли по отделению, твердо намереваясь докопаться до того, о чем сама Владислава Яновна представления не имела. Не тому молоденькому, беленькому, застенчивому, на которого произвели такое впечатление серьги Владиславы Яновны, что он постоянно останавливал на них взгляд, нет-нет, совсем не ему, который так внимательно расспрашивал ее о недовольных результатами операции пациентах и которого она нагрузила историей с экспертизой Зинченко... как же его зовут, Вася, что ли? Следователь, который сейчас допрашивал сотрудников в ординаторской, — совсем другой, старше и солидней, с такой длинной смуглой физиономией. Проницательный.

— Нет, это невозможно, о чем вы говорите, — вяло возражал другой знакомый голос. Леша. Леша Чукин, рядовой «идеаловский» врач, труженик, кандидат наук, медицинский эрудит.

— А о чем это вы здесь говорите? — подхватила, входя, Владислава Яновна, стараясь выглядеть веселой. Это ей удалось — даже с избытком: тон ее оказался даже чуть-чуть игрив. Это пропустил мимо ушей следователь, зато Леша, которому подобные внеслужебные интонации этой железной леди были в новинку, воззрился на заведующую с определенным недоумением.

— А-а, Владислава Яновна! — приветствовал ее следователь, насколько она помнила, по фамилии Глебов. — Мы тут как раз обсуждали, не мог ли убить Великанова преступник, криминальный авторитет, которому он изменил внешность...

Владислава Яновна перевела дыхание, и ее красивая грудь под белым халатом начала вздыматься ровней.

— Невероятное предположение, — с ходу отрезала Линицкая. — Скорее из детективного сценария, чем из нашей жизни.

В следующую минуту она спохватилась, что чем более рьяно примется Глебов разрабатывать эту версию, которая в самом деле выглядит крайне надуманной, тем вернее отвлечет это его от вопросов, которых Бойков велел избегать. А от Бойкова, каков бы он ни был, зависело благоденствие «Идеала» — и благоденствие Владиславы Яновны в том числе... Надо было сперва подумать, а потом говорить. Линицкая поняла, что хладнокровие снова ей изменило!

— Хотя, впрочем, — как бы поразмыслив, заговорила она, с целью опровергнуть предыдущую реплику, — детективные сценарии тоже берутся из жизни. Мы не выпытываем подробности биографий наших пациентов, нам достаточно того, что пациент сообщает о себе. Великанов мог оперировать преступника, даже не зная, что он преступник... — Все-таки, по мнению Владиславы Яновны, сознательное пособничество представителям криминального мира ложилось черным пятном на репутацию «Идеала», которая ей небезразлична. — А зачем, как вы думаете, такому преступнику понадобилось убивать доктора, который его оперировал?

Владислава Яновна собиралась уже сказать «понадобилось бы», но частица, выражающая сомнение в правдоподобии версии, благополучно отпала где-то по дороге. Слыша себя как бы со стороны, она отдавала себе отчет, что избыток непривычных эмоциональных всплесков делает ее речь недостаточно правдоподобной... Ну, по крайней мере, следователь явно ничего не заметил. Он Владиславу Яновну плохо знал.

— С этим как раз все предельно просто, — объяснил Глебов. — Чтобы замести следы. Чем меньше народу осведомлено о новом облике криминального авторитета, тем для него безопаснее.

— Какой ужас! — воскликнула заведующая отделением и снова переложила эмоций в свой возглас, судя по выражению Лешиной вытянувшейся физиономии. А впрочем, кандидат медицинских наук Алексей Чукин вообще не любил ярких эмоций. В этом смысле Владислава Яновна с ним полностью согласовывалась — до ближайшего времени... Он был очень спокойный, слегка пресный и, безусловно, правильный человек. И в упор не понимал соображений, которые заставляют людей демонстрировать чувства, которых они в действительности не испытывают.

— Не так-то просто полностью изменить лицо, — гнул свою линию Чукин. Если заведующая сошла с ума, на него ложилась ответственность представить все-таки для следователя профессиональную ситуацию в правильном свете. — Здесь нужна не одна операция, а несколько. И этот процесс может занять от полугода до года. В последний год, по крайней мере, у нас ничего подобного не было.

— Может быть, этими операциями занимался только Великанов?

— Ну что вы! — В голосе Леши Чукина проскользнула снисходительность по отношению к следователю, который проявил полное незнание медицины, не разбирается в элементарных вещах. — Такие многоэтапные операции не могли бы пройти незамеченными. Если бы Великанов даже попытался скрыть это от коллег-хирургов, знали бы анестезиологи, медсестры... Все отделение знало бы. Весь «Идеал».

Это объяснение следователь Глебов охотно съел. По крайней мере, от задавания следующих вопросов воздержался.

— Влада, что с вами творится? — не мог не спросить Леша, когда шаги Глебова по коридору замерли где-то в районе лифта. — Вы плохо себя чувствуете?

— А разве кто-то из нас чувствует себя хорошо с того дня, как убили Анатолия Валентиновича? — с демагогической желчностью вопросила Владислава Яновна. По привычке она тряхнула головой, и длинные серьги, которые она так любила, звякнули. Опять-таки по привычке...

Разрабатывая версию убийства на почве конкуренции в телевизионном шоу, Глебов попытался встретиться с хирургом Маратом Бабочкиным. Однако это оказалось не так-то просто... Георгия Яковлевича не могло не удивить то обстоятельство, что «второй хирург» всячески избегал встречи со следователем: то он в командировке, то на отдыхе, то проводит операцию. Напрашивался вопрос: а не сам ли хирург Бабочкин заказал убийство своего конкурента по шоу-бизнесу? У Бабочкина было достаточно средств, чтобы оплатить заказ самому дорогостоящему киллеру...

Пришлось Глебову всерьез запрячь оперативников Теплова и Силкина в работу. По оперативным каналам опера узнали, что хирург Бабочкин, заменивший в шоу убитого хирурга Великанова, уже прооперировал трех участников шоу. Не много ли? Но поговорить с этими участниками шоу никак не удается. Прооперированных пациентов держат в закрытых клиниках под охраной. Им, оказывается, запрещено общение с внешним миром. Даже нельзя увидеться с родственниками!

— Вот что, ребята, — сказал Глебов майору и капитану в приватной обстановке, — надо разделяться. Один из вас возьмет на себя пациентов...

— Это буду я! — отрапортовал Аркаша Силкин. И скупо, значительно пояснил: — Были у меня в прошлом кой-какие подходы к Анастасии Березиной.

— Чудесно. Тогда Теплов...

— Я возьму на себя Бабочкина, — без особенных эмоций согласился Борис Теплов.

В своих попытках подкараулить неуловимого Марата Борис кочевал из клиники «Кристина» на телевидение, а с телевидения обратно в «Кристину». Он был так же настойчив — и так же неудачлив, как и Георгий Яковлевич. И вот наконец майору Теплову улыбнулась удача, когда он уже перестал надеяться на нее. Очередной набег на клинику «Кристина» принес-таки результаты, правда, довольно сомнительные.

Поначалу все выглядело достаточно безнадежно. Борис Теплов поднялся к кабинету с надписью «Доктор медицинских наук Бабочкин Марат Максимович», чтобы в который раз подергать запертую дверь; в который раз пошел опрашивать сотрудников, готовясь нарваться на ставшее уже привычным «нет и не предвидится»... Однако эта система дала сбой.

— Оперирует, — махнула рукой вверх сестричка в зеленом хирургическом костюме. Очевидно, своим жестом она желала указать на оперблок, размещавшийся выше этажом.

— Как оперирует? Давно?

— Скоро должен закончить.

Такое многообещающее заявление побудило майора Теплова, позабыв о своей мешковатости и неспортивности, птицей взлететь наверх по лестнице — он даже лифта ожидать не стал. Ну их, эти лифты клиники «Кристина»! Свяжись еще с ними, не развяжешься: ездят они и останавливаются, как их лифтовый бог на душу положит. Однажды Теплов по неопытности заехал в подвал, откуда выбирался через ряд помещений с нетрезвыми истопниками и сантехниками, и повторения эпизода не хотел.

Решение о замене лифта лестницей было принято прозорливо. Миновав первый пролет, Борис Теплов одышливо задрал голову — и расцвел улыбкой. В белом халате поверх хирургической униформы, испятнанной по низу подозрительными (не кровь ли?) темными пятнышками, из операционного блока спускался Марат Бабочкин, знакомый ему по фотографиям.

Спускался, правда, не к нему. Наоборот, увидев Теплова, Бабочкин прибавил шагу, и подошвы его сандалий торопливее зачмокали по ступенькам. Надо думать, Марат Максимович хотел на полном ходу проскочить мимо незнакомого, но почему-то подозрительного ему посетителя. Теплов придвинулся к перилам вплотную, вынудив того прервать свой маневр.

— Марат Максимович, я майор Теплов. Нам надо поговорить. Пройдемте в ваш кабинет.

Слово «пройдемте» не прибавило Бабочкину оптимизма, что отразилось на его моментально вспотевшем лице. Он беспомощно рванулся к середине лестницы, потом снова к перилам — бесполезно, Теплов заграждал ему путь, как скала.

— Да что же такое! — возмущенно, однако на грани испуга вскрикнул Марат Бабочкин. — Пропустите! В чем дело? Вы меня арестовываете?

— Никто вас не арестовывает. Обычная беседа...

Теплов все-таки вынужден был изменить свою позицию, позволяя пройти медсестре, несущей белый эмалированный, прикрытый марлей лоток. Бабочкин немедленно тоже воспользовался проходом, проскользнув мимо Теплова. Майор, однако, устремился следом за ним, не отставая ни на шаг.

— В чем дело? — продолжал негодовать Бабочкин, но тихо и как-то скомканно. — Что я нарушил? Чем я вам не угодил?

— Никто не утверждает, будто вы что-то нарушили. Я хочу с вами побеседовать о смерти вашего коллеги Анатолия Великанова...

— Ничего не могу сказать. Ничего не знаю.

— Так не знаете или не можете сказать?

— Оставьте ваши подковырки! Я не могу с вами разговаривать!

Бабочкин с лестницы вывернул на второй этаж — Теплов за ним. Очевидно, Марат Максимович счел для себя несолидным бежать по коридорам родной клиники, вспугивая пациентов и коллег, поэтому передвигался он хоть и быстро, но не бегом. Теплов не отставал.

— Почему вы не можете со мной разговаривать, Марат Максимович?

— Потому что я после операции.

— Так ведь оперировали вы, а не вас!

— Я страшно устал, вымотался. Дикая головная боль. Полуоткрытый контур...

— Какой контур? Что это еще такое?

Сандалии Бабочкина чмокали по линолеуму еще звонче, чем по ступенькам. Рядом бухали тепловские разлапистые ботинки, способствуя рождению симфонии: «бух-бух — чмок-чмок, бух-бух — чмок-чмок»...

— Полуоткрытый контур — это такой способ общего обезболивания, когда часть вещества для наркоза попадает в атмосферу. Для пациента — щадящий метод, а для врача — наоборот. Я совершенно без чувств. Я не в состоянии ни о чем думать и говорить. За что вы меня мучаете?

— Назначьте другой день, когда будете в состоянии говорить о смерти Великанова, и я немедленно прекращу вас мучить.

Они добрались до кабинета Бабочкина. Марат Максимович пытался открыть его своим ключом, который достал из кармана халата, но не попадал в скважину. Руки у него тряслись — то ли от действительно скверного самочувствия, то ли по другой причине. Теплов бдительно торчал рядом, готовый ворваться в кабинет немедленно после его открытия.

— Ни в этот, ни в другой день я не скажу вам о смерти Великанова ничего интересного. Здесь не о чем говорить. Мы друг друга очень мало знали... Тьфу ты, черт! — Ключ отказывался поворачиваться в замке. — Насчет убийцы Великанова у меня нет никаких предположений.

— Его смерть связана с пластической хирургией?

— Не знаю.

— Его смерть связана с телевизионным шоу?

— Не знаю.

Наконец-то Бабочкин повернул ключ не по часовой стрелке, как безуспешно пытался сделать до сих пор, а в противоположном направлении. Замок мягко щелкнул, и массивная дверь открылась. Доктор Бабочкин юркнул в свое прибежище и попытался закрыться в кабинете изнутри. Сделать это оказалось проблематично из-за торчащего в дверном проеме майора.

— Кому было выгодно убийство Великанова?

— Без малейшего понятия.

— Вы находитесь под охраной частного охранного предприятия, не так ли? Чего вы боитесь?

— Я обратился к услугам ЧОП как раз потому, что не знаю мотивов убийства Великанова. Я представления не имею, откуда грозит опасность. Но если она грозит, ее нужно предупредить.

«По-своему логично», — отметил про себя Борис.

— Вам не кажется, что ваши частные детективы не слишком хорошо вас охраняют? Если бы я хотел, я бы сто раз успел вас убить.

— Не ваше дело! Я сам отпустил их на то время, когда должен был сделать ответственную операцию. Как видно, зря...

Марат Бабочкин нервно, дергано взъерошил короткие темные волосы. Он выглядел как человек, по-настоящему испуганный. Вопрос — чем?

— Ну что, так и будете стоять? — с неприятными взвизгами воззвал он к Теплову. — Пожалуйста. Стойте хоть до вечера. Все равно я больше ничего не скажу.

— Не надо так переживать, Марат Максимович. Я сейчас уйду. Мой последний совет: если вы в самом деле так боитесь, обращайтесь не в ЧОП, а в милицию. Там вам помогут лучше.

Дойдя до середины коридора, Теплов оглянулся. Дверь кабинета доктора Бабочкина оставалась незакрытой, и владелец выглядывал оттуда, тревожно озираясь по сторонам. Хотел проверить, действительно ли майор Теплов ушел, как обещал? Или ждал кого-нибудь другого?

Анастасия Березина просыпалась обычно в восемь часов утра, по звонку будильника, встроенного в мобильный телефон. Но сегодня ее пробуждение оказалось полностью самостоятельным, и теперь она лежала, созерцая белый потолок. Белый, недомашний — дома у нее потолок черный, украшенный созвездиями. Ну правильно, она же в больнице. И мобильник, с которым она, популярная писательница, буквально срослась, который стал ее дополнительным органом (приглашения на презентации, читательские конференции, мероприятия для избранных и т.п.), отсутствует по той же причине: здесь запрещено пользоваться мобильными телефонами, так же как и любыми телефонами и иными средствами связи.

Вообще-то это высококачественное лечебное заведение для особо важных и дорогостоящих персон принято называть клиникой, но Анастасия предпочитает старое слово «больница». «Клиника» — слово какое-то противное: будто говорят о сумасшедших. А здесь — больница. И хотя повсюду цветочки, и палаты отдельные, каждая — с изолированным санузлом, и персонал не в белых халатах, а в разноцветных курточках и брючках, но все равно, по сути, это — больница. Здесь есть врачи и медсестры, здесь оперируют, перевязывают, делают уколы, массаж, электрофорез и прочие процедуры. С той лишь разницей, что здесь лечат здоровых, а в обычной больнице — больных.

Недавно прооперированная, Анастасия Березина не чувствовала себя больной, так же как и до операции. Точнее, если уж углубляться в суть (а что еще можно делать при раннем пробуждении?), ее болезнь — это ее образ жизни. Популярная писательница, автор детективных романов — это скорее должность, чем призвание. Литературное призвание... ну, было, было это у нее когда-то, когда она строчила стихи и рассказы, которые нигде не хотели публиковать, кроме самодельных, на лазерном принтере распечатанных журналов, издаваемых такими же неудачниками, как и она. Те, кто их издавали, не считали себя неудачниками: они презирали то, что носило в их кругу кличку «попса», и готовы были перебиваться с хлеба на воду, только чтобы «не продаваться». Продаваться — это худшее, что может случиться, это смерть таланта, это во всех смыслах смерть! Настя, в заплатанных джинсах и намеренно прорезанном в нескольких местах полосатом свитере, взлохмаченная панкушка с имиджем «заброшенное дитя окраин», смотрела на этих деятелей во все восторженные глаза, обведенные угольно-черной каймой. Позиция «не продаваться» казалась ей героической! Однако, когда студенческие годы на журфаке кончились, восторга в Настиных глазах поубавилось. Газетная работа не приносила удовлетворения — ни творческого, ни материального. Печататься в самодельных журналах, которые выросли в полиграфическом качестве, но не в тираже, она продолжала, но начала крепко задумываться: а покупал бы хоть кто-нибудь когда-нибудь этих героев, которые утверждают, что не продаются. Кивая в ответ на их речи, приятно знакомые, но уже поднадоевшие, Настя про себя сомневалась, что на такой товар хоть раз нашелся бы покупатель...

Нет, Настя по-прежнему не желала продаваться. Но финансы поджимали: надоело сидеть на шее у родителей, хотелось хорошо одеваться, покупать книги, какие захочется, пополнять видео- и фонотеку — мало ли что человеку нужно! И тогда подруга студенческих лет привела ее в издательство «Глобус». Глянцевые обложки «глобусовской» продукции пестрели на каждом лотке. Внешне Настя презирала таких вот «попсовиков», а внутри замирала от страха: неужели она может стать в «Глобусе» своей, неужели ее здесь могут напечатать?

Неужели ее сборник рассказов (для первого знакомства она выбрала вещи относительно остросюжетные и не самые авангардные по стилю) найдет дорогу к читателю? Неужели здесь она сможет получать за свою работу настоящие деньги? Неужели все это возможно? Настя боялась верить...

И правильно боялась! Все получилось совсем не так, как она думала. Во-первых, главный редактор «Глобуса» даже не поинтересовался ее литературными вкусами, тем, что у нее написано еще, кроме рассказов, и что она хочет в дальнейшем написать. «Анастасия Березина, А-нас-та-сия Бере-зина», — несколько раз задумчиво произнес он нараспев, поправляя роговые очки с очень тонкими стеклами. Настя, неубитым еще писательским чутьем, отметила, что стекла в очках, пожалуй, даже простые: весь смысл в оправе, которая облагораживает редакторское лицо... Затем он кратко сообщил, что ее рассказы прочел и что писать она умеет. Осчастливленная Настя ждала уж было продолжения относительно издания сборника — продолжения не последовало. Вместо этого редактор ошарашил ее информацией, что у них в «Глобусе» ощущается недостаток авторов, которые могли бы писать милицейские детективы. Не хотела бы она этим заняться? Эта работа гарантирует приобретение опыта, который пригодится для создания собственных произведений: ведь романы придется писать на основе реальных оперативных дел МУРа! Пусть Настя поработает, приобретет имя, а там, со временем, дойдет дело и до ее рассказов. Редактор дает гарантию, что ее удастся раскрутить: Анастасия Березина — такое имя звучит и запоминается!

Придя домой, Настя закрылась в своей комнате и, не отвечая на встревоженные призывы мамы, плакала не меньше часа. Настя чувствовала себя глубоко обиженной: она принесла главному редактору в ладонях целый мир, а от нее потребовали приторно-сладких леденцов на палочке! Получается, главную роль в том, что издательство ею заинтересовалось, сыграло имя, данное ей при рождении без ее согласия, когда она еще не блистала никакими талантами. Зачем только она дала согласие писать милицейские романы? А она это согласие дала... Почему? Во-первых, успела сжиться с мыслью, что скоро будет много зарабатывать: стыдно было бы признаться папе и маме, что у нее в очередной раз ничего не вышло. А во-вторых, она все-таки надеялась переломить ситуацию. Ну, один милицейский роман, ну, три, ну, десять, а дальше она раскрутится и сможет печатать все, что захочет. По крайней мере, за свой счет.

Несмотря на грустные мысли о неблагодарности заказанной темы, за дело Настя взялась бодро и с энтузиазмом. Она надеялась проявить себя хотя бы на этой уничижительной ниве милицейского детектива, поэтому старалась писать оперативно-розыскные романы в стиле, максимально похожем на стиль своих рассказов. Однако ее энтузиазм не встретил понимания у сотрудников «Глобуса», и старушка редакторша, которую учили стилю в суровые советские времена, постоянно пеняла молодому автору:

— Вот, смотрите, вы тут пишете «...истекала рекламной кровью». Что вы имели в виду?

— Понимаете, — Настя тщетно пыталась пробиться сквозь советскую закалку, — здесь ирония, которая характеризует героиню. Ведь она — актриса...

— Не надо иронии. Напишите просто: «истекала кровью».

— Но тут нужен какой-нибудь уравновешивающий эпитет, иначе фраза развалится!

— Ну, напишите: «истекала алой кровью».

Кровь обязана быть алой. Небо — голубым или, в крайнем случае, синим. Все многообразие жизненных проявлений сводилось к ограниченному числу штампов. Насте казалось, что она слепнет, что ее глаза, которые подмечали раньше тысячи оттенков колыхания ветвей на ветру, городского асфальта, человеческого поведения, перестают видеть даже очевидное. Зато отсутствие прежнего пристального вглядывания в детали положительно сказалось на быстроте работы. В «Глобусе» Настя стремительно поднималась в гору. Восхождение подтвердил роман «Место происшествия», который вошел в список бестселлеров и был экранизирован. А за Анастасией Березиной окончательно закрепилось звание популярной писательницы.

Быть популярной писательницей — это нечто совсем другое, чем писать книги, которые хорошо продаются. Быть популярной писательницей — это означает, в первую очередь, продавать не книги и даже не свой талант, а себя. «Торговать мордой» — так это грубо называется. Служить лицом издательства. Выступать, где только можно. Быть гостьей телепередач, где надо ворковать о любимых домашних животных, любимых домашних растениях, любимой даче, любимых кулинарных рецептах. Поддерживать определенный уровень богатства и комфорта... Кстати, приобретя титул популярной писательницы, Анастасия Березина и не подумала осуществить заветную мечту и издать за свой счет рассказы. Прежде всего, мечта перестала быть заветной: написанные, казалось, давным-давно, где-то в прошлой жизни, рассказы теперь служили скорее упреком, чем предметом гордости. А кроме того, ее имя больше не принадлежит ей: оно — собственность издательства. Если «Глобус» сочтет целесообразным, под

100

именем Анастасии Березиной будут выходить романы, написанные не ей, а кем-то другим. Разумеется, это тоже будут милицейские детективы, и стиль останется прежним — копировать этот стиль так легко!

Однажды в литературной лавке, заваленной килограммами макулатуры, которая почти не раскупается, Анастасия Березина извлекла из разваливающейся стопки книжечку в четверть листа, с бумажной обложкой, которая явно быстро оторвется. Ее привлекло имя на книжном корешке — оно принадлежало другой популярной писательнице, с которой Анастасия несколько раз встречалась. Так странно было видеть его на этой обложке — тонкой, непритязательной, совсем не глянцевой. Книга издана в этом году... Что это — пьесы? Ну да, авангардные пьесы, которые нет надежды пристроить в какой-нибудь театр, а читать драматургию охотников мало. Анастасия Березина пожала плечами: стоило становиться популярной писательницей, чтобы возвращаться в самиздат! А все-таки что-то защемило: вот, оказывается, одна из популярных продолжает что-то писать и издавать вдали от рекламы, для немногих ценителей, для себя...

Начав с речевых штампов, Анастасия Березина сама превратилась в ходячий штамп. Она была достаточно бесстрашна, чтобы признаться себе в этом. Никакого ужаса она не испытала, так же как и стыда — она давно отучилась краснеть. Румянец на лице — это что-то совсем не для нее. А скоро и ее лицо перестанет полностью принадлежать ей: точнее, превращение уже совершилось, и стоит лишь выждать, чтобы это стало очевидно для всех.

Пластическую операцию, а конкретно — участие в передаче «Неотразимая внешность» ей рекомендовало издательство, считая, что это привлечет к Березиной внимание. Но дело не только в воле издательства: Анастасия вдруг сама захотела изменить внешность. Это был один из приступообразных поступков, властно подчинявших ее себе и заставлявших потом удивляться: что это было, что заставило меня совершить это безумие? В таком состоянии Анастасия обычно совершала дорогие и ненужные покупки.

Пластическая операция — тоже своего рода покупка, только сопряженная с риском значительно большим, чем риск потерять деньги. Наслушалась Березина пациентских страшилок в больничной курилке! В отличие от нее, новичка, есть здесь такие завсегдатаи клиник пластической хирургии, которые в результате многоэтапных вмешательств полностью расстались с первоначальной внешностью. Эти-то, прошедшие огонь и воду, нагнетают атмосферу, передавая факты, вгоняющие в дрожь. Многие косметологи используют опасные несертифицированные препараты. Другие работают, не имея лицензий. Остро стоит вопрос о квалификации кадров. Ложишься на операцию (причем безумно дорогостоящую) ради того, чтобы получить прямой носик или высокую грудь, а после снятия повязок с ужасом обнаруживаешь, что нос искривился, как у Бабы-яги, а молочные железы отныне не подвластны ни одному лифчику, так как одна из них увеличилась, а другая уменьшилась, и в придачу они расположены теперь на разной высоте.

Но изуродованное лицо или разнокалиберная грудь — это еще не самый страшный результат операции. В результате непрофессионализма врачей пациенты порой умирают прямо в клинике. Были случаи, когда из страха перед ответственностью врачи даже не вызывали реанимацию. А допустившие роковую ошибку медики так и остаются безнаказанными!

Но, должно быть, совсем безнаказанными не остаются. Иначе как объяснить внезапное исчезновение Анатолия Великанова — звезды пластической хирургии номер один? О том, куда он пропал, Березина прямо не спрашивала медиков: больничная курилка предоставила ей сведения на этот счет более услужливо и в большем объеме...

Анастасия передернулась под одеялом, будто туда заполз холодок из окна. Пора вставать и начинать новый день.

Глава пятая

КТО УБИВАЕТ ВРАЧЕЙ? КОНЕЧНО, ПАЦИЕНТЫ!

Историей Ивана Зинченко, как наиболее пострадавшего от экспертной деятельности покойного Великанова, Веня Васин незамедлительно облагодетельствовал Георгия Яковлевича. Сам же, высоко ставя тщательную разработку всех версий, переключился на потенциальных недовольных клиентов «Идеала». Месть за испорченное лицо — версия самая реальная. Ищи мстительного пациента — и тебе улыбнется удача. Вопреки уверениям Владиславы Яновны Линицкой, у которой при намеке на недоделки в идеальной работе «Идеала» делалось кислое выражение лица, да и серьги ее цыганские брякали недовольно...

Не довольствуясь историями болезней (мало ли что там накропали — известно, история болезни пишется для прокурора), Веня Васин залез в Интернет. И там, тщательно прочесав страницы, содержавшие имя Анатолия Великанова (львиную долю составляли сообщения о его убийстве, а также домыслы по поводу следствия, от которых у следователя волосы дыбом вставали), Веня натолкнулся на милый такой сайтик — расположенный на narod.ru, что свидетельствует о бесплатности и, предположительно, народности. Вступительная страница сайта настойчиво намекала на то, что в сообществе пластической хирургии у Анатолия Великанова была неоднозначная репутация. Судя по отзывам (в том числе с фотографиями), его работой были недовольны многие. Но Великанов никогда не переделывал работу и не возвращал деньги, если клиент был недоволен. Поэтому пострадавшие организовались и постарались получить хотя бы моральную компенсацию, выставив для всеобщего обозрения свои личики. Обворожительные... или не слишком. Что касается Вени, то он был заурядным мужчиной, не донжуаном и не скульптором, и потому чаще всего не мог сообразить, что же такого ужасного сотворил негодяй Великанов с очередной пациенткой, которая на фотографии выглядела нормально — ну, человек как человек. Нос есть, рот на месте, два глаза в глазницах, там, где полагается. Но из жалобного текста рядом с фотографией «человека как человека» следовало, что непрофессиональный негодяй Великанов сделал из оперированной страхолюдину, монстра и бабу-ягу, что после его хирургического вмешательства девушку бросил жених, а начальник выгнал с работы, не в силах ежедневно сталкиваться со зрелищем такого тошнотворного уродства. Все это выглядело крайне эмоционально и не так чтобы очень достоверно. Скептически настроясь по отношению к таким посланиям, Веня тем не менее скопировал на жесткий диск приведенные на сайте случаи.

Так, некая девица Альбина Самарская делала у Великанова операцию, а потом пошла переделывать лицо к другому хирургу. Подробное изложение бесконечных пациентских перипетий пестрело красивостями вроде «и, вынырнув из омута наркоза, я шестым чувством пришла к осознанию, что лица у меня больше нет». Иллюстрировал этот исторический (или, скорее, истерический) роман-эпопею длинный ряд медленно грузящихся фотографий, причем первой в ряду почему-то стояла девочка с белыми бантиками, обнажающая улыбкой отсутствие переднего зуба, словно Альбиночка Самарская начала задумываться о пластических операциях еще в таком нежном возрасте. Последующие фотографии, относящиеся к возрасту более зрелому, выглядели до такой степени непохожими одна на другую, будто перед камерой поставили случайно набранных с улицы девушек-брюнеток с примерно одинаковым типом лица. Следователю Васину это напомнило стандартную процедуру опознания. А ну-ка, отвечайте, гражданин свидетель: где здесь Альбина? А вот и не угадал, они все Альбины... Но ни одна из брюнеток не казалась достаточно уродливой, чтобы предъявлять претензии. Так что здесь, по мнению Вени, Великанов был не виноват.

Случай Валентины Маркеловой оказался серьезней, ей действительно удалось отсудить часть денег за неудачную операцию. На послеоперационных снимках явно наблюдались заметные белые рубцы на крыльях носа, да и переносица, как видно на фото в профиль, запала, точно дама перенесла сифилис... Парадокс в том, что Валентина Маркелова на сайте выступала в качестве одной из самых нескандальных особ. А чего ей скандалить? Деньги она получила, а две другие операции, сделанные за границей (муж Валентины — американец), исправили последствия первой. Опубликовала она на сайте свои старые фотки исключительно в качестве предупреждения для тех, кто мучается вопросом, решаться на кардинальные изменения в своей внешности или нет: смотрите, милые дамы, может быть еще хуже!

Третья, Белла Левицкая, собиралась подавать на Великанова в суд, утверждая, что хирург ей сильно испортил нос и отказался переделывать. Согласно Вениному мнению, такой нос испортить трудно: при взгляде на первоначальный вариант сразу вспоминались слова «шнобель», «рубильник», «на семерых рос, одной достался» и прочие шуточки и обзывательства, деликатные и не очень. Результаты великановского труда превратили это чудо щедрой природы в обыкновенный средний малоприметный носик, который Беллочку тоже чем-то не удовлетворил. Быть может, недостаточно тоненький, недостаточно маленький, недостаточно прямой? А на что еще она могла претендовать?

Одним словом, умозаключил юный следователь, нервных пациенток очень много. Весь вопрос в том, способны ли они взяться за оружие... Вот для этого и надо с ними связаться. Прежде всего, списаться по электронной почте. А если не захотят отозваться, отыскать их другими методами.

Продюсера Станислава Некрасова в телевизионной компании «Радуга» многие любили, но мало кто уважал. Даже те, кто отдавал должное его обаянию и добивались его расположения, стремясь продвинуться наверх, считали этого молодого человека с эпатажной внешностью кем-то вроде прихлебателя, обитающего за уютным надежным прикрытием широкой (в прямом и переносном смысле) спины Марины Ковалевой. Отдавая должное влиянию Стаса на политику телекомпании, они полагали, что он занимает в «Радуге» свою нишу, далеко не главную, и без Ковалевой он пропадет.

Это было и верно, и неверно. Если бы Стас был таким безнадежным тупицей, зачем Марина — согласно всеобщему мнению, кладезь премудростей — стала бы пригревать возле себя тормоз, препятствующий ее личному росту? Из личных побуждений? Но, как бы ни старалась Марина показать, что это так, все знали, что с экстравагантным красавчиком Стасом у нее ничего нет и быть не может. У нее вообще нет тела, у нее есть только мозг. И если этот мозг все правильно рассчитал, значит, Стас выгоден компании с деловой точки зрения.

В самом деле, что касается финансовых вопросов, здесь Стас был сущее дитя и предпочитал опираться на Маринино плечо. Он также доверял своей компаньонше в том, что касается тонкостей взаимоотношений между людьми и механизмов воздействия на них — учитывая ее психологическое образование. Но в области того, чем можно заинтересовать и поразить телезрителя, Стас был вне конкуренции. Он обладал природной впечатлительностью, обожал острые ощущения — причем, когда один источник ощущений приедался, охотно искал новые. Он постоянно желал развлекаться и, не находя достойных развлечений вовне, выдумывал их сам. Одним словом, его детскость играла на руку «Радуге». Он был кем-то вроде ребенка, которого фабрика игрушек использует для проверки, насколько удачны новые образцы ее продукции, потянутся к ним маленькие потребители или нет.

При этом Стас не был дураком. Да, можно обвинить его в излишней импульсивности, он не всегда был сдержан в словах и мог наговорить человеку такого, о чем потом жалел. Но в глубине души оценивал людей точно и трезво. Особенно людей, которые ему очень нравились, которые вызывали его интерес или, наоборот, активно не нравились. Он их чувствовал и уже по этой эмоциональной окрашенности улавливал, стоит любить этого человека или лучше держаться от него подальше. Шутя он говорил, что считывает цвет ауры за версту.

— Ты типичный эмпат, Стасик, — смеялась Марина. — Ты гений эмпатии. Точь-в-точь как собака. Домашние животные тоже не могут объяснить, почему они одному гостю дадут себя погладить, а другого цапнут. Но они, как и ты, не случайно это делают.

Сравнение с собакой Стаса не оскорбляло. Во-первых, он любил собак: его пекинес и абрикосовый пудель казались ему добрее и сообразительнее многих двуногих. Во-вторых, Марина ему все равно что родная. С чего же он будет на нее обижаться?

Мариночку пожалеть надо. Хоть иногда трудно, иногда не получается, а что поделаешь, надо! О том, что продюсер Ковалева — отличный психолог, осведомлены в «Радуге» поголовно все. Однако только одному Стасу Некрасову открыта страшная тайна, которой Марина не захотела поделиться ни с кем другим: продюсер Ковалева — неудавшаяся актриса. С детства предавалась ажурным мечтаниям, воображая себя на сцене; в школьные годы ее, толстенькую отличницу, за одни превосходные оценки делали главной героиней самодеятельных спектаклей. До сих пор Марина со слезами умиления готова рассматривать фотографии, где она на школьной сцене в роли Принцессы из «Бременских музыкантов». И не беда, что толстушка смотрится гротескно в коротком, согласно роли, платьице, зато распущенные волосы ниже пояса у нее свои. Тогда были свои... Тогда она носила косы и была полна надежд. Ну и что же, что она — чересчур упитанная? Может, ей послужит примером знаменитая греческая певица Мария Каллас, которая усилием воли и строжайшей диетой избавилась от полноты и вошла в десятку самых красивых женщин мира. А может, следует брать за образец Наталью Гундареву, которая со своей далеко не модельной фигурой не жаловалась на актерскую невостребованность? Марине Ковалевой науки давались легко; а там, где легкость не срабатывала, приходила на помощь усидчивость. Это укрепляло в ней уверенность, что профессией актрисы она овладеет так же элементарно, как школьной алгеброй и школьной химией.

Тем не менее мечты остались мечтами, а фотографии Марининого актерского триумфа — всего-навсего трогательными школьными фотографиями. После двух смешных попыток поступления во ВГИК Марина поняла, что ярко выраженных способностей строгие экзаменаторы в ней не находят. Но своим острым умом она поняла и другое: трезво анализируя стихотворение, которое должна была прочесть вслух, и характер героини, которую должна сыграть, она уделяла все внимание этому анализу, не оставляя ничего для внешнего проявления чувства. У тех удачливых абитуриентов, которые прошли ВГИКовские экзамены, Марина подметила непосредственность выражения чувств — на уровне сердца, на уровне тела, — которой она была лишена напрочь. У нее — все из головы. Придя к такому выводу, Марина совершила шаг, который характеризовал бы с лучшей стороны даже человека более зрелого, чем она: Марина признала свою профессиональную несостоятельность, прежде чем безнадежная попытка овладеть профессией завела бы ее в дебри самоуничижения. Актрисой стать Мариночке Ковалевой не светит. Зато она способна отлично разбираться в людях. И эта способность со временем может поставить ее выше иных актеров — а почему бы нет?

Марина сделала Стаса тем, кто он есть. Хотя до нее он был перспективным диктором, умеющим классно преподносить новости, но ведь кто такой теледиктор? Птица-говорун, только и всего. С тем отличием, что никому не нужны его ум и сообразительность. Зато теперь продюсер Станислав Некрасов имеет право формировать политику телекомпании. Для этого к его раскрывающимся способностям потребовалось прибавить Маринину интеллектуальную изощренность и упорство. Стас моментально разгадал, что эта толстушка не только хочет, но и умеет руководить. Умеет гладить людей по головке, умеет успокаивать, умеет обнадеживать, умеет удерживать, умеет стравливать — для того чтобы вызвать нужный эффект. С Мариной Стас в профессиональном смысле составляет единое целое... сильное целое.

Марину он тоже чувствовал, как и всех других. Чутко ощущал буквально кожей перепады ее настроения. Если бы он на самом деле, как хвастался, способен был зрительно воспринимать это настроение, Марина облеклась бы сейчас в глубокий темно-фиолетовый цвет. Темно-фиолетовая полоса ее жизни началась после убийства Великанова, Стас был уверен. А вот в чем причина того, что Марина находилась в таком упадке духа, — такие психологические сложности ему не по зубам. Тут нужен детекти... дедуктивный метод. А в дедукции, Стас искренне признавал, он не тянул, так же как и в индукции и в различиях между этими похожими и как-то связанными друг с другом словами.

Конечно, одно объяснение на поверхности: конкуренция. Гибель ведущего хирурга не то чтобы поставила крест на шоу «Неотразимая внешность», но нанесла ему внушительный урон. Этим не преминет воспользоваться главный конкурент «Радуги», Никаноров из «Шестого глаза». Но, с другой стороны, Стас не верит, что такая вся гениальная Мариночка смертельно испугалась Никанорова. До сих пор выкручивались: Никаноров — шоу, мы — шоу, он — проект, мы — проект. Так что живы будем, не помрем, невзирая на временные трудности.

Неужели ей жаль Великанова как человека? Может быть, его смерть потрясла Марину, как потрясает смерть друга? Но Стас не видел, чтобы они особенно дружили. Великанов признавал авторитет Марины Ковалевой, следовал ее указаниям, однако что касается общения, предпочитал Стаса. Стасу это было особенно лестно: вот, смотрите, доктор наук беседует с ним на равных, предпочитает его компании патентованных умников «Радуги». Ну кто после этого будет разносить дурацкие слухи, будто Стас Некрасов — тупой? Правда, интеллектуальных бесед они с Великановым не вели. Так, треп вокруг да около по любому поводу: на сей предмет Стасик Некрасов — преотменный мастер. А Великанов мастером в этом смысле не был, но ему нравилось трепаться со Стасом. Может быть, он тоже был любителем эмпатии?

Но основное их общение проходило без слов — как дождь, как туман, как река в русле, как кровь по венам. Мысленно Стас передавал Великанову, словно морзянкой (сплошные точки и тире), что Анатолий — отличный парень, хотя, сразу видно, много переживший и уже, со Стасовой точки зрения, немолодой, зато сохранивший молодость в душе, а это главное. Великанов отвечал Стасу своими, только великановскими точками и тире, что Стас — отличный непринужденный собеседник, в общем, то, что надо накануне съемок в преддверии утомительного рабочего дня. И еще что-то передавал — то, чего Стас так и не понял. Хотел о чем-то предупредить Стаса? Или о чем-то спросить — о чем обычно не спрашивают? Или сделать ему какое-то предложение? Стас никогда бы не осмелился перевести эти импульсы на всеобщий человеческий язык: думал, когда будет необходимо, Великанов скажет это ему сам — скажет прямым текстом, будто речь никогда не шла о другом способе общения. Но Великанов так и не произнес, чего хотел, вслух. Унес свою тайну в могилу. Звучит старомодно и высокопарно, но так оно и есть. Пожалуй, Стас мог бы предположить, в чем заключалась эта тайна, но его никто о ней не спрашивал. А если и не спросит, Стас промолчит: на фиг ему, такому необязательно-легкому, чужие тайны? Тем более тайны покойника.

А с Мариной Великанов общался только словесно и больше — никак. Она же хотела другого. Стас видел, хотела. Так откровенно, что и слепому стало бы ясно. Он мимоходом пожалел даже: Маринка, бедная! Сколько Стас ее помнит, она всю дорогу ласкала, холила, лелеяла свой ум. Тренировала его, как звезда культуризма водит в тренажерный зал свое изощренное тело. Тело же Мариночкино, наоборот, пребывало в заброшенности. Это не значит, что она была старой девой: мужчины у нее водились. Красавцы попадались на ее удочку, между прочим... А вот Великанов не попался. То ли молодая красавица жена, изысканная особа, в глазах маячила, то ли страх перед тестем, который, попробуй Толик изменить, за Можай его мог загнать, то ли что еще — ну, не поддался он Мариночке на ее обольщалочки. И этого ему, покойному, Маринка простить не могла. Вследствие неудовлетворенного женского самолюбия ей все и стало так глубоко фиолетово.

Ну а в общем, Стас Некрасов — не аналитик. Чем рассуждать о таких высоких материях, он предпочитает просто потрепаться обо всем, что в голову придет, от изменчивой погоды и новостей культуры до странностей любви, выпить чаю или коньяка, почесать рыжее брюшко пуделю или пекинесу — собаки у него обе рыжие, оранжевые, нарочно их подобрал таких под пару. Два очаровательных сладких песика, точно игрушечные. Стасик Некрасов любит игрушки. Он по жизни игрун.

Капитан милиции Аркадий Силкин задумал дерзкий план: тайно проникнуть в одну из клиник, где держат прооперированных пациенток, и встретиться с писательницей Анастасией Березиной, которая, согласно полученным сведениям, участвует сейчас в проекте «Неотразимая внешность». Знакомый человек в логове врага много значит, а они знакомы, да еще как! Нет, не подумайте лишнего: в данном случае знакомство было сугубо деловое. По одному из оперативных дел, которым занимался оперативник МУРа Силкин, писательница Березина написала свой детективный роман, ставший бестселлером, еще фильм потом сняли по нему... Одним словом, не чужие люди!

Клиника, располагавшаяся вблизи заповедных мест усадьбы «Коломенское», производила внушительное впечатление своим белокаменным забором, по верху которого была натянута колючая проволока, и охранниками, которые, выныривая из желтой служебной будки на каждый внешний чих, дотошно проверяли, чуть ли не облизывая, каждый пропуск, а также решали, поднимать шлагбаум для очередной машины или не поднимать. Вероятность проникновения извне постороннего, даже с милицейскими «корочками», стремилась к нулю. Однако это не могло остановить Аркашу, который славился не только своей сметливостью, но и физической подготовкой. Призвав на помощь оперативные способности, он, погуляв по лесопарковой зоне, окружающей клинику с трех сторон, тщательно обследовал каждый сантиметр забора и нашел участок, на который, очевидно, колючей проволоки не хватило. То, что пробел решили оставить именно здесь, диктовалось трудностями подхода: данный участок белокаменной ограды примыкал к отвратительному болотцу, полному жидкой зеленоватой грязцы. Глубокой зимой, надо думать, эти зеленые сопли замерзают и становятся проходимыми, однако Силкин не собирался ждать милостей от природы, тем более что до календарной зимы предстояло еще дожить. На помощь ему пришли прыжки с шестом... Правда, заранее намеченная на роль шеста кривоватая палка, по объему — полубревно, которую пришлось тащить черт знает из какой дали под вопросительными взглядами прогуливающихся в лесопарке, сломалась и осела в грязные болотные воды, но прежде она успела вынести вес капитана милиции на боевые рубежи. Цепляясь за верх забора, стараясь оттолкнуться носками ботинок от каких-то невидимых, но ощущаемых камней во внешне монолитной белой стене, Аркадий все-таки вскарабкался. Сел. Огляделся. С внутренней стороны забора никого не было. Не дожидаясь, пока этот кто-то, настроенный на охранительные реакции, появится и поднимет шум, капитан Силкин сгруппировался и спрыгнул. Неплохо спрыгнул — с почти трехметровой высоты, ничего не сломав, только слегка зашибив колени и запачкав брюки вялой предзимней почвой и бурой травой, но это потери допустимые. Поначалу прихрамывая на обе ноги, но чем дальше, тем больше возвращая себе свободу движения, Аркадий пошел по зацементированной дорожке к корпусу, в котором, очевидно, содержали узников шоу «Неотразимая внешность». Догадаться о назначении корпуса было нетрудно: к нему стекался весь обслуживающий персонал. Вместе с ним Аркадий проскользнул в один из многочисленных подъездов, снабженный пандусом, по которому как раз ввозили тележку, нагруженную синими баками с непостижимым шифром «I x/o». «Хирургическое отделение», — догадался Аркадий, помогая ввозить тележку так естественно, словно работал в клинике все сознательные годы. На него никто и внимания не обратил, толстая тетя в зеленом халате даже поблагодарила «помощника». Очевидно, конспирация распространялась только на ворота клиники и иссякала по мере продвижения к объектам, которые действительно стоило охранять.

Внутри корпуса Аркадий постарался держать нос по ветру — не символически, в смысле бдительности, а на самом деле — анализируя запахи. Если бы его спросили, в каком месте клиники шансы найти Анастасию Березину особенно велики, он без колебаний ответил бы: в курилке. В прежние времена писательница смолила сигарету за сигаретой, как отставной морской волк, и, судя по недавнему интервью, включавшему вопросы об образе жизни, с вредной привычкой так и не рассталась. Вряд ли пациентам даже самой комфортной клиники разрешено курить в палатах, так что Настя неизбежно должна тусоваться в местах, специально отведенных для любителей глотать табачные канцерогены... Поиски курилки сравнительно быстро увенчались успехом. Для особо важных персон, которые желали гробить себя куревом, владельцы клиники отвели целую комнату на первом этаже, снабженную даже мебелью с особо прочным кожаным покрытием — чтоб не прожечь.

И только тут, в комнате, где в плавающих сизых волнах сигаретного дыма сидели, стояли и принимали небрежные позы человеческие фигуры с лицами, намертво обклеенными повязками, Силкин осознал всю глубину своей ошибки. Тщательно обмозговывая каждую мелочь, препятствующую его проникновению на территорию противника, Аркадий совсем упустил из виду главный момент. Как он узнает среди этих одинаковых фантомасов Анастасию Березину? Вспоминая времена работы над романом, Силкин отчетливо представлял Настино подвижное лицо, ее сдержанную, чуть застенчивую улыбку... Ну и где это все? Под белой маской? По каким еще приметам опознавать Березину, он не знал. По курилке двигалось не менее четырех дам, похожих на Березину ростом и объемом груди. Припомнить бы хоть, как она одевалась, какие украшения носила! Кажется, в те времена, когда они работали над «Местом происшествия», на грубовязаном сером Анастасиином свитере болтался крупный кулон из зеленоватого камня в виде слезы, но ни на одной из предполагаемых Анастасий не было ни свитера, ни кулона. Впрочем, женский пол обожает менять тряпки и украшения, ну их совсем!

Кто-то тронул его за плечо. Силкин резко обернулся. Судя по голосу, сниженному до полушепота, это была та, кого он искал.

— Аркаша! Что вы здесь делаете? Вам нельзя здесь оставаться! Честно говоря, я уже думаю, что и мне нельзя здесь оставаться...

— Я уйду, — пообещал Силкин. — Но сначала поговорим.

— О чем?

— О том, из-за чего вы больше не хотите здесь оставаться.

— У вас есть сигареты?

— Есть, но учтите: крепкие!

— Тем лучше. Только, знаете, здесь говорить неудобно. Пройдемте вот сюда...

От курилки ответвлялся небольшой извилистый аппендикс, вымощенный красно-желтым кафелем, куда просачивался из основного помещения смягченный дымом и расстоянием свет. Здесь стояла грязная, заляпанная масляной краской банкетка, под которой красовалась седая от пепла, ощетиненная окурками банка из-под шпрот. Окон здесь не было предусмотрено, больше чем двум людям разместиться было бы трудновато... Для секретного разговора место как нельзя более уединенное!

В том, как безликое существо держало сигарету меж двумя пальцами, как оно щелкало зажигалкой, с каким глубоким вдохом затягивалось, Аркадий Силкин уже безошибочно признал прежнюю Анастасию. Жесты — более устойчивая примета человека, чем лицо. Лицо и безо всяких операций меняется с течением времени, а в жестах сказывается характер, темперамент, привычки — то, с чем не так-то просто расстаться.

— Сил больше нет, — в перерыве между затяжками делилась Анастасия тем, что наболело. — Не больница, а гитлеровский концлагерь. Участникам проекта по условиям договора нельзя ни с кем общаться. Нельзя говорить близким, где мы находимся. Нельзя иметь мобильного телефона. Участницы проекта смогут вернуться домой только после выхода передачи в эфир... Я не понимаю: мы что, зэки в зоне?

— А как насчет результатов операции? Вы довольны?

Беломасочное, точно у гипсовой статуи, лицо было лишено мимики, однако Аркадию показалось, что Анастасия наморщила нос. Возможно, это было воспоминанием о временах совместной работы: тогда она морщила нос, если ей что-то не нравилось.

— Откровенно говоря, не фонтан. Нет, я не утверждаю, что меня изуродовали, но получилось совсем не то, чего я ожидала. Конечно, медперсонал меня дружно уговаривает, что сейчас еще не может быть виден результат, что надо подождать, пока сойдут отеки и рассосутся швы, но мне что-то не верится, будто что-то изменится в лучшую сторону. Но какая разница? Выйти из проекта я уже не имею права: в таком случае я должна заплатить значительную неустойку. Так что перед телекамерами придется мне улыбаться во все новое лицо и изо всех сил изображать, как я счастлива.

— Про убийство хирурга Великанова вы, конечно, слышали?

Аркадий почувствовал, как Анастасия напряглась. Судорожно загасила сигарету.

— Так, значит, это правда... Я все-таки надеялась, что это просто так, ничего серьезного, больничные слухи. Знаете, в больнице такая нервозная обстановка, легко поверить во все страшное. Иногда вот так лежишь ночами и прислушиваешься. Трудно заснуть. Лицо стискивает повязка, она, знаете, плотная, как гипсовая, не позволяет улечься как следует. Я обычно люблю спать на боку, но от этого пришлось отказаться. Так вот, лежишь и прислушиваешься: кто там по коридору идет? Не завернет ли он в твою палату? Палаты не запираются. Неуютно...

— Но почему, Анастасия, вы не знали о смерти Великанова? Разве вы не смотрите выпуски новостей по телевидению?

— Раньше смотрела. Скучно, делать больше нечего, вот и глазела на все подряд, от новостей и сериалов до научных передач. Но представьте, Аркаша, около недели назад или чуть больше у всех телевизоров в нашей больнице исчезло изображение. Нам тогда сказали, что причина в неполадках с антенной, которую скоро починят, но не починили до сих пор. Теперь я пони-

118

маю — это было сделано нарочно, чтобы предотвратить панику... Мобильных телефонов, как я вам уже сказала, держать не разрешают, карманные компьютеры тоже запрещены — через них можно входить в Интернет. А другими доступами к информации мы не располагаем.

— У вас есть какие-нибудь предположения, из-за чего его убили?

Анастасия коротко мотнула головой в знак того, что не желает даже строить предположений на этот счет.

— Подумайте хорошенько, Настя. Я помню из нашей совместной работы, что у вас трезвый аналитический ум.

Лесть подействовала. Аркаша сознавал, что это всего только лесть: Анастасия Березина была девушкой сообразительной, даже остроумной, но блестящая карьера следователя ей не светила: слишком невероятные она выдвигала версии убийств, скорее писательские, чем милицейские. Однако, как знать, возможно, в деле Великанова милиционерам поможет именно писатель?

— Не знаю, — неуверенно произнесла Анастасия Березина. — Скорее всего, это месть. Месть за врачебную ошибку со стороны бывших пациентов или их родственников... Аркаша, вы слышали что-нибудь о Евгении Глазовой?

Силкин без особого напряга признался, что это имя ни о чем ему не говорит.

— Женя Глазова — вице-мисс России. У нас тут в курилке их часто вспоминают — и Женю, и ее высокопоставленного друга, олигарха Матвея Зеленого. Он та-а-кой скандал закатил после того как она у Великанова прооперировалась! Таня Антонова, джазовая певица, тогда тоже лежала в клинике Великанова, она у нас ветеран, и помнит, что там творилось. Зеленый налетел на Великанова, как буря! Медицинскую аппаратуру крушил, банки с лекарствами бил, орал — ну, в общем, черный кошмар! — Березина эмоционально всплеснула руками. Очевидно, это олигарховское выдрючивание представлялось ей эталоном страсти благородного человека, защищающего свою любимую. Аркаша не мог не отметить, что для прежней Анастасии, которую он помнил, такая реакция была бы нетипична. Та Настя, которая с азартом вникала во все тонкости сыскной работы, была ироничнее, живее... умнее, может быть? Эх, портит людей популярность!

— А что орал-то? — спросил Аркадий.

— Орал, что Женю не узнает, что до операции ее личико было прекраснее... Короче, «я буду мстить, и месть моя ужасна будет» — вроде того.

Глава шестая

НЕРВНЫМИ БЫВАЮТ НЕ ТОЛЬКО ПАЦИЕНТКИ

Альбина Самарская — глубоко несчастный человек. Нет, не операция Великанова, изуродовавшая, по мнению Альбины, ее и без того некрасивое лицо, сделала ее несчастной. Корни его залегали глубже, мешая наслаждаться жизнью — всегда, сколько она себя помнила. Между ней и жизнью стояла стеклянная преграда, и стоило доверчиво протянуть руку к благам, доступным для всех других, чтобы наткнуться на эту стену — невидимую, но непреодолимую. Как-то так получалось, что у нее никогда не было друзей, и даже материальная обеспеченность родителей, позволявшая

Альбине осыпать одноклассников мелкими подарками и устраивать для них праздники с кока-колой и пирожными, ничего не могла в этом плане изменить. Ей никто и никогда не признавался в любви — даже самые завалященькие парни, хотя Альбину обрадовал бы и ничем не примечательный экземпляр. В чем дело? Дотошно рассматривая в зеркале свое лицо, Альбина пришла к выводу, что она уродлива. Невыносимо уродлива. Кто же согласится поцеловать такую дурнушку?

А ведь когда-то Альбиночка была очаровательным ребенком — судя по фотографиям, на которых она всегда улыбается, всегда тщательно причесана и чисто одета, всегда выглядит довольной и счастливой. Как странно — как будто это другой ребенок, не она. Она же помнит себя другой — угрюмой, забившейся в угол, тщетно дожидающейся родительского внимания. Родителям не до нее — они ссорятся. Раньше (когда — раньше? когда была совсем крошкой?) она по незнанию сложностей семейных взаимоотношений старалась разнимать папу и маму, заставляла их мириться, и они, растягивая губы в натужных улыбках, пытались изобразить, что у них все в порядке, даже целовались... Но после, уложив ее спать, все равно ссорились. Это вспоминалось без трагизма, но в мрачном освещении, словно увиденный когда-то в детстве по телевизору страшный мультфильм или, скорее, сцена из театра теней: сквозь полуприкрытую дверь Альбиночкиной комнаты на белые обои падает полоса электрического света (Альбина боялась засыпать в полной темноте, а ночник ребенка раздражал), и эта полоса образует как бы киноэкран, на котором движутся проекции родителей — жуткие, искаженные, незнакомые, проделывающие друг с другом что-то невообразимое. Точь-в-точь как в мультфильмах, где персонажей закатывают под асфальтовый каток, сплющивают в лепешку, растягивают их, как жевательную резинку, — а они в конце концов восстают невредимыми из всех этих промежуточных состояний. По причине ночного, повторявшегося минимум раз в неделю театра теней, должно быть, Альбина невзлюбила полные травматических трюков мультфильмы, такие как «Том и Джерри» или «Ну, погоди!». А если прибавить к жутким движениям теней сопровождавшие их звуки — приглушенную ругань, оскорбительный шепот, глухие удары, болезненные стоны... Это мама иногда в ярости прямо-таки налетала на папу, а папа бил маму — за что, Альбина не понимала, слишком маленькая была. Потом уже, лет в шесть, девчонки во дворе ей объяснили, что ее папу иногда замечали с другими мамами... В таких случаях либо выясняют отношения и прекращают измены навсегда, либо разводятся. Родители Альбины не могли разойтись: весь ужас их бытовой драмы заключался в том, что они любили друг друга — и ненавидели, любя. Их слишком многое связывало суровыми тесными нитями: и материальный достаток — семья была очень обеспеченная, и до определенной степени наследственные обязательства: дедушки и бабушки с обеих сторон дружили, будущих мужа и жену договорились поженить, когда они еще нетвердо стояли на пухлых ножках. Именно оттуда, еще из детства родителей, тянулась эта трагедия Альбининого детства. Детства, полного бытового комфорта, игрушек, книжек, летних поездок на курорт и лишенного только одного, но самого важного для растущего человека — любви. Заложница двух людей, постоянно выясняющих отношения, зациклснных друг на друге, в семье девочка была лишней. Она и не претендовала на первое место, но хотя бы какое-то место в родительских сердцах она должна была занимать?

«Почему они меня не любят? Неужели потому, что я не оправдываю их ожиданий? Да, я не такая, какой должна быть. Родители у меня такие замечательные, такие красивые! Самые лучшие, самые совершенные на свете. Я не похожа ни на папу, ни на маму, я просто уродка. Может быть, если бы я была красивее, они бы меня полюбили? Да, несомненно, они бы меня полюбили. Значит, чтобы меня любили, я должна стать красивой».

Такие выводы ни разу четко не проявлялись, оставаясь затиснуты в подсознание, в этот запертый на семь охранительных замков закут, где складировались и детские обиды от того, что мама с папой не обращают на нее внимания, и детский ужас от наблюдения за дергающимися в полосе света тенями. Однако они все-таки существовали — и побуждали к действиям. Изменять — или, как она считала, формировать — свою внешность Альбина начала с двенадцати лет.

Первый удар был направлен на объемистую талию: закормленная сладостями девочка росла упитанной, и половое созревание, превращающее порой толстых и неповоротливых, как морские львы, подростков в тощих резвых плотвичек, изменений с ней не произвело. Стремясь к худобе, Альбина перестала есть за общим столом, довольствуясь малокалорийными смесями из пакетиков, покупаемых за свои деньги. Когда же присматривающая за ней домработница принуждала Альбину есть суп и картофельное пюре, Альбина (ничего не поделаешь!) послушно работала ложкой и вилкой, чтобы потом — испытанный метод: два пальца в рот — очистить желудок от наспех проглоченного содержимого. Усилия увенчались успехом: сначала избавившись от полноты, затем пройдя стадию утонченной стройности, Альбина начала превращаться в скелет. Прежняя одежда висела на ней, как на огородном пу-

123

гале, но с выделяемыми ей карманными деньгами смена гардероба не представлялась проблемой. Увидев наконец дочь во всей ее красе, точнее, во всей ее костлявости, более не замаскированной свисающими складками одежды, папа и мама наконец обеспокоились. Выкроив время (теперь они вели совместный бизнес, что предоставляло новые поводы для тотальной занятости и ссор), Альбинины родители повели дочь сначала к эндокринологу, а потом — выяснив, что с гормонами у этой дуры полный порядок, просто она ни черта не жрет, — к психиатру. Психиатр долго сетовал на тлетворное влияние Запада, который через фильмы и глянцевые журналы насаждает нездоровый идеал женщины с фигурой истощенного мальчика, а в отношении Альбины ограничился угрозой, что, если она не будет есть все, что ей скажут, ее положат в больницу, засунут в смирительную рубашку и будут вводить внутривенно питательные вещества. После этого визита Альбина послушно начала есть, но не потому, что испугалась угроз психиатра. Просто ей уже не приходилось после обеда совать два пальца в рот — желудок перестал удерживать пищу сам по себе, и рвота превратилась в привычный пункт распорядка дня, настигая девушку, даже когда Альбина этого не хотела...

Неизвестно, что случилось бы с Альбиной, продолжи она продвигаться в том же направлении. Не исключено, что дочь суперобеспеченных по российским меркам родителей умерла бы от голода... Но, на ее счастье (как бы сомнительно это ни звучало в данном случае), Альбина Самарская набрела на другой способ изменения внешности. Пластическая операция — как она раньше не догадалась! Худоба плотно обтянула лицо кожей, заставив резче выступить очертания черепа и подчеркнув недостатки, о которых Альбина даже не подозревала. Чтобы расправиться с недостатками, она наметила себе целый ряд последовательных преобразований: сначала губы — потом веки — потом щеки — потом нос... Деньги родители отстегнули охотно, только чтобы дитя отвязалось: они как раз обсуждали, где надежней хранить сбережения, во вкладах или в недвижимости, и расходились во мнениях, доходя до рукоприкладства, — словом, им, как всегда, было не до Альбины. В деньгах недостатка не было, оставалось обойти такое препятствие, как психиатрическая консультация: оказывается, лиц с психическими отклонениями (в число их входит нервная анорексия, то бишь Альбинины проблемы с аппетитом) хирургам-пластикам оперировать нельзя. Но после того как часть «зелененьких» легла в карман белого халата психиатра, доступ к вожделенному операционному столу для Альбины был открыт.

Самое смешное — или страшное? — заключалось в том, что ей по-настоящему понравилась операция. Операция как процесс. Ей понравился наркоз: к ее носу и губам притиснули прозрачную маску, соединенную с черным тоннелем, и в этот тоннель, словно в тот, который ожидает нас после смерти, если верить живописцу Босху и реаниматологу Моуди, Альбину затянуло без остатка. Так приятно было странствовать без желаний и воспоминаний в темноте, где ей не нужно было ни красоты, ни вообще лица... Однако наркоз быстро кончился, а жизнь брала свое. С нетерпением, точно увешанной шариками елки в детстве, Альбина ждала момента снятия повязки после сеансов электрофореза, после рассасывания неизбежных синяков. Момента, когда она станет красивой и все вернется на те места, где оно и должно быть, ее станут любить родители, окружающие, ее полюбит тот единственный человек, которого она встретит, не может не встретить, ведь она сделала все, чтобы стать красивой...

125

Понятно, что пластическая операция, какой бы удачной она ни была, не в состоянии оправдать возлагаемых на нее ожиданий жаждущих идеальной, по их представлениям, внешности клиенток. Каких бы высот ни достиг в своем искусстве резчика по живому материалу пластический хирург, он вмешивается всего лишь в тело, но не в душу. А область любви располагается в душе... Альбина, конечно, не осталась довольна результатами вмешательства. Но, поскандалив, она решила, что ей нужна еще одна операция, чтобы исправить результаты предыдущей. Одним словом, она втянулась в пластические операции. Получив новое увлечение, Альбина воспрянула духом, повеселела. Она даже чуть-чуть пополнела, лишившись прежней болезненной худобы, и проблемы с желудочно-кишечным трактом у нее исчезли — стремление изменить свое лицо заняло место прежнего стремления к стройности.

Какая-то часть сознания Альбины все-таки понимала, что проблема заключается в ней, а не в ее лице, и уж подавно не в пластических хирургах, которые ее оперировали. Поэтому, запуская в Интернет грозные обвинения по адресу искалечивших ее хирургов, в том числе и Великанова, Альбина ни секунды не думала предпринимать против них реальные меры. Ей было достаточно дистанционного сочувствия посетительниц сайта — ее товарок по несчастью. Но счастья это принести ей, естественно, не могло...

Эту драматическую историю Веня Васин, отыскавший Альбину — уже не Самарскую, а Зеленину, — услышал из ее собственных уст. Альбина беседовала с молодым следователем не в роскошном загородном доме своих родителей, а в обычной московской квартире, на кухне со старомодной газовой колонкой и со следами протечек на потолке. Кстати, Веня почти не удивился, узрев воочию еще один вариант внешности Альбины, не сходный ни с одной из представленных на сайте фотографий. И, очевидно, последний — судя по счастью, которое излучали не только Альбинины глаза (а ведь у нее прекрасные глаза, как же он не заметил это по фотографиям!), но и все ее облаченное в скромный свитер и серую юбку существо.

— Ой, вы правы, — соглашалась Альбина, — надо бы убрать все, со мной связанное, с этого сайта, чтобы не смущать людей. Я бы и раньше это сделала, но как-то стыдно и неприятно прикасаться ко всему этому: какая же я раньше глупая была!

— Аленький, — заглянул на кухню взъерошенный плюгавенький тип в очках с толстыми выпуклыми стеклами, — Пашуля проснулся, требует, чтобы ты его покормила.

— Иду, Шурик, иду... Вот, Вениамин, познакомьтесь, — потянувшись, Альбина обняла очкастого за шею, — мой муж. Женился на мне, когда ему надоело липовые справки выписывать...

— Не обращайте внимания, Аля шутит! — улыбнулся очкарик. — Она совершила смелый поступок, позволив мне проанализировать ее детские страхи. Теперь, вместо того чтобы бесконечно себя кромсать, Аленька учится в медицинском институте. Тоже избрала своей профессией психотерапию. По окончании института собирается заняться проблемой нервной анорексии...

Под разглагольствование о неврозах, которых с ростом цивилизации становится все больше и больше, и под гуление младенца Пашули Веня Васин покинул эту квартиру. С разочарованием — потому что в Альбине он не нашел убийцы Великанова; но и с радостью —

потому что подобные разочарования возвращают следователям утерянную веру в лучшие человеческие качества.

Предстояло пообщаться еще с Беллой Левицкой.

Дождавшись своих охранников, Марат Бабочкин, к тому времени уже переодетый из хирургического костюма в цивильный пиджак в тонкую полоску, свитер и брюки, накинул пальто и вышел из главного подъезда клиники, направляясь к своей машине. Автостоянка, где машины сотрудников и посетителей клиники могли быть вымыты и получить мелкий ремонт, была совсем недавно его гордостью; сейчас это не имело для него значения. Салон промерз; пока Марат Максимович включал зажигание, ЧОПовцы несгораемыми шкафами взгромождались один — на переднее, другой — на заднее сиденье. Как многие врачи, хронически утомленные общением с пациентами, Марат Бабочкин любил одиночество в нерабочие часы, он терпеть не мог рядом с собой присутствие посторонних людей, особенно таких вот дуболомов. А уж необходимость тащить их в свое уютное гнездо, в загородный дом, где он отдыхал душой и телом, избирательно допуская в свою подмосковную святыню даже членов семьи, равнялась катастрофе. Прискорбно! Но ничего не поделаешь: Марат Бабочкин платил за помощь частных детективов, и он ее получал.

Дуболомы, надо отдать им должное, оказались на редкость тактичными. Они не задавали вопросов, не сыпали комментариями, не навязывали себя, а превращались буквально в тени. Но они не были тенями. Они были людьми. Вооруженными людьми, которые должны противостоять другим вооруженным людям — и как скоро, известно одному Богу.

«Как это со мной случилось?» — задавал себе вопрос Марат Бабочкин, уставясь на зимнее шоссе, окруженное по обочинам пористыми снежными валами. Он любил ездить, любил мчаться вперед, и вождение автомобиля, которое для других было делом беспокойным, его, напротив, всегда заставляло приободриться и воспрянуть душой. Но сейчас любимое средство не действовало. Не действовало даже то, что он едет за город. Не отдыхать ведь — скрываться...

А все из-за Анатолия Великанова! Пластического хирурга номер один, как он себя открыто провозглашал, как его величала медицинская свита, сопровождавшая своего идола повсюду, даже на съемочную площадку. Вот уж будто Марат Бабочкин, тоже не последняя фигура в мире специалистов по пластической хирургии, не знал, кто у нас номер один! Он с ходу способен назвать имена двух-трех врачей, которые могут претендовать на этот титул с не меньшим, если не с большим основанием... То есть если Великанову хочется, пусть себя так называет на здоровье, его заслуги неоспоримы, и Марат без колебаний готов признать, что уступает ему. А все-таки есть в этом что-то неприятное. Неврачебное. Марата Бабочкина его дорогие учителя и наставники, в которых он и по сей день видит эталоны человеческой и медицинской совести, приучили думать, что для врача главное счастье — помогать пациенту. Самолюбие и честолюбие, жажда признания и регалий по сравнению с этим обязаны отступить. Когда врач волнуется из-за всяких блестящих побрякушек, ночами не спит из-за того, кто лучше, предпочитает спокойному сотрудничеству с коллегами вечное вздорное соперничество — в таком враче есть червоточина, и если он не постарается вовремя ее изжить, со временем внутри у него все сгниет.

Эти мысли по адресу Великанова возникли в начале их совместной работы в шоу «Неотразимая внешность», пронеслись в голове Марата Бабочкина, не задержавшись в ней. Более того, он укорил себя за то, что мог так подумать. Ведь если он придает значение тому, что шоу построено под Великанова, а Великанов ведет себя как избалованная успехом голливудская звезда, — не зачернела ли червоточина в нем самом? Не надо сравнений, надо просто делать свое дело. Разве этого мало? То, что Великанова выбрали для участия в шоу, знали все. А Бабочкин согласился на предложение «Радуги» главным образом потому, что идея передачи позволяла ознакомить широкого зрителя с достижениями и возможностями пластической хирургии, разоблачить накопившиеся вокруг нее предрассудки, показать, что пластических операций не нужно ни стыдиться, ни бояться... Марат любил оперировать, ему нравилась работа в шоу, и он вполне доволен тем, что у него есть.

По условиям шоу, одного пациента оперировал Великанов, одного — Бабочкин. Обе первые операции завершились удачно; Бабочкин из чувства справедливости признал, что в великановской технике много такого, чему стоит поучиться. А вот что касается второй партии прооперированных, здесь в выигрыше оказался Бабочкин, сделавший клиентке идеальный носик — точь-в-точь такой, о каком она мечтала. Великанов в пластике век непрофессионально поспешил — и результат получился не совсем тот, на который надеялись, невзирая на то что устроители шоу замаскировали его косметикой. По этому поводу Бабочкин из деликатности не высказывался: у каждого врача свои ошибки, никто от них не застрахован. Тем более он был удивлен, когда услышал в приватной обстановке от продюсера проекта Марины Ковалевой:

— Великанов хандрит. Думает, ты под него копаешь.

— Я? — не понял Бабочкин.

— Ну да. Сравни его веки с твоим носом.

— Согласен, у него случился прокол. Но при чем тут я? Почему я под него копаю? — продолжал благородно и тупо не понимать Бабочкин.

Марина разъяснила прямым текстом то, во что Бабочкин поверить не мог, да и не хотел: Великанов полагает, что безупречно выполненная операция собрата по шоу — попытка подменить первого хирурга вторым, попытка Марата Бабочкина оттеснить Великанова и самому стать героем передачи.

— Так что же, он считает, — все еще пытался проникнуть в кривую логику Бабочкин, — что я должен был изуродовать свою пациентку? Из врачебной солидарности?

Марина пожала полными белыми плечами — стояло лето, и она из-за жары была одета в сарафан.

— Ой, у вас, медиков, так сложно все. Я просто тебя предупредила. Ты, главное, не нарывайся, будь с ним покорректней.

Услышь Бабочкин что-то подобное от Стаса Некрасова — не придал бы значения: о глупости болтливого слюнявого Стаса на «Радуге» анекдоты ходят. Стас хорош только для работы с будущими героями и спонсорами, чтобы привлечь, обаять и заговорить. Но Марина ведь умница, проницательный человек! Все же она не врач... Да, да, вот разгадка: Марина судит о мыслях и чувствах врачей со своей телевизионной колокольни. Конкуренция между актерами, сценаристами, телеведущими может принимать неприглядные формы, конкуренция между врачами — никогда. Так решил Марат Бабочкин — и это его успокоило.

Каково же было его изумление, когда он уловил признаки, что Марина, пожалуй, была права! Анатолий Валентинович, который прежде общался со вторым хирургом передачи скупо, но корректно, стал демонстративно холоден, а иногда элементарно груб. Марат Бабочкин не знал, что ему делать. Возникла мысль, что в передаче он лишний...

Погрузившись в прошлое, Бабочкин хотя бы ненадолго оторвался от мыслей о сотрудниках ЧОПа, заполнявших салон его маленькой уютной машинки своими объемистыми мускулами. Зимняя дорога, спокойная и пустынная, затянула его в свой продолженный, без всплесков, ритм. Местами шоссе было скользким, но Марат Бабочкин недавно сменил хорошие зимние шины на новые, еще лучше прежних, и мог об этом не тревожиться. Частные детективы вели себя так тихо, что не слышно было даже их дыхания, словно Бабочкин был один. Но он не был один, сейчас ему жизненно важно быть среди людей...

Самое смешное, что о конкуренции между ними изначально не могло идти и речи: шоу делалось под Великанова, Бабочкин появился в последний момент. До него доходили даже слухи, что это Великанов его рекомендовал... Рекомендовал, чтобы потом невзлюбить? Может, он надеялся, что Бабочкин окажется хирургом настолько хуже него, что будет выгодно оттенять великановские достоинства? Может, все дело в самой атмосфере телевидения, способного одних унизить, других возвести на пьедестал, в этой сладкой отраве, которая может разъесть душу самого крепкого человека? Вероятно, и что-то другое здесь было, стоит ли сейчас копать? Во всяком случае, изменившееся отношение Великанова к нему досаждало Бабочкину. Работы в передаче невпроворот, не считая еще и того, что нужно работать и в собственной клинике. А тут приходится вместе с физической нагрузкой терпеть психологическую... Бабочкин не собирался с этим мириться. И решил откровенно поговорить с Великановым, чего бы это ни стоило...

Вот здесь, тотчас за развилкой направо, и будет его загородный дом. Марату Бабочкину предлагали кооператив, садоводческое товарищество, это обошлось бы на треть дешевле, но побывав в подобном кооперативе, он понял, что нога его туда не ступит, даже если бы дешевле оказалось вполовину, а не на треть. Ну куда это годится: обнесенные забором три ряда нарезанных квадратами участков, три ряда одинаковых, по стандарту изготовленных белоснежных домов, снабженных одинаковыми хозяйственными пристройками... Что-то пионерское в этом есть, что-то армейское. «Равнение на середину, готовьсь, сми-ир-рно!» Нет уж, если Бабочкин строит дом, он строит дом, соответствующий его вкусам. С виду похожий на скромную двухэтажную избушку, обитый деревом под бревна, зато внутри снабженный всем, что требуется для полноценного отдыха и наслаждения жизнью. Теплая пасть камина. Удобная, с готовностью принимающая в свои объятия тело владельца мягкая мебель. Библиотека. Видеотека. Домашний кинотеатр. О таких мелочах, как два санузла с огромными ваннами, вряд ли стоит даже упоминать. Жену прельщала стандартная кооперативная белизна, но она сама теперь с удовольствием сюда ездит и возит детей, чтобы дышали свежим лесным воздухом. Когда муж разрешает. Иногда Марат Бабочкин приезжает сюда именно для того, чтобы побыть вдали от пациентов, от клиники, от жены, донимающей его болтовней и хозяйственными хлопотами, и от шумных сынков-близнецов, которые все умеют поставить вверх дном и ничего знать не хотят, кроме своих игрушек-стрелялок, и на воздух им, кстати, наплевать. А Марату все перечисленное не по нраву. Его же избушка на краю леса провоцирует уединенность.

Вот и сейчас он войдет в дом, включит отопление, переоденется в старый свитер и уютные потертые разношенные джинсы, ногами влезет в розовые, с национальным узором, татарские валенки, подаренные после выписки одним солидным пациентом. Возьмет с полки классический роман или какой-нибудь прихотливый плод новейшей беллетристики — Марат иногда покупал книги и привозил их сюда нечитанными, потому что в городе у него не оставалось времени читать что-либо, кроме литературы по специальности. Из новейших, ныне живущих ему нравился Пелевин... Нет, Пелевин не подходит, в нем слишком много иронии, издевательства, причем такого, что и не сразу разглядишь. Лучше что-нибудь старинное, английское: скажем, Стивенсона, Хаггарта или Конан Дойла — безобидные увлекательные приключения, когда заранее знаешь, что все закончится хорошо. Да, решено, он возьмет с полки «Собаку Баскервилей», всегда ее любил. Упадет на ортопедический, приятно пружинящий матрас — и отключится от всего, словно и не смущали его подозрения и страхи...

Двое ЧОПовцев, выгрузившись из машины, двигались следом за ним. Надо бы о них позаботиться: напоить, что ли, чаем, предоставить место отдыха. Показать расположение всех комнат дома, чтобы облегчить им задачу охраны... И все-таки невозможно изгнать неприятное чувство от того, что эти люди постоянно присутствуют с ним рядом, неотступно напоминая о подозрениях и страхах, которые не поддаются изгнанию беллетристикой, которые перебрались следом за Бабочкиным из города в его уютный дом.

Не пора ли взглянуть этим страхам в лицо?

...Белла Левицкая не страдала, в отличие от Альбины Самарской, никакими затаенными детскими комплексами. Если изменения внешности, задуманные Альбиной, проецировались ее нездоровыми фантазиями, то в случае Беллы весомый повод для операции был налицо, или, если воспользоваться бородатой остротой — на лице. Нос Беллочки всегда привлекал внимание окружающих, начиная с ясельного возраста, и если поначалу он умилял родственников и знакомых («Ой, это ж надо, до чего ваша Беллочка на папу похожа!»), то по мере роста и взросления девочки становилось ясно, что умиляться здесь нечему. Для мужчины такая черта внешности — еще куда ни шло, вот и исторический Сирано де Бержерак, хотя и переживал свой недостаток, умел так обыграть свой нос, что делал его привлекательным; но для женщины — извините! Все детство Белле приходилось сталкиваться с дразнилками и прозвищами, причем из последних самым приемлемым ей казалось Буратино (горбоносая Белла совсем не походила на Буратино), но она совершенно не выносила, когда ее называли Попугаем, и особенно Какаду. Какаду легко превращалось в Какадушечку, Какадушечка в Кадушечку и Подушечку, а дальше... Дети бывают очень жестоки, особенно к тем из сверстников, которые чем-то отличаются от них.

Несмотря на насмешки, Белла не приобрела болезненную уязвимость, не стала угрюмой и мрачной. Наделенная от природы веселым и смелым характером, она легко заводила друзей, которых у нее был вагон и маленькая тележка. В своем классе она, пусть и не отличница, пользовалась таким авторитетом, что никому не приходило в голову ее дразнить; а если пристанет какой-нибудь дурак из другого класса или из другой школы, такого Белла могла и вздуть, если что.

«Одни дураки дразнятся», — в эту преподанную родителями премудрость Белла верила свято, а о том, что от дразнилок можно избавиться, ликвидировав причину, то есть исправив нос, даже не задумывалась.

Впервые эти мысли пришли ей в голову, когда она, окончив после школы престижные компьютерные курсы, пришла работать в одну крупную фирму. Если до сих пор Белла вращалась в узком кругу, где к ее чрезмерно оригинальному личику все привыкли, то теперь ей приходилось общаться с большим количеством людей, и она не могла не замечать, какое впечатление производит на непривычного человека ее внешность. Если бы она могла позволить себе заниматься только компьютерами, перевоплотиться, стать призраком компьютерных сетей! Но, к глубокому сожалению, работа требовала непосредственного контакта с клиентами... Окончательно добил Беллу один случайно услышанный разговор, из которого она поняла, что в фирме ее за глаза прозвали Карлик-Нос. «Ну, допустим, Нос — это понятно, — рассуждала она сама с собой, — это даже не обидно... Почти... Но карликом-то меня обзывать — за что? Во мне метр семьдесят восемь, какая же я — Карлик? Нет, надо что-то менять!»

Менять так менять: Белла не привыкла откладывать дело в долгий ящик. Зарабатывала она порядочно, тратила мало, так что плата за пластическую операцию у самого Великанова не пробила дыру в ее бюджете. В «Клинике «Идеал» сотрудники действовали так же быстро и решительно, как Белла, стремясь провести лечение без задержек и комфортно, и месяц спустя она уже стала обладательницей хорошенького, тонкого и прямого носика, никак не выделяющего мадемуазель Левицкую из толпы. А если и выделяющего, то исключительно в лучшую сторону.

Вот тут-то, когда она имела, казалось бы, полное право расслабиться и отдохнуть душой, и начались настоящие неприятности!

Прежде всего, возвращаясь в родную фирму, она надеялась в первый же день появления с новым носом нарваться на комплименты. Комплименты последовали, главным образом со стороны женской части сотрудников, но какие-то кислые. Счастливая тем, что она больше не Карлик-Нос, Белла не обратила на это внимания. Но, как гласит народная поговорка, чем дальше в лес, тем больше дров. Сослуживицы, которых она считала подругами, ни с того ни с сего охладели к похорошевшей Белле, не приглашали ее на околослужебные вечеринки, где ожидалось скопление представителей мужского пола. А ведь раньше звали, убеждали друг дружку: «Нужно захватить с собой Беллочку, бедняжку, может, подберет себе старичка какого-нибудь, а то ведь так старой девой и умрет...» По работе стали подстраивать мелкие, но чувствительные пакости: как будто Белла что-то недоделала, чего-то недоучла, допустила ошибку. Даже Илона — та самая Илона, добродушная и ленивая, за которую Белла не однажды писала отчеты, — присоединилась к ее мучительницам, и это был уже стопроцентный подлый удар в спину.

Белла не понимала, чем же она им всем так насолила? Ведь она, улучшив свою внешность, не наградила женщин фирмы своим уродством, ведь она ничего у них не отняла! И только как следует поразмыслив, Белла пришла к выводу, что все-таки — отняла. Отняла несчастную Золушку, которую можно безбоязненно жалеть и поощрять, не опасаясь, что она перейдет тебе дорогу. Отняла эталон безобразности, по сравнению с которым так легко чувствовать себя красавицей. Грустно, но факт.

Однако внезапную неприязнь подруг оказалось перенести легче, чем нежданно-негаданную приязнь, которую вдруг активно стал проявлять к Белле Роберт Арташесович, начальник отдела. Будучи стихийной противницей теории Дарвина, Белла не соглашалась верить в то, что человек произошел от обезьяны, предпочитая гипотезы сверхъестественного или инопланетного происхождения человечества; но вот что касается Роберта Арташесовича, здесь ничего не попишешь — его предком был очевидный орангутан. Вырви из учебника зоологии листок с изображением орангутана и поставь его рядом с фотографией Роберта Арташесовича — ни дать ни взять фамильная портретная галерея... Так вот, этот пылкий выходец из джунглей не давал Белле прохода, после того как ее носик приобрел нормальные размеры и форму. Он без надобности подзывал девушку к своему столу. Он подкарауливал ее после работы. Он донимал ее вопросом, что она делает в выходные. Он подпрыгивал, размахивал длинными волосатыми верхними конечностями и с громким уханьем бил себя в грудь... нет, конечно, этого он пока не делал, но страсть его приобретала такие термоядерные масштабы, что, честное слово, уже и до вышеописанного проявления чувств было недалеко.

И Белла не выдержала. Она снова побежала в клинику Великанова — с самой необычной просьбой, которую ему когда-либо предъявляли: вернуть ей обратно ее большой горбатый нос. Пусть другие будут красавицами, ей это не подходит! У нее из-за красивого носа вся жизнь наперекосяк.

Белле удивленно ответили, что таких операций они никогда не делали и делать не собираются. К качеству работы претензии есть? Нет? Ну тогда — до свидания. Живите как хотите.

На это рассерженная Белла ответила, что если хирурги не согласятся сделать все, как было, она предъявит миллион претензий к качеству их работы, сделает им небывалую антирекламу. Она знакома с основами рекламной деятельности, так что у нее получится, пусть не сомневаются. Она их по судам затаскает. Они у нее узнают, где раки зимуют!

И действительно начала исполнять угрозы: отправила свои фотки на сайт, где публикуют свидетельства неудачных пластических операций. И получила неожиданный для себя результат: публикация фотографий на странице сайта позволила ей взглянуть на то, что было, и то, что есть, как бы со стороны. И Белла поняла, что даже если весь мир ополчится против нее, она не будет возвращаться к прежнему носу...

— Ну и как же вы вышли из положения? — спросил Веня, деликатно поглядывая в лицо собеседницы. Хорошенький тонкий носик ничуть не напоминал ту уродливую горбатую часть лица, которая обращала на себя внимание на первой интернетной фотографии, делая Беллу такой трогательной и смешной. А эту очаровательную девушку, сидевшую напротив него за столиком кафе, никто не назовет смешной, даже когда она вот так, темпераментно жестикулируя, рассказывает о том, что с ней случилось. Мужчины за соседними столиками бросают взгляды на Беллу, и Веня, который очутился рядом с ней исключительно по долгу службы, чувствует, что растет в собственных глазах.

— А я и не вышла, — беспечно отвечает Белла. — Я ушла из фирмы. Полгода искала работу, зато через ярмарку вакансий получила место лучше прежнего. И зарплата больше, и, главное, меня там никто прежней не знает. Коллектив нормальный... Работаю больше года, и все в порядке. Ну а если опять придется искать новую работу — тоже не испугаюсь. Мне теперь не привыкать!

И гордо вздергивает красивый прямой носик.

Глава седьмая

ЗА ДЕЛО БЕРЕТСЯ ТУРЕЦКИЙ

«Вот уйду на пенсию — так и знайте, ни за кого больше хлопотать не стану. Буду жить, как нормальный человек!» Эту фразу не единожды слышали от Михаила Олеговича Маврина в бытность его премьером подчиненные, знакомые и родные, но всерьез ее не принимали, полагая, что такое важное лицо даже на пенсии не сможет не пользоваться накопленными связями, вмешиваясь во все и вся. Однако получилось так, что Маврин сдержал свое обещание. Отбыв на заслуженный отдых, важный пенсионер честно стал вести образ жизни, приличествующий пожилому человеку, удалившемуся от дел. С удовольствием проводил время за городом. Много читал: книги, которые ранее прошли мимо него, особенно упирая на мемуары и документальную литературу. Снова, как в прежние, допремьерские, заполненные заботами годы, сблизился с женой, и их совместные поездки и долгие прогулки подарили им новый медовый месяц — спокойный медовый месяц на закате жизни... Сближения с дочерью не произошло по той причине, что Ксения всячески демонстрировала: она уже повзрослела и в папе не нуждается. А ему-то что, он не возражает! Как говорится, мне время тлеть, тебе цвести. Но все-таки немного обидно... Михаил Олегович наблюдал за до-

140

черью издали, со стороны, удивляясь этому непонятному существу, которое сам же породил. Эх, гены, гены, как же причудливы бывают ваши комбинации! Люди рожают детей в надежде, что дети послужат их продолжением на этой земле, а дети не желают быть их продолжением, они хотят быть похожи на кого угодно, лишь бы не на родителей. Михаил Олегович не мог этого принять. Ему казалась какой-то безумной блажью и история Ксениной пластической операции, которая нужна была дочери, по его мнению, как рыбе зонтик, и — особенно — история Ксениного брака, состоявшегося в результате этой пластической операции. В его седой, с лысиной посередине голове не укладывалось, как это можно: сначала ножом кроить девушке губы, а потом целовать эти губы, зная наизусть их кровавую изнанку... Но если они, нынешние, на это способны, что же с ними поделаешь? Михаил Олегович готов был признать, что страшно старомоден, что отстал от жизни, только бы его любимая дочь была довольна. Если Ксению устраивает ее хирург — пусть с ним живет долго и счастливо.

Но долгой счастливой жизни не получилось. Хирурга убили. И только его смерть вынудила Маврина нарушить провозглашенный ранее принцип и ввязаться в нудные и долгие хлопоты, всячески напоминая знакомым и незнакомым людям, что он — не просто пенсионер, он — бывший председатель российского правительства! А что поделать? Дочь у него одна. И зять был один-единственный. Если бы Михаил Олегович пустил на самотек дело о его убийстве, он перестал бы себя уважать.

Владимир Михайлович Кудрявцев, главный прокурор страны, внутренне содрогнулся, узнав, что у него просит личного приема сам экс-премьер Михаил Оле-

гович Маврин. Содрогнулся не потому, что они в прошлом враждовали, — наоборот, это именно Маврин
порекомендовал в свое время первому лицу государства посадить в кресло главного законника страны про-
винциального прокурора. Однако, согласно законам
человеческой психологии, напоминания о благодеяни-
ях иногда переносятся тяжелее, чем выражения враж-
дебности... Впрочем, Кудрявцев, разумеется, не мог
отказать бывшему благодетелю в аудиенции. Таким не
отказывают...

— Как же так, — с порога, едва поздоровавшись,
громким голосом завел Маврин, — прошло уже с пол-
месяца, а дело об убийстве Великанова застыло на одном месте, ни туда ни сюда! Когда же убийство моего
зятя будет раскрыто?

В ответ на кудрявцевское предложение присажи-
ваться Маврин увесисто обрушился на стул, вызвав,
как показалось, треск паркета и мебели по всему по-
мещению. Пристально оглядев бывшего своего начальника, Владимир Михайлович не заметил признаков особенной печали по усопшему зятю. Михаил
Олегович оставался все так же громогласен и настойчиво многоречив, все так же солнечно розовела его
лысина, кое-как замаскированная длинными, наи-
скось зачесанными, когда-то белокурыми, а сейчас
желтовато-седыми прядями сохранившихся волос.
Очень жалко выглядит эта вовсю просвечивающая
лысина. Уж не пытался бы Маврин ее прикрывать, что
ли, носил бы с достоинством... Но люди редко прояв-
ляют способность видеть себя со стороны. Что до
Михаила Олеговича, его отродясь не заботило, как он
выглядит в глазах окружающих. Окружающие обязаны были принимать его таким, каков он есть, и по
мере сил подлаживаться под него.

— Много работы по этому делу образовалось, Михаил Олегович, — успокоительно отвечал Кудрявцев в старом стиле, продолжая подлаживаться под того начальника, каковым Маврин, в сущности, больше не являлся. — Но вы не волнуйтесь: следователи и оперативники вкалывают, как звери.

— А вот мне не надо, чтобы как звери, — точь-в-точь как в былые времена, требовательно загудел Михаил Олегович. — Мне не нужны звери, мне нужны компетентные люди!

— Но две недели — это слишком ничтожный срок...

— Пятнадцать дней, Володя, срок достаточный, — отрубил Маврин. — За этот срок убийца, скорее всего, успел залечь на дно или сделать ноги за границу, и ищи его теперь, свищи! А я-то, как сейчас помню, в тебя верил. Я рассчитывал, что ты человек энергичный, неангажированный, наведешь порядок в своем ведомстве...

Кудрявцев покорно склонил голову. Да, в высших кругах вовремя оказанные услуги никогда не забываются! Их не позволяют забыть...

— Если сотрудники не справляются со своими обязанностями, — продолжал гвоздить его наставлениями Маврин, — им надо закатить здоровенный втык или заменить на других. Что ты с ними будешь делать, мне неважно. Меня интересует результат!

Вытерпев еще не одну порциюavринских рассуждений на тему служебной ответственности и в очередной раз заверив, что все от него зависящее будет сделано, Владимир Михайлович сам проводил экс-премьера до дверей. А оставшись один в кабинете, промокнул платком вспотевшее лицо, высморкался, нажал кнопку селектора и, только теперь позволяя вырваться наружу накопившимся чувствам, рявкнул секретарше:

— Меркулова ко мне!

Начальство начальству рознь. По крайней мере, израсходовав свои переживания в реве, обращенном к секретарше, к незамедлительно прибывшему по его зову Меркулову генпрокурор обратился сдержанно и вежливо. Может быть, причиной тому была врожденная интеллигентность Константина Дмитриевича, как-то сама собой пресекавшая чужую невежливость на корню... Можно сказать, короткое совещание представляло собой саммит на высшем уровне, в результате которого стороны пришли к соглашению ускорить работу над делом Великанова и расстались, дипломатически довольные друг другом.

Однако на этом нисхождение по служебной лестнице приказа ускорить дело в тот день не остановилось! Меркулов не стал впадать в раздумья, он принял молниеносное решение... Так дело об убийстве Великанова оказалось в руках первого помощника генпрокурора, госсоветника юстиции третьего класса Турецкого.

— Послушай, Костя, — почти торжествующе отреагировал Турецкий, — кажется, я становлюсь провидцем. Представь себе, тут недавно смотрим мы с Ириной телевизор...

— Телевизор, Саня, посмотришь после, — прервал внеслужебный экскурс Константин Дмитриевич. — Сначала ты обязан найти убийцу пластического хирурга.

— Это я понял. А почему такой ажиотаж вокруг этого Великанова? Шепни мне на ухо по-старому, по-дружески. Что, неужели из-за того, что он был так раскручен на телевидении? Так сказать, любимец всей страны?

— Не в том причина, Саня. Убитый Великанов — зять Михаила Олеговича Маврина.

— Что, неужели?..

— Да, муж его дочери.

— А, понятно. Значит, в связи с этими родственными отношениями было принято решение о передаче данного дела мне?

— Можешь считать и так, если тебе больше греет душу такая формулировка.

— А кто занимался делом Великанова до меня?

— Уже двое. Первым был дежурный следователь Васин, который выезжал на осмотр места происшествия, после Васина — Глебов...

— А, Подполковник? Он же вроде толковый мужик!

— Безусловно, толковый. Полагаю, он справился бы, если бы располагал временем. Но Кудрявцев требует срочной работы. Сам понимаешь, придется мобилизовать все силы.

— Понимаю, — подтвердил Турецкий, демонстрируя свою боеготовность. Но особой радости ему это известие, что правда, то правда, не принесло. Срочная работа — кто ее любит? Но когда начальство требует, тут уж хоть из шкуры выскочи, хоть умри, а сделать обязан. — Что это за дело, на котором сломали зубы уже два следователя?..

— Тягомотное дело, Александр Борисович, — признался Турецкому Глебов. — Чем глубже в него погружаешься, тем лучше понимаешь, что пластическая хирургия в России перешла в область коррумпированного бизнеса, со своими околокриминальными разборками. Гадюшник, одним словом.

Этим малооптимистичным выводом Глебов завершил перечень версий, как проверенных, так и тех, которые только еще подлежали проверке.

— А как насчет криминала в прямом смысле? — поинтересовался Турецкий. — Ну, наподобие того, что

145

Великанова мог убрать некий криминальный авторитет, который воспользовался его услугами по изменению лица и хотел окончательно замести следы. Сейчас об этом едва ли не в каждом третьем детективе пишут!

— Рассматривалась такая версия, рассматривалась, — неохотно согласился следователь Глебов. — Только ее нельзя воспринимать всерьез.

— Почему же нельзя? Насколько я знаю своего друга генерала Грязнова, которого я обязательно напрягу в связи с этим делом, он как раз очень даже заинтересуется подобной версией.

— Я расспрашивал на этот счет специалистов. Один из коллег доктора Великанова по клинике «Идеал» пояснил, что изменить до неузнаваемости лицо не так-то просто. Процесс это долгий и тягомотный, год занимает как минимум. В последнее время у Анатолия Великанова таких пациентов вроде бы не было.

— А раньше такие клиенты у доктора Великанова были? — рванулся к сути опытный следователь Турецкий.

— Откровенно говоря, подобного вопроса я не задал, — махнул рукой его предшественник, демонстрируя усталость от уже осточертевшего великановского дела. — Меня интересовало последнее время, то есть год-два, в более ранние дебри я влезать не хотел. Вернее, не было времени, ведь начальство постоянно теребило: где результаты расследования дела, имеющего политический резонанс? Ясный перец, Александр Борисович, вы и сами в курсе, что речь идет о гибели любимого зятя премьера — хоть и в прошлом, но все же председателя кабинета министров страны!

Турецкий задумался.

— Версия насчет криминального авторитета не кажется похожей на правду, — заметил Глебов, — но тем не менее... Все версии — в вашем распоряжении, Александр Борисович. Я сделал все, что мог, дальше действовать вам.

На лице Глебова, напоминающем лицо каменного идола с острова Пасхи, читалась такая же каменная усталость. Следователь, сдающий законченное дело, никогда не выглядит таким усталым: утомление в результате многодневного труда компенсируется у него радостью, что этот труд не пропал даром. А вот Георгию Яковлевичу не повезло: вкалывал-вкалывал, всю подготовительную работу проделал, а убийцу найдет кто-то другой. Невезучий, должно быть, он человек! Сидеть ему до пенсии в подполковниках... Представив ход мыслей Глебова, Турецкий ему посочувствовал, но помочь ничем не мог. Поэтому он постарался как можно скорее выбросить из головы внутреннее смятение Георгия Яковлевича и оперативно загрузить свой мыслительный аппарат неотложными мероприятиями по делу Великанова.

Александр не стал ломать сформировавшуюся уже следственную команду, включил полностью всех ее членов в свою бригаду. Правда, присоединил к ней замначальника Департамента угрозыска МВД Вячеслава Грязнова и его оперсотрудницу Галину Романову. «Добро» на это он без труда получил у самого министра внутренних дел.

И следственный поезд отправился дальше по маршруту, стремясь как можно быстрей достигнуть конечной станции — раскрытия убийства пластического хирурга Великанова.

«Опять Жору по службе обошли», — подумала Таисия Глебова.

Когда муж, как обычно, вечером вошел в дом, она не задала ни единого вопроса. О служебных неприятностях жене следователя Глебова безошибочно сигнализировала его шляпа. Шляпа эта выдающаяся, с низкой тульей и загнутыми кверху полями, бархатисто-черного цвета, была единственным головным убором, который шел к длинному глебовскому лицу, пусть даже и придавал советнику юстиции некоторое сходство с протестантским проповедником. Глебов носил шляпу до холодов, пока замерзающие красные уши не принуждали сменить ее на ушанку, и относился к ней аккуратно: придя с улицы, непременно вешал ее на специально вбитый в стену рядом с зеркалом в прихожей крюк. Так поступал Георгий Яковлевич, когда настроение у него было хорошее или среднее. Но когда настроение у него было плохое, оно отражалось на шляпе, которую он с порога небрежно бросал на полку над галошницей, где фетровое изделие приземлялось в непрезентабельную компанию шарфов и перчаток. Пренебрежением к головному убору Георгий Яковлевич как бы подтверждал проявленное к нему самому неуважение. «Я — хронический неудачник, чего уж тут со мной церемониться?» — сигнализировал он этим жестом, острой иголкой впивавшимся Таисии прямо в сердце. Какой женщине хочется, чтобы муж считал себя неудачником?

Сегодня дело зашло далеко, судя по тому, что шляпа, пролетев мимо полки, спланировала на пол. Глебов не стал ее поднимать, свирепо, рывками, вытягивая из-под пальто шарф при застегнутых пуговицах. Подняла шляпу Тая, отряхнула ее и повесила на крюк. Георгий Яковлевич фыркнул. Нарисовавшаяся в дверях кухни Машка, держа в правой руке заложенную указательным пальцем книгу (не учебник, как пить дать), смерила взглядом родителей и удалилась обратно, тщательно прикрыв дверь. То, что папа периодически приходит с работы в плохом настроении, казалось ей совершенно естественным, хотя не слишком радующим обстоятельством. Но ничего, мама разберется. Мама заставит папу вести себя как следует. Несмотря на свой невеликий возраст, Машка Глебова не заблуждалась относительно того, кто в доме главный.

Вне зависимости от того, кто в доме главный, главным в доме должен чувствовать себя мужчина. Эту простую истину Тая вынесла из родительского дома, где мать всячески обихаживала, ласкала и почитала отца семейства. И когда еще этот необычный, старше нее почти на двадцать лет, но такой дорогой уже ей москвич, робко ухаживая за ней, признался, что он неудачник, что по службе продвигается плохо, а сам замирал, понимая, что нарывается на отказ, — это не остановило Таю от того, чтобы выйти за него замуж.

В Москве не все оказалось так просто, как она сама себе представляла, но Тая была достаточно гибка, чтобы знать, где надо согласовываться с обстоятельствами, а где не стоит идти у них на поводу. Она научилась жить в ожидании звонка, что Жора сегодня не придет ночевать, потому что у него важное задание; она научилась быть терпеливой, не выдумывать глупости и не ревновать попусту там, где речь идет о сугубо служебных отношениях. Она имеет право сказать о себе, что прошла высшие квалификационные курсы следовательской жены. А ведь параллельно приходилось еще получать уроки и сдавать ответственные экзамены на курсах материнства!

Повлиять на обстоятельства, которые заставляют ее Жору чувствовать себя несчастным неудачником, не в ее возможностях — зато в ее возможностях успокоить, утешить, сделать так, чтобы он забыл о своих неудачах. Помимо всего прочего, разве неудовлетворенное честолюбие — это причина чувствовать себя несчастным человеком? Вот чего Тая никогда не понимала! Лично она привыкла работать на совесть, но никогда не увлекалась построением карьеры. Ведь сколько еще всего в жизни, кроме работы, есть хорошего, нового и интересного... Но для мужчины сделать карьеру — это нормальное желание, бесполезно и незачем его за это судить и, тем более, осуждать. Да и вообще, долг жены — не судить, а помочь.

Следуя отработанной годами технологии, Тая извлекла из хорошо известного супругам тайника бутылку, которую держат на случай внезапного визита гостей, и, пренебрегая на сей раз традиционным супом, поставила перед Георгием Яковлевичем тарелку со вторым блюдом (сегодня на ужин рыба в сухарях, отлично) и налила ему рюмочку. Тая из опыта знала, что в ситуации очередной служебной неурядицы Жоре хочется выпить. Это случается с ним нечасто, но случается. А как примет рюмочку-другую под хрустящую жареную рыбку, успокоится, придет в себя и расскажет наконец, что у него в очередной раз стряслось. Если захочет.

Технология уже в который раз сработала: после второй рюмки и доброй порции рыбы Георгий Яковлевич стал разговорчивее.

— Ты не думай, Тая, я не злой. Я не злой! — глухо вскрикнул он и стукнул кулаком по столу. Машка, без особенного энтузиазма мусолившая свою порцию ужина и исподтишка листавшая под столом книгу, аж подскочила. Таисия без слов, глазами и руками, указала ей, что она может идти, и девочка с удовольствием воспользовалась этим разрешением. Оставшись наедине с мужем, Тая поставила стул поближе к нему, выжидающе и внимательно обратив не самое красивое на свете, зато самое любимое Жорой лицо.

— Я не злой, — спокойнее, уже без восклицаний и битья кулаком по столу, продолжал Георгий Яковлевич. — Меня, Тая, злит, когда меня учат, как мальчишку. Тычут носом в то, что недостаточно быстро работаю. Как щенка, тычут носом! Передали вот дело тем, кто быстрее разберется. А как тут разобраться, когда версий выше крыши понапутано... Многогранным человеком был покойник!

— Великанова дело? — Как хорошая жена, Тая была в курсе того, что волнует мужа.

— Чье же еще? Причем вот что обидно: ведь начал я уже в нем разбираться, считай, половину работы сделал! И вот, скажите на милость, высокое начальство останавливает на полдороге... Впору думать: может, не за то злятся, что не сумел раскрыть убийство по горячим следам, а за то, что накопал то, чего трогать не надо...

До Машки в малогабаритной квартире долетали обрывки родительских разговоров. Слов она, увлеченная к тому же взятым в библиотеке любовным романом, не различала, но по интонациям угадывала, что папа сначала буйствовал, злился, как обычно, на тех, кто ему хода не дает, и на тех, кто всем в стране заправляет, и на тех, кто обирает честных граждан, а теперь утихомиривается. Папа на самом деле не злой, даже на Машку не может как следует разозлиться, если ей случается схватить плохую отметку. Сколько раз грозил, что за двойку или тройку не пустит дочку в гости на день рождения к однокласснице или запретит ей неделю смотреть телевизор! Но только что-то ни разу такого не было, чтобы папа ее наказал: пошумит, поругается, покричит, что в семье растет бестолочь, которой надо учиться на дворника, а потом сам же просит прощения, что не сдержался, вышел из себя. Еще и начнет вспоминать, что в детстве тоже не был отличником, только его дедушка Яков, побывав на родительском собрании, в сердцах грозил отдать не в дворники, а в пастухи... Вот и у мамы сейчас будет прощения просить. Точно-точно. Никуда не денется...

— Нет, понимаешь, Тая, — оправдывался не опьяневший, но слегка размякший вследствие умеренной дозы алкоголя Глебов, — на самом деле, все справедливо. Я не думаю, что в этом деле начальству выгодно покрывать убийцу. Бывали у меня такие дела, особенно в ельцинское время — помнишь, небось, Вожеватова, из-за которого мне легкое прострелили? Но эти дела обстряпывались по-другому, и начальства того больше нет, сняли напрочь... Турецкий Александр Борисович — я его знаю, честный человек. Но мне просто обидно... Обидно, что все вот так... Вот трудно мне смириться...

Таисия Глебова, как обычно, больше слушала мужнин монолог, изредка вставляя реплики, потом приняла его отяжелевшую голову на свое плечо и без единого вздоха сказала себе, что представление по случаю очередной служебной неудачи закончено. Чтобы повториться через некоторое время.

Готовясь к беседе с матерью покойного Великанова, Грязнов и Турецкий внутренне напряглись и подсобрались. Обычно общаться с близкими убитых, особенно с матерями, пережившими своих детей, — дело, чреватое расходом нервов: скорбящие родственники то и дело принимаются плакать, замыкаются в себе так, что их очень трудно разговорить, или, наоборот, углубляются в никуда не приводящие подробности относительно того, какой замечательный человек был покойный. Тут, не имея профессиональных навыков, преждевременно поседеешь... Но что касается Александра Борисовича и Вячеслава Ивановича, то насчет седины, уже серебрящей их высокоумные начальственные головы, можно не беспокоиться. А что предстоящий разговор не будет легким даже для них — это как пить дать.

Анна Семеновна Великанова даже в горе производила внушительное впечатление и ничуть не выглядела сломленной. Типичная медицинская старуха: лицо худое, словно источившееся и вытянувшееся от вечной стиснутости накрахмаленной шапочкой, фигура треугольно расширяется, точно вся оползает к низу, — это, должно быть, от сидения в кабинете на приеме больных; ноги массивные, распухшие — сказываются годы стояния за операционным столом. Руки с коротко обрезанными квадратными ногтями так темны и сморщены, будто старше своей обладательницы лет на двадцать. В эти руки страшно попасть, и в то же время пациенты, должно быть, доверяют им. Чувствуется, что эта решительная опытная старуха сделает любую процедуру или операцию, лежащую в сфере ее компетенции, ловко, быстро, может быть, больно, но сделает все как надо.

— Кого вы подозреваете в убийстве моего сына? — едва очутившись в кабинете Турецкого, рванулась Анна Семеновна к сути дела — по-хирургически, без деликатничанья, напролом. Турецкий даже подался назад, точно пытаясь избежать ее напора, а Слава Грязнов успокаивающе забубнил:

— Анна Семеновна, это мы хотим вас спросить, кого вы подозреваете! Да, кстати, вы присаживайтесь, пожалуйста.

— Моего сына убили, потому что он слишком много знал, — громко и уверенно изрекла Анна Семеновна, тяжело умащиваясь на стуле и пристраивая на коленях старую коричневую сумку в форме саквояжа, с латунно поблескивающим замком. С такими сумками, представляется, ходили чеховские земские врачи, и когда латунный замочек расщелкнулся под толстыми уверенными пальцами, Турецкому померещилось, что сейчас на белый свет явится бинт, фонендоскоп или скальпель. Но Анна Семеновна извлекла из коричневых недр застиранный сероватый платочек с неразличимым рисунком и промокнула им выступивший на лице, несмотря на холодную погоду, пот.

— Что же именно он знал? — не мог не спросить Александр Борисович.

— Все началось с Толиной клиники «Идеал», — игнорируя вопрос Турецкого, Великанова приступила к делу с другого конца. — Мне никогда не нравилась идея Толи уйти в «Идеал». Вопреки приоритетам нашей эпохи, когда все стремятся делать деньги и никто не хочет делать что-то еще, я всегда считала и продолжаю считать, что врач должен заниматься своей профессией. Медицина и бизнес — несовместимые вещи! Ранее я преподавала на факультете хирургии Первого московского медицинского института, который закончил и мой сын Анатолий, и советовала ему не лезть в коммерцию, а заниматься наукой. Ведь он был такой талантливый мальчик! — Великанова снова принялась клюющими движениями промакивать платком кожу лица. — Но Толю огорчало и даже нервировало, что хирургическая деятельность в институте «Омоложение», где он работал, не развивается. И потому, когда возникло предложение уйти в коммерческую организацию, он согласился, но поставил условие, что вскоре должен войти в долю...

— С кем?

— Он говорил мне, что открыли «Идеал» двое молодых шустрых бизнесменов. С ними у Толи через некоторое время начались трения. Учредители гнули свою бизнес-линию, а Толя и его врачи настаивали на развитии медицины. Скорее всего, идея моего сына требовала денежных вложений в новые зарубежные приборы, аппараты, инструментарий, а дельцов интересовало лишь одно — сверхприбыль! Правда, в чем конкретно была размолвка, я не вникала. Толя просто говорил мне, что у них расхождения в интересах, а я не настаивала на подробностях. Матери не должны лезть в жизнь взрослых сыновей...

— Вы не замечали, Анатолий в последнее время изменился? Было ли заметно, что у него неприятности?

— Пожалуй, вы правы, — поразмыслив, согласилась Великанова. — Где-то ближе к... к ужасным событиям Толя постоянно выглядел усталым. Спрашиваю: «Тольчик, ты что, слишком много работаешь? По-моему, ты переутомляешься. Возьми отпуск за свой счет, попей витамины...» Он мне говорит: «Мама, работа здесь ни при чем. То, что вокруг работы, — это меня угнетает». Одним словом, я так поняла, что снова у него был серьезный спор с бизнесменами. Рассказал мне об участии в телепроекте ради рекламы клиники «Идеал». Сетовал, что проект создавался под одного врача, а появился еще и Бабочкин. Нет, Толя не сердился на Бабочкина, но что-то его угнетало. Накануне убийства я разговаривала с сыном. Он сказал: «Все, решил — выхожу из телепроекта». А на следующее утро Толю убили... Уверена, весь этот телепроект был чьим-то заказом. Некая фирма решила устроить такое шоу. Ведь финансировали проект не телевизионщики. А кто? И кто-то не хотел, чтобы сын покинул проект.

— Вы не подозревали Марата Бабочкина?

155

— Ни минуты, — веско изрекла Великанова. — Уверена, что доктор Бабочкин тут ни при чем. Я знаю психологию врача, я сама врач. Первая наша заповедь — «Не навреди!». Врач, совершивший убийство, не смог бы потом лечить людей... Нет-нет, я уверена, что убийство заказное, за ним стоят крупные финансовые интересы. Возможно, так и не договорившись с партнерами, мой сын решил выйти из телепроекта, а бизнесменам это не понравилось. В случае чего он мог бы многое рассказать. И в первую очередь налоговой инспекции... Помяните мое слово: Толю убили, потому что он слишком много знал!.. Вы разрешите?

Перегнувшись через стол, Анна Семеновна схватила графин, с бульканьем наполнила водой одноразовый пластмассовый стаканчик, жадно выпила воду.

— Они были кровно заинтересованы в том, чтобы не отпускать моего сына из проекта, — утолив жажду, снова заговорила Анна Семеновна. — Толя был личностью общероссийского... нет, международного значения! Пациенты доктора Великанова живут сейчас во Франции, Англии, Германии, Швеции, Америке, Израиле. Его любили, помнили, часто приглашали в гости.

— Он ездил за границу? — уцепился за этот факт Турецкий. — Когда? Куда?

— Ой, трудно все перечислить! В последний раз, если я не ошибаюсь, побывал в Германии. Поездку туда ему организовала его бывшая пациентка.

Поделившись этими сведениями, Анна Семеновна замолчала так внезапно, что Турецкий испугался: а вдруг от нее не удастся уже добиться вообще ничего?

— Да-а, дети, дети, — словно себе самой, негромко вымолвила Великанова. — Сначала их растишь, кормишь, учишь, не спишь из-за них ночей. Потом они вырастают, начинают сами себя кормить, становятся на собственные ноги... И тогда еще больше не спишь из-за них, потому что перестаешь их понимать. А потом, не дай бог, они умирают — и тогда жизнь превращается в сплошную бессонницу, потому что днем и ночью ищешь ответ: где я недоглядела? Имела ли возможность предотвратить то, что случилось?

Слава Грязнов напрягся — неощутимо для Анны Семеновны, но Турецкий-то это видел: Александр Борисович понял, что генерал Грязнов сейчас примется подбрасывать допрашиваемой свои хитрые вопросики. В основном они, как правило, в подобных случаях касались детства и юности интересующего Славу лица и обладали чудесным свойством выводить самых крепких орешков на чистую воду — тем более что Слава, с его простецким лицом и полнотой, выглядел таким безобидным!

— Да, многого удалось человеку добиться... А ваш сын, наверное, и в детстве таким же рос — энергичным, бойким, да? С мальчишками любил подраться?

— Ну что вы! — поддалась на провокацию Анна Семеновна. — Толя был тихий, застенчивый мальчик. С ребятами во дворе играл редко, все больше сидел над книжками... Я одно время жалела, что не отдала сына в садик, там он волей-неволей общался бы с другими детьми. Но, понимаете, испугалась! У моих братьев и сестер к тому времени, как я родила Толю, уже росли свои дети — и я видела, что все детсадовские не вылезают из болезней. То насморк, то пневмония, то детские инфекции. А мой сыночка родился семимесячным и рос таким хрупким! К счастью, моя мама все поняла правильно и сидела с Толиком до самой школы. Понимаете, я не могла уделять ему много времени, я должна была работать над диссертацией, чтобы хватило денег нам на жизнь...

157

— А что же отец Толи?

— Отец? — Анна Семеновна попыталась изобразить презрительную усмешку. — Отца у Толи все равно что не было: Толя родился, когда он уже ушел от нас. Этот человек ни разу не вспомнил, что у него есть сын.

— Я вами восхищен, Анна Семеновна. В одиночку вам удалось воспитать прекрасного сына!

— Ну, с отцом все-таки было бы лучше. Знаете, ребенок должен иметь перед глазами пример настоящих семейных отношений. Иначе у него возникнут трудности, когда он захочет создать прочную семью. К сожалению, так и получилось. А я, представляете, так радовалась, что Толя рано женился! По-моему, даже слишком рано, сразу после окончания института, но я не стала возражать. Я подумала: по крайней мере, мой сын не останется старым холостяком. А то он был слишком робким, особенно с женщинами... И невеста его мне нравилась, Лиля. Хорошая девочка, умница, красавица, врач, тоже первый мед закончила, как и все мы! — Очевидно, учеба в Первом медицинском институте служила для Анны Семеновны знаком качества. — До сих пор ума не приложу, что его побудило бросить Лилю. И после стольких лет семейной жизни! Ну, между ними бывало всякое, отрицать не стану, но в какой же нормальной семье не случается ссор? Милые бранятся — только тешатся... Но как Толя мог оставить сына? Вот с этим я совершенно не могла смириться! Должно быть, повлияло то, что сам вырос безотцовщиной. У Толи замечательный сын, вот, хотите, я вам покажу фотографии...

Погружаясь в прошлое, Анна Семеновна доверчиво раскрывалась перед следователями: даже вопросов не приходилось задавать. Снова покопавшись в коричневом чеховском саквояже, она вытащила полиэтиленовый пакет: судя по оформлению и надписям, пакет был из-под немецких хозяйственных перчаток. Сквозь силуэты перчаток просвечивали фотографии... Любопытно: Анна Семеновна постоянно носит с собой фотоархив или взяла его лишь сегодня, чтобы показать следователям? Судя по замусоленности фотографий, проворно раскладываемых веером на столе, напрашивалось первое из предположений.

— Вот это Глебушка, мой внук, — тыкала уверенным хирургическим пальцем Анна Семеновна. — Вот это он трехмесячный, видите, лежит на животике. Вот это Глебушка идет в первый класс. Вот это он на дне рождения у друга, друг Глебушку и снял его же фотоаппаратом... А вот это они с матерью за городом...

На всех фотографиях и во всех возрастах Глебушка был одним и тем же: крепким и мордатым, плотного телосложения, с тяжелым уверенным взглядом. Турецкий подумал, что Глеб Анатольевич Великанов, дайте срок, добьется восхождения на свою высоту, как и отец, с которым они были внешне совсем не похожи. И, пожалуй, примет вовремя меры предосторожности, чтобы его не убили...

— А это что за девочка? — продолжал выражать заинтересованность Грязнов.

— А это мой Толя в детстве, — размягченно, слезливо просюсюкала Анна Семеновна. — У него были такие прекрасные вьющиеся волосики, я не позволяла его часто стричь. Удивительно нежный мальчик был...

— Анна Семеновна, — вмешался Турецкий, опасаясь, чтобы слезы страдающей матери не хлынули потоками, — Лиля очень переживала, что ваш сын от нее ушел?

— Переживала? Да, конечно же, очень! Нет слов, как страдала. Окружающие боялись, чтобы не дошло до самоубийства... Мне кажется, она и сейчас до конца не пришла в себя. Конечно, времени прошло немало, но я по собственному опыту знаю: такие раны не заживают. Измена любимого не забывается и через шестьдесят лет...

На миг из хирургической старухи, прошедшей огонь и воду, выглянула молодая Анна — красивая, трагическая, сгибающаяся под тяжестью двух полностью меняющих ее жизнь известий: у нее будет ребенок — и муж ей изменил! Ушел ли он от нее сам или она, гордясь своей принципиальностью, его выставила, а после рыдала в подушку, представляя, как трудно будет растить ребенка без отца? Это уже неважно. Тем более, выросшего ребенка больше нет на свете...

По результатам допроса Анны Семеновны Великановой Турецкий и Грязнов решили поинтересоваться житьем-бытьем и настроениями бывшей супруги убитого, Лилии. Надо полагать, с такой работой справится и Веня Васин. А сами Турецкий и Грязнов займутся фирмой «Идеал».

Глава восьмая

ПОДОЗРЕВАЕМЫЕ ОТСЕИВАЮТСЯ

Отталкиваясь от показаний жены убитого, полученных следователем Глебовым, представлялось необходимым как следует допросить врача Марата Максимовича Бабочкина. Тем более что его беседа с майором Тепловым представлялась как минимум странной... А как максимум, подозрительной. Ну, пусть человек считает, что ничего не знает об убийстве, но почему он так упорно отказывается от беседы с сотрудником милиции, которая может помочь выявить какие-нибудь зацепки, ценные детали? Как-то это непорядочно по отношению к убитому... Хотя для убийцы Бабочкин тоже неадекватно себя ведет. Убийца должен отводить от себя подозрения, а Бабочкин их словно бы намеренно привлекает.

— Вызовем его повесткой, — изобрел нехитрое решение Слава Грязнов. — Если добром не хочет идти, приведем. Нельзя позволять такое безобразие.

— Я милого узнаю по повестке, — сострил Турецкий. Друзья находились в его кабинете; служебный стол был завален материалами дела об убийстве Великанова, разного формата листками, испещренными вкривь и вкось заметками, наметками, схемами версий, где хитромудрые стрелочки соединяли уже имеющиеся факты с вопросами, ответы на которые предстояло получить. Одним словом, все свидетельствовало о напряженной работе, и не напрасно — в результате нее мозги Саши и Славы достигли точки кипения, при которой даже вышеприведенная шутка показалась смешной.

Смех друзей прервал зазвонивший телефон.

— Что-что? — удивленно переспросил в трубку Александр Борисович. — А, ну да, конечно. Пропустите и проводите прямо ко мне, немедленно.

Положив трубку, хлопнул Славу по плечу:

— Слушай, генерал, а ты у меня, оказывается, телепат! Что ж ты скрывал свои способности? Ты отправил Бабочкину мысленную повестку в виде импульса, а он ее принял. И сейчас будет здесь!

В оставшиеся до прибытия Бабочкина минуты Александр Борисович постарался привести в порядок свой рабочий стол и завершил это безнадежное занятие тем, что попросту открыл верхний ящик и свалил туда те материалы, которые допрашиваемому нельзя было показывать ни в коем случае.

Марат Бабочкин, невысокий полноватый человек лет сорока или где-то около того, с короткими, гладко зачесанными назад волосами, совсем не походил, с точки зрения Турецкого, на того хама, которым хирург представал в описании майора Теплова. Неизвестно, насколько это состояние было обычным для него, но сегодня Марат Максимович отличался осторожными приятными манерами и был безукоризненно одет. Единственным вырывающимся из общего ансамбля штрихом можно было назвать только расписные розовые валенки. Турецкий успел подумать о Нинке, которую такая экзотическая зимняя обувка привела бы в восторг: она обожает эпатировать любителей сдержанного классического стиля.

— Простите мне мою обувь, — завел Марат Бабочкин, — я только из загородного дома, а мои туфли промокли. Понимаете, лужа возле крыльца...

— Ничего, — великодушно поддержал его Турецкий, — мы понимаем. Присаживайтесь. А кстати, что это за обувь такая интересная на вас?

— А это валенки татарские. Бывший пациент подарил, некрупный политик, фамилию называть не буду. Он меня, кстати, и на родину свою свозил, в татарскую деревню, там народные мастера отлично валяют такую обувь...

— Надо же, как интересно, — перехватил нить разговора Слава Грязнов. — А у нас есть следователь Глебов, Георгий Яковлевич, родом с Волги, там тоже татары живут. Шибко хотел с вами побеседовать, а вот вы почему-то не откликнулись на его приглашение. Душа-человек. Он бы вас не съел, просто поговорил бы по-человечески и задал необходимые вопросы. Понимаю, профессия хирурга отнимает много времени...

Марат Бабочкин покраснел и стал похожим на ребенка. Упитанного и положительного щекастого отличника, который неожиданно для себя допустил в контрольной ошибку.

— Время тут ни при чем, господа следователи. Я должен был побеседовать с вами раньше, но я постоянно откладывал...

— Почему?

— Я боялся.

— А теперь не боитесь?

— Теперь? Тоже боюсь. Но, знаете, как гласит русская поговорка, двум смертям не бывать, а одной не миновать.

— Чего же вы боитесь?

— Сам не знаю. Но постараюсь передать свои ощущения...

...Разговор с Великановым, когда Марат Максимович рискнул высказать ему свои сомнения, получился на редкость продуктивным. Услышав от Бабочкина робкое допущение, что если его присутствие вызывает психологический дискомфорт, то он может уйти из передачи (о том, что Великанов способен разозлиться на него из-за своей неудачной операции, Марат благоразумно умолчал), Анатолий Валентинович с внезапно нахлынувшей доброжелательностью заявил, что дорогой коллега, вероятно, что-то не так понял. Никакого психологического дискомфорта у них друг от друга нет и не может быть. Они не конкуренты, они партнеры. Объем работы в программе большой, одному человеку не справиться. Что касается некоторой его холодности, а то и грубости в обращении, то она, как Марат мог бы заметить, возникла исключительно в последнее время и распространяется на всех, а не только на него. Конечно, Анатолий просит прощения и постарается, чтобы это в дальнейшем не повторилось. Сейчас у него тяжелый период, однако вымещать свои чувства на других людях — это неблагородно; он сознает свои ошибки.

«У вас неприятности? — задал нескромный вопрос растроганный Бабочкин, привыкший к тому, что коллеги должны помогать друг другу. — Не нужна ли вам моя помощь?»

Великанов одарил его печальной улыбкой. У него было красивое, с правильными чертами лицо, хотя пластический хирург, знакомый с секретами мимического языка, редко позволял своему лицу быть к тому же и выразительным.

«Нет, дорогой коллега, к сожалению, мне может помочь только один человек: я сам. Я попал в неправдоподобную ситуацию. Сам себя не узнаю! До сих пор я полагал, что такое случается только в романах... в романах поздних романтиков. Но уж если я опутан такой удивительной сетью, способ разорвать ее тоже будет удивительным. Я уверен, что будет... Но вы ничем не можете мне помочь. А за участие спасибо».

— Когда состоялся этот разговор? — уточнил внимательно выслушавший Бабочкина Александр Борисович.

— Когда? — замялся хирург. — Помню, был жаркий день... Месяцев пять назад, а то и позже: сентябрь тоже в этом году теплый выдался.

— Спасибо. Что же дальше?

Дальше, по большому счету, ничего не было. Они с Великановым так и не стали друзьями, и тот порыв откровенности, который заставил пластического хирурга номер один проговориться о чем-то важном для него, так и остался единственным. Но, по крайней мере, между ними установились нормальные товарищеские отношения, безо всяких недомолвок. Великанову в телевизионном шоу доверялась одна часть со-

164

вместной работы, Бабочкину — другая, делить им оказалось нечего... Одним словом, благодать.

Все изменило убийство. Марат Бабочкин продолжал работать на съемочной площадке, и о закрытии шоу никто речи не вел... Но смерть Великанова выбила из колеи телевизионное начальство. Операции практически прекратились. За это время прооперировали всего троих человек, тогда как раньше дело было поставлено на поток. Авторы проекта ищут замену Великанову, но никак не подберут подходящей кандидатуры. По крайней мере, так говорят вслух... Стас Некрасов вполголоса поделился с Бабочкиным за чашкой кофе страшным секретом: Мариночка — ну, Ковалева, фактически из двоих продюсеров она главная — предлагала великановское место уже трем хирургам, но все отказались. Все они пояснили, что быть застреленными во цвете лет им мало улыбается. Несколько газет-сплетниц называют в качестве причины смерти Великанова разборки на почве телешоу. Из-за разгоревшегося скандала продюсеры в растерянности и не знают: что станется дальше с проектом?

Стас — не гигант мысли, мягко говоря, но в данном случае Марат Бабочкин счел за лучшее ему поверить, поскольку наблюдения того удивительно совпадали с выводами самого Бабочкина. Трезво поразмыслив, Марат Максимович понял, что положение его аховое. Если Великанова убили по заказу (а он уверен, что убийство заказное) тех, кто хочет закрытия шоу «Неотразимая внешность», следующий на очереди — он. Если же его не убьют, то следствие может прийти к выводу, что в смерти Великанова был заинтересован... опять же Бабочкин, его главный, как считается, конкурент. Как будто он один! Есть же еще страшный Никаноров, возглавляющий конкурирующую телекомпанию «Шестой глаз», — вот кому была выгодна смерть звезды шоу «Неотразимая внешность». Но такие богатенькие буратины, как Никаноров, всегда выходят сухими из воды. Все подозрения падут на ни в чем не повинного Марата Бабочкина. Куда ни кинь, всюду клин!

С этим надо было что-то делать. Требовалось бороться, совершать активные движения, как лягушка, которая, попав в молоко, лапками сбила из него масло и выпрыгнула из кувшина, где едва не нашла смерть. Но Бабочкин, наоборот, ощутил парализующую расслабленность. Шестое чувство подсказывало, что активность его не спасет: молоко, в которое он попал, либо обезжиренное, либо этого молока слишком много. А может, по несчастью, он угодил в такую, пардон, пахучую субстанцию, из которой, сколько ни дрыгайся, масла не собьешь... Поэтому Бабочкин избрал противоположную тактику: пассивно-оборонительную. Заключив договор с ЧОПом, окружил себя частными детективами, которые отслеживают вокруг него потенциальных киллеров денно и нощно. Разговоров со следователями избегал... просто потому, что избегал. Считал, в соответствии с газетными статьями, что задача следствия — не найти виновного, а посадить того, на кого можно свалить убийство. Боялся, что путем хитроумно построенных ловушечных вопросов его вынудят признаться в том, чего он не делал, чего у него и в мыслях не было.

— Ну, это вы полегче, — обиделся Вячеслав Иванович. — У нас все-таки не архипелаг ГУЛАГ.

— Да это я и сам уже понимаю...

Тем не менее и этой, не требующей дополнительных усилий тактики для Бабочкина хватило ненадолго. Сколько можно трястись от страха, покрываться холодным потом в испуге от неясности своего положения? Не решаясь расстаться с тружениками ЧОПа (кстати, они ждут своего клиента снаружи), Бабочкин совершил, по крайней мере, один ответственный поступок: пришел, чтобы изложить следствию то, что он способен сообщить по поводу убийства Великанова. Должно быть, это мизер, но, к сожалению, это все сведения, которыми он располагает.

— И мы вам за это благодарны, Марат Максимович, — отреагировал Слава Грязнов. А Турецкий беспокойно спросил:

— У вас нет никаких предположений, что могли означать слова Великанова о сети вокруг него? О ситуации из романов поздних романтиков?

Бабочкин сдвинул брови, то ли демонстрируя, то ли стимулируя работу мысли.

— Сейчас трудно сказать, но если подумать... Мне показалось... Я бы предположил, что это связано с личной жизнью. Не с работой, не с телевидением. Может быть, я ошибаюсь. А может быть, тогдашняя ситуация не имеет никакого отношения к причинам его смерти. Нет, нет, трудно сказать...

Помолчав, он добавил совсем другим голосом — жалобным, почти заискивающим:

— Господа следователи, как вы думаете: мне что-нибудь грозит?

— С нашей стороны — абсолютно ничего, — гарантировал Турецкий. — А в целом... Расторгать договор с ЧОПом я бы вам пока не советовал.

После того как Бабочкин протопал в своих розовых валенках к двери кабинета, оставляя мокрые следы, и дверь за ним закрылась, Слава Грязнов спросил:

— Ну и что, Саша, ты о нем думаешь?

— Вряд ли этот испуганный человек заказал убийство партнера по передаче! — высказал Турецкий свое мнение. — Напротив, работа с хирургом номер один делает ему честь.

— По-моему тоже он здесь ни при чем, — с облегчением присоединился к нему Слава.

— Но что-то важное он все-таки сказал.

— Сеть?

— Ну да... Сетей вокруг этого человека сплеталось немало. И профессиональная, и финансовая, и сеть шоу-бизнеса... Главное — понять, какую из них он имел в виду?

— А для этого надо как следует подергать их все.

— Полагаю, у нас нет другого выхода.

Для того чтобы провести официальные допросы сотрудников, а особенно совладельцев фирмы «Идеал», Александр Борисович поручил другу Славе «подработать» тему. Иными словами, провести агентурную работу по проверке истинного лица совладельцев этой фирмы. Что это еще за «двое молодых шустрых бизнесменов», с которыми у Анатолия Великанова отмечались постоянные трения? Их личности срочно требовалось установить.

— Первым делом начинать надо не с «Идеала», — инструктировал Вячеслав Иванович одного из своих лучших оперативников, Володю Яковлева, которого собирался бросить на этот ответственный участок. — Они там тебе все равно ничего не скажут, разве что наплетут, какие они замечательные, выдающиеся и законопослушные. А этих двух шустрых типов, на которых, судя по всему, пробы негде ставить, и подавно не выдадут. Сходи-ка ты, Володя, для затравки в налоговые органы. Там всё про всех знают.

Направляясь в налоговую инспекцию по месту расположения «Идеала», Володя Яковлев вспоминал старый анекдот, как человек на приеме у психиатра жаловался, что все его ненавидят, а потом оказывается, что он налоговый инспектор, и психиатру не остается ничего, кроме как тоже резко воспылать к нему ненавистью. В чем заключалась соль анекдота, Володя забыл, а смысл заключался в том, что налоговых инспекторов никто не любит. Яковлеву, как законопослушному работнику милиции с удручающей зарплатой, эта мораль была чужда, но все-таки он с интересом смотрел на людей, которые обязаны взыскивать необходимые народу деньги со всех, начиная от рядового служащего и кончая олигархами. Следов всеобщей ненависти не отмечалось. Налоговики выглядели здоровыми, сытыми и уверенными в себе. Значительную их часть составляли женщины.

Две труженицы инспекции с готовностью согласились помочь оперативнику: такие визиты им не впервой, милиция работает в тесной связке с налоговыми органами. Эти две хохотушки средних лет немедленно принялись нажимать пальцами с накрашенными ногтями на компьютерные клавиатуры и вскоре заявили, что никаких «Идеалов» у них не значится. Расширив поиск, они выяснили, что никаких «Идеалов» не сыщется и по всей Москве с областью. Есть «Идиль», «Идис», «Идона» и прочие звукоподражания неизвестно чему.

— Молодец, оперативник, — захохотала та, что была постарше и похудее. — Неплательщика нам на блюдечке принес.

Та, что помоложе и потолще, присоединилась к подруге, и не менее четверти минуты они исполняли смеховой дуэт. Им бы в цирке выступать с этим номером!

— Посмотрите еще по тематике, — попросил Володя. — Пластическая хирургия. Фирма производит солидное впечатление, не верится, чтобы нигде не фигурировала...

— Пластическая хирургия — это вместе с косметическими услугами, что ли? Ну, там, допустим, визажисты, стилисты, косметологи, чистка лица... — вдохновенно перечисляла та, что помоложе. Несмотря на широкую талию и простоватое лицо, она явно уделяла своей внешности пристальное внимание и с косметическими услугами была давно и тесно знакома.

— Да. Так. Наверное, — засмущался Володя. Он был целомудренно мужествен, и всякие откровенные дамские штучки его вгоняли в краску.

Две служащие налоговой инспекции стали серьезными, точно это не они сейчас хохотали напропалую, и снова принялись терзать компьютеры.

— Там еще работает... то есть работал хирург Анатолий Великанов! — спохватился Володя, что забыл сообщить самое главное.

— Угу... Ага! — разноголосо, но слаженно отозвались подруги, всем своим деловым видом показывая, что ни один налогоплательщик, а также уклоняющийся от уплаты налогов от них не скроется.

Подруги круто знали свое налоговое дело. По крайней мере, то, что удалось им откопать, было весьма примечательно и заслуживало серьезного внимания со стороны правоохранительных органов. Даже если не имело никакого отношения к убийству Анатолия Великанова...

— «Идеал» — это только вывеска, так называемый брэнд, — позднее докладывал Володя Вячеславу Ивановичу Грязнову, который слушал его, подперев рукой толстую щеку и напоминая добрую бабушку у деревенского окошка. — В налоговых органах она вообще не числится. Там фигурирует ООО «Салон красоты». Он имеет лицензию и платит налоги. Эту фирму учредили в середине 2003 года два человека: Гарольд Николаевский и Игорь Бойков. Люди уже солидные, немолодые, каждому по тридцать восемь лет...

Слава Грязнов глубоко вздохнул, чему-то усмехнулся — то ли юной Володиной наивности, то ли своему собственному возрасту, с позиций которого эти солидные люди Бойков и Николаевский представляются сопляками.

— Извините, Вячеслав Иванович, — уловив подтекст, покраснел Володя.

— Пустяки, Володя, у каждого возраста свои преимущества. Доживешь до моих лет, сам увидишь... Но ты мне что-то не сказал, чем тебе подозрительны Бойков и Николаевский. Лицензия у них, сам говоришь, есть, налоги платят...

— А тем они подозрительны, Вячеслав Иванович, что запевала в бизнесе — Игорь Бойков — получает зарплату не только в «Идеале», точнее, в ООО «Салон красоты»...

Володя сделал паузу, словно собираясь преподнести Грязнову сюрприз на блюдечке.

— А где еще? — поддержал игру Вячеслав Иванович.

— В Академии милиции, — без лишней патетики оповестил опер Яковлев.

Сюрприз удался на все сто. Генерал Грязнов перестал походить на добрую бабушку, стремительно приобретая вид по-генеральски грозный. Искренне преданный своей работе, Вячеслав Иванович терпеть не мог, когда на сотрудников милиции ложилась тень: горячился, возмущался, гневался. Ну а если обнаруживалось, что сотрудники милиции действительно совершили то, в чем их обвиняли, — о, он становился безжалостен по отношению к тем, по чьей вине черная тень могла запятнать и честных людей.

— То есть как, — заклокотал Вячеслав Иванович, — и в Академии милиции служит, и бизнесом занимается? Да ведь это запрещено!

— Тем не менее это так.

— Надо проверить, Володька. Проверить надо обязательно.

— Я позвонил в Академию милиции и выяснил, что майор милиции Бойков действительно у них работает, преподает на кафедре уголовного права. — Володя развернул бумажку со своими записями. — Все правильно, доцент кафедры уголовного права, кандидат юридических наук Бойков Игорь Кириллович...

— Что позвонил, Володя, это ты молодец. Но, кроме того, надо нам побывать в Академии милиции. Непременно надо. Чай, не чужие... А дело тут такое, которое всех касается.

— А почему это у вас, Захар Игнатьевич, телекомпания так диковинно называется — «Шестой глаз»? — для знакомства, чтобы расположить к себе допрашиваемого, осведомился Турецкий. — Эзотерическое какое-то название... Что за телезритель с шестью глазами? Неужели индийское божество? Это у них бывает и по шесть рук, и, наверное, по шесть глаз...

Никаноров, главный конкурент «Радуги», с удовольствием улыбнулся: очевидно, разговоры касательно придуманного лично им названия грели его душу. Это был человечек небольшого роста, но внешне очень колоритный и запоминающийся, начиная от широкой бороды, лежавшей на груди, как черная манишка, и кончая остроконечными носками сверкающих туфель.

Турецкий невольно вспомнил средневековую моду, согласно которой носки туфель должны быть как можно длиннее: самые большие средневековые модники их загибали и пристегивали цепочкой к поясу, чтобы не путались при ходьбе. А касательно бороды — Александр Борисович уж и не помнит, когда в последний раз созерцал такую мощную растительность, разве что на Театральной площади, проходя мимо памятника Карлу Марксу.

— Правильно, название эзотерическое, — подтвердил Никаноров, — только несколько не в том смысле, как вы его оцениваете. Знаете, некоторые слова воспринимаются по созвучию, придающему им сразу несколько смыслов, — этим широко пользуются рекламисты. Название «Шестой глаз» вызывает ассоциации с устойчивым словосочетанием «шестое чувство», заставляя телезрителя подсознательно верить, что ему покажут нечто необычайное. Ну а почему глаз? Просто ассоциации с телевидением вообще. Телеэкран, телеглаз, «Камера смотрит в мир», программа «Взгляд», там тоже глаз был в эмблеме...

— «Зенки», — вслух вспомнил Александр Борисович.

— Точно, еще «Зенками» ее в перестройку называли! — Враг из прокуратуры, коим Никаноров считал Турецкого, сразу стал ему симпатичен. Эдакий миляга, помнит этапы большого пути от советского телевидения к постсоветскому! Эти этапы отчасти прошел вместе со страной Захар Игнатьевич Никаноров, поэтому не заулыбаться он не мог. Карломарксова борода расправилась и стала еще более окладистой, символизируя удовольствие...

Биография Захара Игнатьевича, в которой основательно покопались люди Турецкого перед допросом, представляла бы существенный интерес для историка, изучающего переход от социализма к капитализму в нашей стране. Начать стоило бы с того, что именно благодаря социализму выходец из заснеженной промышленной сибирской глубинки, карабкаясь по партийно-идеологической лестнице, смог занять в столице ответственный, связанный с руководством умами пост. Так что карломарксову бороду этот сибиряк продолжал носить не зря: верность памяти, ностальгия... Впрочем, бороду он в советские времена не носил: борода в партийно-чиновничьей среде автоматически становилась зримым признаком вольнодумства и неблагонадежности. А Захар Игнатьевич и так позволял себе слишком много неблагонадежности, чтобы подкреплять ее еще внешними проявлениями. Постепенно, на общем монолитном сером фоне, он становился все более и более либерален... Не то чтобы Захар Игнатьевич готов был жизнь отдать за идеалы либерализма — ничего подобного, просто он чутко ловил конъюнктуру и умел видеть на шаг вперед. В первые годы перестройки, когда его коллеги с сомнением прикидывали, что уже можно и чего еще нельзя, и страшно боялись обмишуриться, перепутав одно с другим, Никаноров взялся за организацию фестивалей бардовской песни, а потом и рок-фестивалей. Поощрял он и такое новое в нашей стране направление, как граффити, привлекая первых грефферов к созданиям деકраций для своих фестивалей. При этом присутствие на сцене символики, отсылающей к Октябрьской революции и Гражданской войне, считалось обязательным. Товарищи по партийной работе, для которых потолком предпочтений в искусстве была Людмила Зыкина по радио и скрипичный концерт в филармонии, поначалу плевались, но потом стали завидовать. К всеобщему ропоту, Захару Игнатьевичу не дали по рукам. Наоборот, как-то так получилось, что его загребущие ручки захватывали все больше и больше кусков информационного пирога. А информация — это и влияние, и материальные выгоды... Короче говоря, развал Советского Союза Никаноров встретил в весьма отменном моральном и техническом оснащении, он имел полное основание потирать эти свои ручки. Кстати, бороду он тоже отрастил в 1991—1992 годах. Возможно, из нонконформизма. А возможно, чтобы наконец-то осуществить давнюю юношескую мечту...

«Никаноров — страшный человек», — передавалось в телевизионных кругах, и даже в его собственном «Шестом глазе» многие имели основания его недолюбливать. Но фактически за этим матерым телемонстром с незабываемой внешностью ничего не числилось — никакого явного криминала и никаких компрометирующих связей. Если чем и был он страшен — исключительно для конкурентов, — так это неиссякаемой, фонтанирующей новыми проектами креативностью.

— Так вот, я хотел сказать по поводу «Зенок», — удовлетворенно погладил бороду Никаноров. — Это на самом деле недурственно, такие опрощенные названия доказывают, что программа стала популярной, пошла в народ! Но «Взгляд» для наших дней — слишком примитивно. Элементарно. Пройденный материал, а кому сейчас нужно повторение пройденного? Я настаивал и продолжаю настаивать, что название должно быть необычным, затягивающим... А взять, к примеру, «Радугу» — ну что это за убожество? Так можно назвать что угодно: зубную пасту, плавленый сырок, фабрику, выпускающую женские халаты, марку презервативов — какое отношение это имеет к телевидению, ответьте!

Борода Никанорова встала дыбом, как шерсть очутившегося перед оскаленной собачьей мордой кота.

— Однако, Захар Игнатьевич, телекомпания «Радуга» составляет для вас серьезную конкуренцию, — поддел его Турецкий.

— Они? Вздор. На пятки наступают, да, это верно. Но тоже не всегда. Больше скандалят, шумят, да, понимаете ли, шумят. Они стремятся настичь «Шестой глаз». Но им это не удастся. Руки коротки! — Захар Игнатьевич скрестил свои удивительно короткопалые, зато широкие и, сразу видно, ухватистые ручонки на животе, обтянутом жилеткой. Из жилетного кармана свешивалась цепочка, по-видимому, от карманных, снова ставших приметой состоятельного мужчины часов. Судя по доходам телекомпании «Шестой глаз», цепочка должна быть из чистого золота. — На следующей неделе мы запускаем новое реалити-шоу. Реклама уже возымела действие, зрители с нетерпением ждут, присылают письма, эсэмэски и сообщения по электронной почте. «Лестничная клетка» — вот как называется наше шоу. Продюсер — Владимир Куракин. Представляете, Александр Борисович? Нет, ничего вы не представляете! Это будет бомба, настоящая атомная бомба в нашем телевидении! Простым людям надоело видеть конфетно-карамельные страсти специально отобранных знаменитостей под пальмами на песочке Багамских островов. У нас — все натуральное, все неподдельное! Снег, мусор, окурки, мат... ну, мат будем заглушать писком, все остальное — без купюр. Представьте, Александр Борисович: типичная лестничная площадка типичного дома в районе метро «Марьино», квартиры, которые населяют типичные люди. Мы отслеживаем жизнь трех семей. Одна — такая замечательная крепкая многодетная семья во главе с отцом — автомехаником и матерью — домохозяйкой; другая — родители с уровнем достатка выше среднего, оба работают, растят единственного сына, талантливого компьютерщика, который терпеть не может ходить в школу; третья — пенсионеры восьмидесяти лет, чьи взрослые дети уехали на постоянное место жительства в Израиль... Смысл в том, что это все типичные люди, которые проживают по соседству с нашими зрителями, и нашим зрителям всегда хотелось заглянуть в жизнь за типичной несгораемой дверью...

— Непременно посмотрю ваше шоу, Захар Игнатьевич. — Никаноров был так увлечен своим шоу, что, не будучи остановлен, мог бы проболтать о нем до следующего утра. — Но вам не кажется, что шоу «Неотразимая внешность» было сильным ходом со стороны «Радуги»?

— Да, безусловно, — склонил голову в знак признания Никаноров. Растительность на голове у него была такой же густой и черной, как на щеках и подбородке, но на макушке все-таки просвечивала точечная лысина, словно нарочно выбритая, напоминающая миниатюрную монашескую тонзурку. — Безусловно, они отлично использовали конъюнктуру, сумели привлечь к передаче известных людей. Ценю. Хвалю. Аплодирую. Особенно Мариночке Ковалевой, молодец девочка, мне нравятся талантливые продюсеры, даже когда они работают не на меня. Рейтинги «Радуги» одно время были очень высокими. Но, несмотря на это, я не могу отдать им пальму первенства: ведь они всего лишь скопировали американское шоу... не помню, как называлось, спросите их, они охотно сами вам скажут. Они — не первопроходцы! А мы пролагаем новые пути! К тому же популярность «Неотразимой внешности» снизилась...

— Из-за смерти Великанова? — попытался поймать его на слове Александр Борисович.

— Из-за Великанова? Нет, — пожал плечами Никаноров. Даже этот не слишком примечательный жест получился у этого гротескного человечка театральным, почти клоунским. — Естественное умирание зрительского интереса. Рано или поздно это случается. В зависимости от того, насколько работоспособна сама идея: ведь есть шоу-долгожители, знающие свои приливы и отливы... Я бы даже сказал, что гибель главного действующего лица способна оживить, так сказать, реанимировать этот интерес, но — ненадолго. Искусственно. Дальше все равно придется напрягать мозги, изобретать нечто новое. Обновлять шоу или создавать новое.

— А как вы относитесь к версии, что Великанова убили те, кто не желал его ухода из телешоу?

— Это что-то слишком замысловатая версия! — захохотал Захар Игнатьевич. — Не пойму, что они выигрывают: Великанова в проекте так и так не будет! Вот убийство с целью оживления интереса, как я только что описал, можно было бы предположить: телезрители обожают насильственную смерть... Но — глупости. Эту версию я вам даже разрабатывать не советую. Зря потратите время.

— Почему?

— По той же причине, что не посоветую разрабатывать версию, будто Великанова убрал я как главный представитель конкурирующей организации. — От восторга Захар Игнатьевич кудахтнул и слегка подпрыгнул на стуле. — Я вот тут ругаю «Радугу», у них на самом деле масса недочетов, но в главном я готов признать, что они — профессионалы. В точности как я. А если профессиональный телевизионщик выходит из трудного профессионального положения с помощью пистолета, ему надо менять работу и переквалифицироваться в киллера. Я не хочу этим создать ложное впечатление, будто в нашей телевизионной среде не стреляют. Постреливают, да, но по иным причинам. А убить ведущего или... героя передачи, поймите, ведь это не решит проблем. Скорее, затруднит дальнейшую работу.

И прибавил — гордо и радостно:

— Когда застрелили Великанова — конечно, очень, очень жаль, соболезнования несчастным родственникам, — у нас уже вовсю шла работа над «Лестничной клеткой». Скажите на милость, зачем мы стали бы отягощать себе жизнь? Да, фигурально выражаясь, мы хотели убить «Радугу» — но убить ее новым проектом, своей фантазией, своим мастерством! Для тех, кто на это способен, нет надобности прибегать к помощи огнестрельного оружия.

Глава девятая

ПАРАДОКСЫ СЕМЕЙНОЙ ЖИЗНИ

Одного взгляда на Лилию Великанову было достаточно, чтобы сказать: эта женщина не станет убивать своего бывшего мужа. Конечно, есть среди разведенных такие, которые весь остаток жизни страдают, вынашивая планы отомстить бывшей половине, но вряд ли это похоже на Лилию. В этой светло-русой красавице с пикантно вздернутым носиком чувствовалась жизнерадостность, бьющая через край, и еще то, что можно, пожалуй, назвать самодостаточностью: не мнимая самодостаточность, когда человек презрительно замыкается в одиночестве, а подлинная, выражаемая во внутреннем равновесии, которое никакие внешние события не способны подорвать. В отличие от Анатолия Валентиновича, Лилия Валерьевна избрала своей специализацией лечебную физкультуру, и Веня Васин, которого отрядили допрашивать бывшую супругу убитого, не отказался бы посмотреть, как она в облегающем спортивном костюме показывает больным элементы гимнастики. Фигурка у нее ого-го, несмотря на то что, согласно имеющимся данным, у нее взрослый сын и ей сорок с лишним лет. От одного вида такого врача больные должны выздоравливать без всякой физкультуры!

По мнению Вени, Анатолий прогадал, сменив такую женщину на томную, насквозь искусственную Ксению Маврину.

— Толя? — сморщила курносый носик Лилия. — Толя в моей жизни был вроде хрустальной вазы. — Она захохотала, но перехватив недоуменный взгляд Вени, осеклась. — Ой, простите, я такая дура! Все никак не привыкну, что его больше нет. Но поймите, мы так тяжело расстались, что я не могу по нему плакать. Хотела бы, да не могу. Отплакалась...

— Так что это вы имели в виду насчет вазы? — заинтересовался Веня.

— Ах да, хрустальная ваза! Это вещь очень красивая, вы согласны со мной? Приятно и престижно поставить ее на видное место; она украшает дом. Но пользуешься ею только по праздникам, когда надо поставить букет. А вот заварочный чайник нужен изо дня в день, постоянно. О нем не думаешь, красивый он или некрасивый: важно, что он теплый, что без него не обойтись.

Перехватив удивленный взгляд Вени, Лилия вздохнула:

— Знаете, товарищ милиционер, — это советское обращение прозвучало у нее как-то доверительно, — после развода я всерьез задумалась о том, что в свое время, по молодости и по глупости, сделала неправильный выбор: предпочла вазу чайнику. Хотя мой чайник был совсем не «чайник» в том смысле, знаете, как принято называть некомпетентных людей. Не дурак, не лопух, а очень умный и достойный человек. Жаль, что я его не разглядела. Не туда, видно, смотрела...

Лиля Дворцова неоднократно встречала женщин красивей себя, но, говоря без ложной скромности, было в ней нечто особенное — то, что привлекало мужчин. Смешное вроде слово «сексапильность», а ведь иначе не скажешь! В детском саду мальчики дрались за право стать с Лилькой в пару, в начальных классах ее чаще других отличали дерганьем за косички, а со времени полового созревания и далее в нее страстно влюблялись. Не разделяя этих бурных чувств и дивясь странностям мужского пола, Лиля интересовалась любовью меньше, чем книгами: отличница с первого по десятый классы, после школы она легко поступила в медицинский институт. Казалось бы, зубрение названий костей по-латыни и биохимических формул длиной в километр способно подорвать фундамент нежных чувств. На деле оказалось, что в среде студентов-медиков таковые чувства вовсю пробуждаются и распускаются махровым цветом. Лиля вдруг ощутила, что и ей небезразличны мужчины. По крайней мере, двое...

Нет, поклонников в институте у нее было гораздо больше — даже из числа преподавателей. Но лишь двое отличались неколебимым постоянством. Самое примечательное, что эти двое были друзьями, и любовь, нацеленная на один и тот же объект, не разъединяла их, а парадоксальным образом сближала. Объект, то есть Лиля Дворцова, принимала ухаживания и того, и другого: с одним сходит в кино, другому поручит сделать конспект методички. Безусловные лидеры в учебе, в глазах студенческой группы они образовывали тройственный союз, единое целое, не подлежащее членению на составляющие. Но время шло, дружеские отношения обнаруживали свою недостаточность, и все чаще Лиля с тревогой задумывалась: кто же из двух?

Один — Толя Великанов, красавец со строгими чертами лица. Как у Лили отбоя нет от мужчин, так Толя пользуется вниманием женщин, но он видит только Лилю, ее одну. Целеустремлен: еще на первом курсе избрал своей специализацией хирургию и упрямо трудится, чтобы стать классным хирургом. Из медицинской семьи. Ходячее сборище достоинств, до такой степени, что трудно поверить в возможность этого совершенства. Из недостатков при близком знакомстве обнаруживается всего один: резкие колебания настроения. Вчера падал перед тобой на колени, сегодня едва удостаивает словом, погруженный в какие-то свои мысли. И еще — не сказать, что такой уж недостаток, но странность для парня: повышенная забота о собственной внешности. Точно кокетливая медсестричка, не пройдет мимо зеркала, чтобы не поправить шапочку или прядь волос на лбу; вскочивший на носу прыщ способен вогнать Толю в кратковременную депрессию. Но ведь он красив, как греческая статуя, и заботу о такой совершенной внешности легко понять и простить.

Рядом с Толей второй Лилин ухажер, Карасик, выглядел, как Силен рядом с Аполлоном. Он даже не делал попытки как-то внешне себя усовершенствовать, стригся под ежик, что совсем не шло к его полноте... Почему Карасик? Вообще-то он Алик, Арнольд Фрумкин. Это еще на первом курсе кто-то во всеуслышание заявил, что Фрумкин похож на инженера Карасика из старого фильма «Вратарь», но слово «инженер» быстро отпало, и на пять студенческих лет Алик превратился в Карасика, а то и просто в Карася. Толстые вывороченные семитские губы и впрямь делали его похожим на рыбу. Сознавая, что до красавца ему далеко, Алик старался возместить непрезентабельность толстой коротенькой фигурки и смешного лица чувством юмора. Заставить людей смеяться не над тобой, а вместе с тобой — уже победа! На всех студенческих праздниках Карасик был душой компании, и его охотно приглашали в гости.

За Лилей Карасик ухаживал робко и трепетно, не требуя признаний в любви, а окружая заботой. Вовремя поданный конспект лекции, учебник, вкуснейший горячий чай из термоса, шариковая ручка — Лиля постоянно теряла ручки, и Карасик специально для нее держал штуки две-три про запас... С Карасиком всегда было уютно и удобно. Но кто из молодых ценит ровное домашнее тепло? В молодости хочется сильных страстей, перепадов температур, чтобы бросало то в жар, то в холод, чтобы сердце то взлетало, как на качелях, в сияющее небо, то опускалось в бездну. С Толей бывало неуютно, чего-то боязно, зато когда его холод сменялся жаром — какое это было счастье!

На шестом курсе дороги студенческой троицы разошлись: Фрумкин с Великановым пошли в хирургию, как и задумывали, Лиля выбрала субординатуру по терапии. Пора было что-то решать... И Лиля положила конец своим колебаниям, переспав с Анатолием.

Все произошло быстро и рационально, похоже на умело выполненную медицинскую процедуру. Лиля помнит серый свет раннего утра на шкафах ординаторской, в которой фактически началась их супружеская жизнь; помнит себя в помятой кофточке и запачканной комбинации, которая прилипла к клеенчатой поверхности кушетки для осмотра пациентов. Толя разглядывает свое отражение в зеркале; лежащая Лиля не может видеть его лица в затемненной стеклянной глади, но Толина спина по обыкновению пряма и бесстрастна.

— Если хочешь, мы поженимся, — произносит Толя, обращаясь то ли к Лиле, то ли к зеркалу. — Как можно скорей. Называй срок.

«Если хочешь» — что это значит? Так предлагают пирожок в студенческой столовой, а не руку и сердце. Но Лиля ничуть не разочарована: эти мужчины, они никогда не научатся выражать свои чувства! Ничего, главное он сказал, а деталями можно пренебречь. Все, что осложняло жизнь на протяжении пяти лет, оказалось простым и не страшным, и Лиля полной грудью вдохнула воздух новой жизни, где она перестанет быть Дворцовой и превратится в Великанову. Предстоит, конечно, масса сложностей, особенно взаимоотношения со свекровью (Лиля заранее робела перед этой женщиной с громким голосом и строгим лицом), следует как можно раньше отделиться и жить своим домом, но в конце концов все устроится. Свадьба — счастливое завершение тревог, после которого остается только жить-поживать и добра наживать. Разве не в этом уверяют девочек сказки?

Свадьба... Да, у них получилась замечательная свадьба, собравшая всех студенческих друзей. Карасик был свидетелем в загсе. Милый, добрый, незаменимый Карасик, вечно на вторых ролях, призванный своей добродушной нелепой внешностью оттенять красоту главных героев! Главными героями были Толя и Лиля, и они действительно были хороши, как сказочные принц и принцесса.

А что было после? А после... сказочные гала-финалы всегда корректирует жизнь.

Можно удивиться, но со свекровью Лиля нашла общий язык быстрее, чем рассчитывала. Анна Семеновна Великанова, резкая и остроумная, предпочитала обо всем говорить начистоту и любила, чтобы ей отвечали в том же откровенном стиле. Прямоты взглядов Лиле было не занимать, остроумия — тоже, и частенько диалоги свекрови и невестки прерывались взрывами совместного хохота. Встречаясь, они обсуждали любимые книги и фильмы, делились кулинарными рецептами... Лиля радовалась так, будто приобрела новую подругу. Вот как бывает, когда в незнакомом человеке вдруг открываешь черты сходства с собой!

А вот когда в человеке, которого, казалось бы, знаешь от и до, открываются новые, незнакомые черты, которых в нем раньше и предположить было невозможно, — это вызывает совсем иные чувства. И это произошло с Толей... Куда пропал пылкий влюбленный, который с первого по пятый курс добивался своей избранницы? Получив Лилю в полное владение, он утратил к ней всякий интерес. Речь больше не шла не только о прежних долгих прогулках, походах в кино — даже то, что происходит между мужем и женой, ради чего, собственно, и устроен брак, случалось теперь между ними не чаще раза в неделю и напоминало тягостную обязанность. Лиля объясняла это тем, что ординатура у ведущего пластического хирурга страны академика Ривкина (попасть к нему для Толи было огромным везеньем) отнимает много сил, и ни на чем не настаивала. Из них двоих Толя был талантливее, Лиля это признавала — и добровольно отступила в тень. Тоже молодой врач, как и Толя, тоже вынужденная справляться с множеством обязанностей на работе, она, при-

185

бегая домой, начинала вторую смену — на этот раз по хозяйству: купить продукты, приготовить, убрать, постирать... Толя ни разу палец о палец не ударил, чтобы помочь ей. Ему это казалось нормальным, его всю жизнь обслуживали: сначала мама и бабушка, потом только мама, теперь вот жена — для него не менялось ничего. Как-то раз Лиля робко попросила его купить хлеба по дороге с работы — и получила такую отповедь, что больше не возобновляла попыток привлечь мужа к домашнему хозяйству. Она постепенно научилась бояться взрывов его возмущения и прилагала все усилия, чтобы их избежать.

Но самый сильный взрыв возмущения подстерегал ее в ситуации, где ничего предотвратить было нельзя. Лиля забеременела... Да, конечно, они предполагали повременить с детьми до тех пор, пока не встанут прочно на ноги — но если уж так получилось, неужели все они, и Великановы, и Дворцовы, не будут рады ребеночку? Оказывается, если рады, то не все! Толя повел себя так, словно жена собиралась родить ему и не сына, и не дочь, а, по-пушкински, неведому зверушку. Вдоволь излив свое негодование на безмозглую дуру, которая не сумела даже предохраниться как следует (какой из нее, спрашивается, после этого врач?), Толя категорически заявил: аборт и только аборт! Но тут уж Лиля, наплевав на незыблемый Толин авторитет, встала на дыбы. Ее поддержала свекровь: если первая беременность закончится абортом, второй может не быть! А в том, что Лилины родители будут счастливы нянчиться с внуком или внучкой, сомневаться не приходилось...

И тем не менее Лиля чувствовала себя виноватой. Она прикладывала все усилия, чтобы Толя не замечал никакого изменения режима, не испытывал никаких материальных неудобств — и во время беременности, когда ее валили с ног токсикозы, и после родов, когда капризный, требовательный, голосистый Глебушка поглотил ее целиком. Было очень трудно... И хотя Лиля даже в мыслях оставалась верной женой, не раз и не два она задумывалась об отвергнутом Карасике. Вот кто плясал бы от радости, узнав, что у него будет ребенок! И на молочную кухню бегал бы, и на Лилю не позволил бы пылинке упасть, и наследника разглядывал бы с безмерной гордостью, отыскивая свои черты в крохотном личике... Эх, да что там говорить — поздно! Карасик, который вместе с Толей работал под руководством Ривкина, нашел себе другую женщину. Лиля, услышав об этом, испытала укол глупой ревности: как будто давний поклонник был обречен всю жизнь тосковать о ней, о ней одной... Наверное, Толя прав, и она в самом деле безмозглая дура!

Ну да в каждой избушке — свои погремушки. И если Лиля не могла не замечать, что Толя остался равнодушен к сыну, даже когда Глеб подрос, что она ему давно безразлична, она могла радоваться хотя бы тому, что благодаря ее усилиям он пошел в гору. Пробиться в сфере пластической хирургии очень трудно — нужно работать, как папа Карло, попутно преодолевая сети интриг. Разве нет Лилиной заслуги в том, что Толя смог всем этим заниматься, не отвлекаясь на воспитание ребенка и домашние мелочи? Она создала ему прочный фундамент благополучия — и поэтому не опасалась за свое будущее, несмотря на то что вокруг известного хирурга Анатолия Валентиновича Великанова, по-прежнему красивого, ставшего еще лучше с годами, как выдержанное марочное вино, постоянно крутились смазливые пациентки. Во-первых, Лиля не верила, что мужчину способна возбудить женщина, которую он наблюдал в виде полупотрошенной курицы на операционном столе. Во-вторых, она лучше всех знала, что Толя — мужчина с темпераментом ниже среднего и больше всего он в женщине ценит умение готовить обед и убирать квартиру. А уж в чем, в чем, а в этом Лиле можно было давать докторскую степень! Несмотря на то что в медицине она не завоевала и кандидатскую — а ведь в институте считалась одной из способных...

И вот, извольте видеть, как хрупки и недостоверны наши представления о жизни! На Лилиных иллюзиях поставила крест Ксения Маврина. Толина пациентка. Смазливая соплюшка, папенькина дочка, не умеющая даже сварить яйцо вкрутую... Зачем ей уметь, за нее прислуга постарается! Неужели стремление к комфорту и благополучию перевесило в Толе обыкновенную порядочность, неужели ради того, чтобы заполучить в родственники влиятельного Олега Михайловича Маврина, он готов бросить сына и жену? Лиле было бы легче думать именно так. Но нет, к сожалению, она не перестала быть честной с собой и вынуждена сознаться, что в Толиных глазах она ловит искры того же восторженного блеска, который так ей нравился, когда они были студентами... Неужели влюблен? Через столько лет? Непереносимо обидно! Влюбленные глаза мужа стали для нее зеркалом, в котором она больше не отражалась и в котором, парадоксальным образом, она видела себя: постаревшую, наскучившую — словом, отработанный материал. Как от такой клуши не сбежать к поманившему новенькому, свеженькому и влекущему женскому телу?

Все родственники и знакомые были на стороне Лили — в том числе и свекровь, которая отрезала, что с Ксенией встречаться не собирается. Все утешали Лилю, ругали Анатолия и советовали стребовать с него денежную компенсацию морального ущерба по полной программе. Денежное содержание Толя ей по собственной инициативе выделил немалое — не в деньгах дело! Дело в том, что, лишенная привычного круга забот по обслуживанию мужа, Лиля как бы перестала существовать. На работе функционировала, как автомат, а приходя домой, лежала пластом без движения. И постоянно — на работе, дома, в транспорте, в своей одинокой бессонной постели — прокручивала ситуацию обратно, решая бессмысленный вопрос: «Что было бы, если бы?..» Если бы с самого начала их брака она не дала себя превратить в элементарную хозяйственную единицу? Если бы больше обращала на себя внимание? Если бы сделала пластическую операцию по омоложению в Толиной клинике? Если бы ревновала мужа, отваживала всех этих шлюшек? Если бы она приняла вовремя меры, что тогда?

При любом исходе как-то так получалось, что Толя все равно от нее уходил, и почему-то это заставило Лилю успокоиться. А может, просто время оказалось лучшим лекарем: нельзя же постоянно горевать! В один прекрасный день она сказала себе то, что не переставали твердить ей окружающие, со всей уверенностью сказала: «Лилька, ты не старуха. Ты не уродина. Тебе рано ставить на себе крест. У тебя хорошая профессия, у тебя взрослый сын, а к тому же теперь у тебя есть уйма свободного времени, и ты можешь потратить его на что хочешь. Это роскошь, которой ты почти двадцать лет не могла себе позволить!»

Уверенность подействовала. По крайней мере, Лиля осталась жива, выкарабкалась как-то из этой депрессии. А вот Толя для нее будто умер. Принимая от него деньги почтовыми переводами, тратила их в основном на Глеба, часть откладывала на черный день. Себе ни копейки не брала! Когда с ней пытались обсуждать (и, конечно, осуждать) Толю, решительно прерывала досужую болтовню. Так что теперь, когда Толя действительно умер, для нее ничто не изменилось.

Наверное, это может прозвучать страшно, что Толя для нее умер прежде своей смерти? Но Лиля не верила, что чужие мысли и чувства могут повлиять на человеческую судьбу, что она косвенно могла обречь бывшего мужа на смерть. Судя по тому, что Толя был убит, пал жертвой неизвестных ей обстоятельств, потому что, пока они были вместе, она не знала ни одного человека, которому было бы нужно избавиться от Толи.

— Лилия Великанова ни в чем не виновата, — безапелляционно заявил Турецкий после прослушивания предоставленной Васиным диктофонной записи ее монолога. — Со смертью бывшего мужа она ничего не приобретает, даже теряет — ежемесячные денежные поступления. По завещанию ей и сыну покойного полагаются скромные суммы: живой и работающий Анатолий принес бы им гораздо больше. А убийство из мести спустя более чем два года после разрыва? Извините, это неестественно. Я еще допускаю убийство в состоянии аффекта, во время бурного разговора с глазу на глаз, однако нанимать киллера такая женщина, как Лилия Великанова, нипочем не станет. А нам точно известно, что Великанова убил мужчина, молодой блондин...

Веня Васин смиренно выслушал рассуждения Александра Борисовича. То, что восемьдесят процентов следственной работы занимает отработка версий, которые никуда не ведут, не являлось для него новостью, и он был готов к тому, что его беседа с бывшей женой покойного отправится в этот восьмидесятипроцентный хлам.

— Однако здесь мелькнул очень интересный хвостик, — внезапно оживился Турецкий, — за который стоит потянуть. Следует побеседовать с Антоном... я не ошибаюсь, Антоном?.. Фрумкиным...

— С Карасиком? Его зовут Арнольд. А что, Александр Борисович, вы подозреваете, что это он? За то, что Анатолий Великанов отбил у него Лилю Дворцову?

— Да нет же! Об этом я подумал бы в последнюю очередь. Но обрати внимание, что они дружили на протяжении долгих лет, уже после того как оба стали пластическими хирургами. Полагаю, у Арнольда Фрумкина найдется что рассказать о том, каким был Анатолий Великанов, чем увлекался, какие дела проворачивал. Потому что — чем дальше, тем отчетливее я прихожу к такому выводу — покойный обращался к разным людям разными сторонами своей личности, а того, каков он на самом деле, никто не знал.

Галю Романову, зарекомендовавшую себя великой мастерицей задушевных разговоров, послали на ответственный фронт работ: ей поручили обаять и деликатно допросить вице-мисс Евгению Глазову, пострадавшую от великановского скальпеля, что навлекло на врача гнев олигарха Матвея Зеленого. Действительно ли олигарх решился на месть? Такое предположение представлялось маловероятным, но в жизни всякое может случиться...

О встрече с Евгенией Глазовой Галя договаривалась через третьих лиц, юридически представляющих бывшую вице-мисс. Третье лицо велело капитану Романовой прибыть к звезде отечественных рейтингов самых красивых женщин к полудню. Без пятнадцати двенадцать, поднявшись в грязноватой кабине лифта на пятый этаж довольно-таки заурядного, ничуть не элитного дома в двух минутах ходьбы от метро «Алексеевская», Галя позвонила в дверь, ожидая, что сейчас прямо на нее выплывет двухметровая красавица, сверкающая бриллиантами и макияжем — точно так выглядела Евгения Глазова в момент своего триумфа. Капитан Романова любила иногда посмотреть по телику на знаменитостей и не могла не запомнить это блистательное, почти неземное существо с волной естественно-золотистых волос до середины спины и изумрудными, как у Хозяйки Медной горы, глазами... А может быть, леди такого ранга жить не могут без прислуги? На звонок никто не ответил. Подождав из вежливости минуты три, Галя позвонила снова. Никакой реакции. Только в ответ на третий звонок из глубины квартиры донеслось сумасшедшее хлопанье шлепанцев, и женский голос крикнул:

— Кто там?

Точнее, это прозвучало как «Хто там?».

Галя представилась. Дверь немедленно распахнулась, и перед Галей предстала бывшая первая русская красавица... в халатике-обдергайчике до середины бедра и с разноцветным кулем махрового полотенца, накрученного вокруг головы. Кожа красная, распаренная, от грима, обязательного на подиуме, нет и следа. В довершение всего, Евгения Глазова оказалась всего сантиметров на семь — десять выше Гали: рост высокий, даже модельный, но не чрезмерный. Очевидно, своей возвышенной величественности она была обязана туфлям на каблуках.

И что характерно: даже в таком затрапезном виде Глазова не разочаровывала! Бедра, далеко торчащие из-под распахивающегося халатика, — тугие, стройные, гладкие, без единой лишней жиринки. По контрасту с красноватой после ванны кожей ярче сверкают голубовато-зеленые глаза. А рост сразу сделал ее для Гали простой и доступной. Особенно после того как Евгения Глазова произнесла с тем самым южным «гыканьем», которое сама Галя так долго и мучительно изживала:

— Ой, а я голову только что помыла! Думала, что успею к вашему приходу, — продолжила она, подсобравшись, с правильным литературным выговором, — но вот чуть-чуть не успела... Уж вы извините.

— Ничего страшного, — великодушно ответила Галя. Евгения Глазова, отступив на шаг, вгляделась в нее пристальнее, прищуриваясь в слабо освещенной прихожей:

— Извините, а вы тоже с юга России, да?

Галя Романова вдруг догадалась, что они с Глазовой находятся в примерно одинаковом положении: Галя робеет перед вице-мисс, а Евгения робеет перед женщиной-милиционером, которой неизвестно что от нее нужно, от которой ждет всяческих неприятностей. Обе стремятся преодолеть робость, обе стараются доказать себе, что не так уж страшна собеседница... Когда Галя это сообразила, она с облегчением выдохнула свой страх. Ей стало легко и свободно.

— Из Ростова-на-Дону, — призналась она. — А вы?

— А я — из Славянска-на-Кубани. Слышали, есть такой город?

— Конечно, слышала! Надо же, у наших родных городов даже названия похожи.

— И правда... А, простите, как вас зовут? Я что-то из-за двери не поняла...

— Капитан Галина Михайловна Романова. — Галя предъявила служебное удостоверение. — Можно просто Галя.

— А меня тогда можно просто Женя. Пойдемте, Галя, поговорим.

Да-а, поговорить Женя, как оказалось, любила! Найдя в Гале землячку, а следовательно, родственную душу (для двух немосквичек, встретившихся в Москве, это практически одно и то же), она выложила ей всю свою историю. Начиная с тех давних и изрядно подзабытых времен — не верится, что это было с нею! — когда Женька Глазова вкалывала на рыбозаводе и ходила по цеху в бесформенном сером, облепленном чешуей халате, такой же бесформенной шапке, под которую полагалось полностью убирать волосы, и резиновых рукавицах по локоть. Красивой ее тогда мало кто считал, так как мало кто видел ее безо всей этой амуниции. Сама себя она тоже красивой не считала, потому что мама и тетки без конца твердили, что Женюра слишком тощая, и локти торчат, и нос торчит, и вообще, не на чем оку остановиться. Но об отношениях мужчин и женщин Женька была полностью информирована, и когда Вахтанг Галактионович, начальник цеха, вопреки материнским пророчествам, стал что-то часто останавливать на ней горячий взгляд своих огненно-черных, с изогнутыми ресницами, глаз, она стала подумывать об уходе с завода, потому что спать с начальником, который ей в отцы годится, было для нее пределом падения. Другое дело — выйти по-человечески, со свадьбой для всех родственников, замуж и потом каждый вечер отнимать у мужа бутылку водки или развестись и одной гордо растить детей: вот это нормальный выбор славянской женщины!

Однако Вахтанг Галактионович оказался не такой скотиной, как она о нем, прости Господи, подумала. Остановив однажды Женьку после смены, он начал говорить ей не о любви, а о том, что она гноит свои драгоценные дни на нижней ступени работников рыбозавода, и не попытать ли ей счастья в другом месте, пока молодая. Женька, улыбаясь ровными белоснежными зубами, сказала, что к учебе она неспособная, а на приличное место с девятью классами не возьмут. Да на приличные места только своих берут, а у нее в родне ни одного влиятельного человека не завалялось. Куда же ей деваться? Вахтанг Галактионович обещал подумать. В следующий раз он подумал — и принес ей газетный лист с объявлением об отборе кандидаток на конкурс красоты «Мисс Кубань». Правда, там упоминалось, что первый тур отбора будет проходить совсем скоро, а до очередного Женькиного отпуска оставалось не меньше четырех месяцев. Вахтанг Галактионович обещал выделить ей две недели с половинной оплатой. Ради этих двух недель она, без надежды на успех, согласилась поехать. Погулять, развеяться. От рыбы и правда тошнило уже...

Ну а с того первого конкурса пошло-поехало! Женька поверить не могла, что она так всем нравится, и до сих пор не верит. Правда-правда, она не тщеславная. Она ни капельки не мнит себя самой замечательной. Пусть другие будут красивей, чем она, Женьке не жалко. Она только счастлива до смерти, что не надо больше ходить на рыбозавод...

— А Матвей Зеленый? — попыталась склонить разговор в нужную сторону Галя Романова, в то время как они, словно две закадычные подруги, расположились с ногами на широченном диване, заваленном плюшевыми игрушками и подушечками в форме сердечек.

— Сейчас дойдет и до Матвея...

Многие, особенно после победы в общероссийском конкурсе красоты, претендовали на красавицу Евгению Глазову, предлагали ей руки, сердца, горячие чувства... Матвей Степанович победил соперников потому, что ничего этого не предлагал. Он честно заявил: Женя, я человек сухой. Вся моя страсть — это фармакологическая промышленность, которую я поддерживаю и развиваю. Но я — человек публичный, мне необходимо вести светскую жизнь. Моя жена — верная подруга, но с личика она крокодил и по возрасту мне ровесница; она для этой цели не подходит. Я заплачу вам, сколько скажете, с тем условием, что вы согласитесь изображать мою любовницу. Больше ничего от вас не потребую. Пальцем не трону. Клянусь.

Эта квартира, в которой они сейчас с Галей беседуют, куплена на деньги Матвея Степановича, но вообще-то много денег с него Женя не взыскивала. Брала меньше, чем он предлагал. Он ей нужен был для надежности — просто как защита. Среди тех, которые добивались ее любви, были и алкоголики, и наркоманы, и откровенные психи, и люди, мягко выражаясь, неуравновешенные. Такой сегодня принуждает к любви, а завтра чиркнет по горлу бритвой... А с олигархом связываться боялись. Репутация его защищала получше охранников-десантников. А Жене только того и надо было.

— А скандал, который он закатил в клинике пластической хирургии? — не могла поверить Галя.

— Какой скандал? А-а, это когда он кричал, что меня в этой клинике изуродовали?.. Ну, переиграл малость. Надо сделать ему скидку: человек серьезный, не артист. Даже не знает, как скандалы закатывают... А если честно, только не смейся, это я задумала весь этот скандал. Матвей не соглашался, но я его убедила, что так будет лучше.

— В самом деле? Зачем?

— Ну, затем, чтобы выглядело естественнее. Когда у людей все гладко, они со стороны смотрятся вроде как чужие. Надо, ну, типа, поднимать температуру... Понимаешь, Галя?

— Понимаю, Женя. Не понимаю только: что тебе оперировали? Ты же сама по себе всегда была красавица!

— А веки! — Женя забавно, двумя указательными пальцами, нажала себе под брови. — У меня они — вот тут — образовывали складку, прикрывали глаза. А хирурги мне глазки подраскрыли, чтобы были больше. Чтобы я была совсем Глазова!

— Все прошло удачно?

— Вполне! Ну, правда, после операции я так выглядела, будто мне в оба глаза кто-то кулаком засветил. Поэтому Матвей ругался, типа, как оправданно. Только мы оба знали, что все рассосется, синяки всегда сходят. А Матвей потом извинился и оборудование им купил вдвое дороже, чем то, которое разбил.

— А не стал бы он — тоже для правдоподобия — мстить за тебя? Ты, наверное, видела в новостях по телевизору, что Великанова убили. Милиция подозревает...

— Ну, это надо быть совсем ку-ку! — Женя с провинциальной непосредственностью крутанула пальцем у виска, точно шуруп ввинчивая. — Матвей — он ведь уравновешенный, спокойный. И жена у него такая же. Я с ней потом познакомилась. Внешне, правда, на завучиху в моей школе похожа, а так — очень умная. Подсказывала, как одеваться, все время мне речь поправляла. Я стараюсь говорить правильно, а не всегда получается: когда волнуюсь, начинаю по-нашему «гыкать», хоть ты тресни. Наверно, потому что я дура, правда, Галь?

Галя заверила, что ничуть Женя не дура, что Гале тоже пришлось приложить гигантские усилия, чтобы избавиться от южного говора, но в конце концов у нее получилось, и у Жени тоже получится... Их прервал телефонный звонок. Женя схватила трубку.

— Алло... Дима! — Ее лицо расцвело и стало еще красивее, настолько, что это казалось неправдоподобным. — Ди-имочка, позвони мне попозже, я сейчас не могу... Нет, через пару минуток... Я тебя тоже. Миллион раз.

Глядя на это зардевшееся счастливое личико, Галя окончательно со всей отчетливостью удостоверилась, что олигарх Матвей Зеленый не имеет никакого отношения к убийству. Если бы он замышлял кого-нибудь убить, убил бы удачливого соперника Димочку, которого изменившая якобы любовница целует (или что она еще с ним делает?) миллион раз. На худой конец, убил бы изменщицу коварную. Но, при любом раскладе, инцидент с давно изгладившимися синяками отступал в область легенд.

Да и не верила Галя, чтобы простушка Женя сумела сплести такую невероятную и тем не менее внутренне логичную историю своих взаимоотношений с олигархом. Бесспорно, история на посторонний взгляд странноватая. Но работа в милиции приучила Галю к тому, что самые странные вещи обычно оказываются правдой. Потому что правда в конечном счете — это то, во что никто не желает верить.

Гарольд Николаевский и Игорь Бойков были людьми совершенно непохожими — и внутренне, и внешне. У них были разные профессии, разные склонности, разные интересы. Единственное, что их объединило, что заставило их основать ООО «Салон красоты», главным тружеником и звездой которого выступал покойный Анатолий Великанов, — жажда денег на фоне тотального их недостатка. Последнее — это еще зависит от того, как посмотреть. Возможно, правильнее было бы сказать: жажда денег на фоне ослабленного морального контроля? В этом они совпадали. В остальном были противоположны.

Что касается Игоря Кирилловича Бойкова, майора, кандидата юридических наук, доцента кафедры уголовного права Академии милиции, он от природы был человеком сомневающимся — в себе, в окружающем мире, в избранной профессии, в том, что он находится именно на том месте, где должен быть. Он постоянно сомневался даже в оценках, которые ставил студентам на экзаменах, ожидая неприятностей от подразумеваемых грозных родственников тех, кому он, по его мнению, оценку занизил. Каким-то образом получилось, что Игорь Бойков был в течение полутора лет женат, но жена не перенесла постоянных колебаний мужа по любому поводу и его неспособности принять элементарное решение. В этом ей виделся вопиющий недостаток мужественности. Сначала она Игоря ругала и пыталась перевоспитывать, когда же убедилась, что перевоспитательные меры запоздали и не приносят результата, ушла, оставив ему на память книгу популярного психолога с подзаголовком: «Как перестать беспокоиться и начать жить». Игорю доводилось просматривать эту книгу и раньше, но, уязвленный поступком жены, он решил перечитать ее в подробностях и, возможно, измениться, чтобы жена, встретив его через год, пожалела, что добровольно упустила из рук такое сокровище... Напрасный труд! В книге он не нашел ничего похожего на свой случай, диагнозы популярного психолога показались ему надуманными, рекомендации — бесполезными. Книгу Бойков, чтоб глаза не мозолила, выбросил. Сделав вывод, что жена, как и психолог, ничего в нем не поняла.

Проходя каждое утро в направлении своего кабинета безрадостными, крашеными в цвет затянутого туча-

ми неба академическими коридорами, Игорь Кириллович уныло рассуждал, что дело, в сущности, не в дет-
ских подсознательных травмах, не в отношении к себе и
к людям и прочей психологической лабуде. Дело в том,
что он разменивает четвертый десяток, но так и не достиг того, чего хотел, а того, что достиг, ему не хочется.
Когда был молодым, представлял себя в этом возрасте
непременно признанным авторитетом, каждое слово
которого с благоговением ловят начинающие юристы,
любимцем женщин, при этом имеющим хорошенькую
жену и гениальных детей, мальчика и девочку, постоянно путешествующим за границу, одетым элегантно, но
сдержанно...

Но в совместной жизни с хорошенькой (в самом
деле, хорошенькой) женой произошел крах. Что касается работы на кафедре, Бойков был вялым, занудным
преподом, на лекциях которого студенты зевали и который совсем недавно со всяческими переживаниями
достиг своего потолка и стал доцентом, сознавая, что
никогда не поднимется до профессора. В науке он —
ноль. А относительно элегантно-сдержанного вида...
изволь тут качественно одеваться, когда зарплата — кот
наплакал. Ох уж это наше российское отношение к ин-
теллектуальному труду!

В этом смутном состоянии Игорь Бойков встретил
Гарольда Николаевского. Было это в мае 2003 года...

Едва Бойков увидел того, с кем ему предстояло поддерживать бурное и плодотворное сотрудничество, его
кольнуло неуловимое чувство, словно этого человека
он уже где-то встречал. Высокий брюнет, медальный
профиль, гладкая речь... «Да это же вылитый Остап
Бендер!» — чуть не вскрикнул Бойков, разгадав природу ассоциаций. Но было поздно: человек с подозри-
тельным именем Гарольд и подходящей для развесис-

тых псевдонимов фамилией Николаевский внедрился в доверие доцента, отпустив массу комплиментов его уму и профессии. Кем является по профессии Николаевский, сказать было нелегко: и то, и се, и пятое-десятое — одним словом, предприниматель-индивидуал с широким кругом деятельности. Он оказывает аудиторские и посреднические, консультационные и информационные услуги. Он же занимается техобслуживанием и ремонтом дорогих иномарок, предлагает услуги переводчика, в том числе с корейского и сербскохорватского языков. Не вполне представляя, отчего именно эти языки назначены быть козырями Николаевского, Игорь Бойков вежливо кивал. Собеседник, который напросился к нему на консультацию через знакомых чьих-то дальних знакомых якобы по сложному юридическому вопросу, заинтересовал его. А сильнее всего заинтересовало в нем Бойкова то, что он интересовался Бойковым. Интерес к его собственной скромной персоне давно стал так непривычен для Игоря, что заинтриговывал и почти пугал.

— У вас замечательная профессия, — плел тенета Николаевский. — Знание юридических тонкостей, понимаете, нюансов — это так много в наше беспокойное время. — Манера разговора у него была ровная, без восклицательных и вопросительных знаков, но напористая, заставляющая собеседника постепенно отступить перед этим монотонным упорством. — В наше время вы располагаете великолепными перспективами...

— Ну, знаете! — одновременно улыбнулся и поморщился Игорь Бойков. — Боюсь, на своей кафедре я не слишком великолепными перспективами располагаю...

— Ясно-ясно. Печально. Да. Но зачем же такому мозговитому, прямо скажу, башковитому человеку замыкаться в пределах кафедры. Лично мне это непонятно. Можно совмещать несколько видов деятельности, сейчас это в порядке вещей. Вот и я кручусь-верчусь. А сейчас подумываю открыть одно ООО, сплошной доход и никакого риска. Только для этого мне нужен верный компаньон. Надеюсь на ваш совет, где бы я мог раздобыть такого человека.

Игорь Бойков славился неумением делать решительный выбор. Вот и сейчас, в этот ответственный момент, сомнения не покидали его. Гарольд Бендер-Николаевский делал ему коммерческое предложение, не надо надевать очки, чтобы разглядеть его прозрачный намек. Перспектива привлекательная, но и опасная: по закону военнослужащим запрещено заниматься коммерческой деятельностью, если про это узнают в Министерстве внутренних дел, доценту уголовного права несдобровать. Стремясь получить больше, чем имеет, не потеряет ли Игорь Бойков того, что имеет?

«Но кто же узнает? — мелькнула подмигивающая мыслишка, которая, как должно быть хорошо известно доценту уголовного права, не одного преступника довела до беды. — Я же не пойду к начальству с докладом, а по собственной инициативе оно проверять меня не станет. Кто я такой? Незаметнейший из незаметных. Друзей на кафедре я за годы службы не завел, так что риск проболтаться с этой стороны ничтожен. Страшно? Да, страшно. Но попробовать можно. Очень даже можно попробовать...»

Страшно было потерять привычную кормушку в Академии милиции. Но еще страшнее было то, что бесцельно пройдут годы, а Бойков останется все тем же — скучным, лишенным женщин, денег и перспектив. Плюс ко всему перечисленному, еще и старым. Годы-то идут, идут они, родимые! Вот когда окажешься на пенсии, которой будет хватать только на кефир по праздникам, тогда и задумаешься: почему, располагая возможностями, не ухватился за свой шанс? Ну, пусть незаконный, но ведь шанс мелькал перед ним, маячил, манил... Эх, была не была!

В общем, можно считать, что Игорь Бойков, хотя и с опозданием, последовал совету сбежавшей супруги и популярного психолога: перестал беспокоиться и начал жить.

Жить с размахом, стоит прибавить: с середины 2003 года Бойков и Николаевский основали шесть фирм. И доили их старательно и успешно. Они стали большими специалистами в том, чтобы заставить людей, которые умеют что-то делать, зарабатывать деньги. Львиная доля финансов безнаказанно утекала в карманы Бойкова и Николаевского: юридические знания Игоря позволяли балансировать на грани законности, не вступая в область грубого криминала, который мог бы спровоцировать излишнее внимание к ним. Рядовые труженики фирм, мастера своего дела, ни о чем не подозревая, благодарили мошенников: раньше они и таких денег в глаза не видели! Попадались, правда, среди них и другие, поумнее или порасчетливее: такие вот, как покойный, не тем будь помянут, Анатолий Великанов, который время от времени серьезно взбрыкивал, капризно заявляя, что если из него будут так активно выжимать деньги в ущерб научно-практической деятельности, он пойдет в милицию! С такими приходилось договариваться: то путем уступок, то — иными методами... Словом, удавалось убедить. Тандему Бойков — Николаевский ничего не грозило.

Что касается такого хрупкого, сомнительного и эфемерного для многих фактора, как совесть, то с ней доценту кафедры уголовного права, продолжавшему успешно трудиться в Академии, удалось поладить куда как легко. Тем более что чем шире разворачивалась деятельность тандема, тем отчетливее Бойков понимал, что он не один такой урод в милицейской семье... Одной из шести основанных Бойковым и Николаевским структур — пожалуй, самой перспективной — выступает фирма «Евразия», деятельность которой была бы невозможна без участия сотрудников спецназа МВД. Ну тут, ежу понятно, не только спецназ задействован, но и люди рангом повыше — короче, без «крыши» даже мелкооптовая торговля не обходится, не то что такой деловорот, как «Евразия».

Короче, Бойков имел основания считать, что позднее, чем хотелось бы, но жизнь все-таки удалась.

Глава десятая

ТАЙНЫ АНАТОЛИЯ ВЕЛИКАНОВА, ИНТИМНЫЕ И СЛУЖЕБНЫЕ

Арнольд Осипович Фрумкин, доктор медицинских наук и один из ведущих специалистов госпиталя челюстно-лицевой хирургии, охотно согласился встретиться с Грязновым и Турецким в своем кабинете. В отличие от Великанова, который специализировался на том, чтобы лица заурядные делать красивыми, Фрумкин занимался случаями, когда человеческое лицо трудно назвать лицом... Челюстно-лицевой госпиталь стал тяжелым моральным испытанием для Славы Грязнова. Еще на подходе к корпусу он содрогнулся при виде молодой мамы, несущей на руках ребенка, нижняя челюсть которого представляла собой розовую пузырчатую массу с торчащими из нее в беспорядке зубами. В вестибюле он растерянно уступил дорогу безносому парню в пижаме, оформленной под камуфляж. А из кабинета Фрумкина в тот момент, когда они с Турецким к нему подошли, просеменила прочь по коридору маленькая женщина, державшая правую руку на уровне лица в подобии пионерского салюта. Между правой стороной лица, скукоженной и пожухлой, как осенний лист, и правым предплечьем был натянут стебель плоти — толстый, белый и, кажется, даже волосатый. Слава позеленел, сравнявшись по цвету с госпитальными стенами.

— Хватит тебе, Слав, — одернул его более стойкий Александр Борисович, — ты что, впервые в больнице?

— В такой — впервые, — прохрипел Грязнов.

По контрасту с обстановкой, доктор Фрумкин поражал жизнерадостностью. Турецкий подумал, что пациенты к нему в основном приходят грустные и подавленные, а потому, чтобы вселять в них уверенность и вдохновлять на трудности лечения, врач обязан быть оптимистичен за двоих. Арнольд Осипович мигом поставил электрочайник, вытащил необъятную коробку конфет, и в кабинете сразу стало уютно и весело, будто друзья студенческих лет встретились после долгой разлуки. Атмосферу студенческого братства подкрепило упомянутое Турецким старинное прозвище Фрумкина, которому он безмерно обрадовался:

— Да, точно, Карасик! Так меня в институте все звали — Карасик! Надо же, кто-то еще помнит! Сколько лет, сколько зим...

— Не обижались вы, что вас так называют? — подколол Турецкий врача.

— Ну что вы, на что здесь обижаться? Карасик — это доброе, милое слово, и рыбка симпатичная. Такие ли прозвища бывали! Вот с нами на одном потоке учился студент, назовем его, допустим, Вася — так у него было прозвище, страшно сказать — Сифилис! Не подумайте плохого, он ничем не болел... А дело вышло вот как. Занимались мы тогда на кафедре кожно-венерических болезней, ну, и собрали нас всех на первую лекцию. Едва лектор успел произнести что-то вроде: «Успехи партии и правительства привели к снижению числа венерических заболеваний, однако нельзя терять бдительность: и в наше время сифилис стучится в каждую дверь», — и вдруг в дверь лекционного зала раздается стук! «Тук-тук, можно войти?» Это был опоздавший Вася... Когда ему объяснили, в чем дело, почему такой хохот, он сам смеялся громче всех. И безо всяких обид. А вы говорите, Карасик!

И, погладив себя по круглой седеющей голове, присовокупил:

— Да... Маленькая рыбка, жареный карась, где ваша улыбка, что цвела вчерась? Были молоды, дружили, все нам казалось весело... Теперь — иных уж нет, а те далече. В то, что нет больше Толи, до сих пор поверить не могу.

— Вашей дружбе не помешало то, что он женился на Лилии Дворцовой?

— Как вы могли такое предположить! Я в Лилю был влюблен — и крепко влюблен! — но никогда не строил иллюзий. Они с Толей были предназначены друг для друга, в гороскоп смотреть не надо. А я тоже не в обиде: мы с моим Светуликом пятнадцать лет вместе, у нас трое детей... Знаете, я открыл, что люди несчастливы из-за того, что путают два понятия: любовь и влюбленность. То, что возникает при взгляде на красивое личико, — это влюбленность. Из нее может произрасти любовь, но может и не произрасти. А настоящая любовь — это то, что возникает примерно так на пятом году совместной

жизни, когда проникаешься чувствами другого человека, привыкаешь делить пополам горе и радость... Настоящая любовь возможна только в семье.

Выслушивая эту сентенцию, Турецкий скептически подумал, что в воззрениях Фрумкина есть рацио-
нальное зерно, но лишь при условии, что муж и жена
согласны делить горе и радость пополам, а также про-
никаться чужими чувствами. В противном случае годы
постылого совместного проживания супругов только
ожесточают и разводят. Как оно и получилось у Анатолия и Лилии Великановых.

— К тому же — вы не знали Толю! Он сам боялся
того, что наша дружба может не пережить этого испы-
тания, сразу после свадьбы впрямую спросил: «Ну, Карась, мы с тобой оба мужики, мы же не поссоримся из-
за бабы?» Грубовато сказано, но Толя, понимаете, он
иногда намеренно грубил, старался казаться не таким
тонким и деликатным, каким был в действительности.

— Он невысоко ставил женщин?

— Нет, вы не понимаете его, дело не в том. Он был
воспитан женщинами, матерью и бабушкой, и, возможно, слишком рьяно старался избавиться от женского влияния, показаться настоящим, как это принято сейчас говорить, мачо. Естественная реакция мальчика, который рос без отца.

— Комплексы? — попытался блеснуть эрудицией
Слава Грязнов.

— Ну, если хотите, комплексы. Но в этом не было
ничего дурного. Одних людей комплексы угнетают,
других двигают по жизни вперед. Толя везде был лучшим, все на него обращали внимание. Вот и ваша контора его заметила...

Арнольд Осипович хитро сощурился и снова погладил себя по голове.

— Какая это «наша контора»? — насторожился Турецкий.

— А то вы не знаете? — типично по-еврейски, вопросом на вопрос, ответил Фрумкин. — А то вы занимались бы так подробно убийством врача, если бы он не работал на вас? Толя был безумно талантлив, но вас не это волнует. Вы ищете в его убийстве двойное дно... или уже нашли, так?

— Арнольд Осипович, мы не понимаем ваших иносказаний. Скажите прямо: на что вы намекаете?

Арнольд Фрумкин отодвинулся от стола — вероятно, причиной стало то, что Грязнов и Турецкий, оба разом, наклонились к нему. На самом деле это было всего лишь желание расслышать получше то, что он скажет, но Фрумкин, очевидно, расценил по-другому их неожиданно резкое движение. Отталкиваясь ногами, он отъехал вместе со стулом в темноватый, прикрытый занавесками угол. Учитывая толщину обтянутого белым халатом живота Арнольда Осиповича, это могло бы выглядеть смешно, если бы не его встревоженный вид.

— У вас есть при себе оружие?

— Арнольд Осипович, да что с вами?

— Вы, наверное, выясняете, о чем проговорился мне Толя?

— Арнольд Осипович, неужели вы думаете, мы пришли вас убивать? Средь бела дня, в челюстно-лицевом госпитале? Опомнитесь!

Фрумкин не сразу, но дал себя переубедить. Придвинулся снова к столу, налил в массивную керамическую кружку остывшего чаю, раскусил конфету с белой сливочной начинкой.

— Уж вы простите великодушно, — пробубнил он. — Оперировать мне случалось и пострадавших военных, и милиционеров, и сотрудников ФСБ — все люди, все страдают! — но сам я никогда в их играх не был задействован. Если бы и предложили, не захотел. А Толя решил по-другому. Может быть, из-за этого его всегдашнего стремления к образу настоящего мужчины? Ах, наверное, вы правы — комплексы, всё комплексы! Но ведь это опасно...

Первые четыре года после окончания мединститута Алик и Толя работали вместе под руководством ведущего пластического хирурга страны профессора Григория Ривкина, оба подавали большие надежды, о чем старик Ривкин говорил на всех совещаниях и симпозиумах. О диссертациях не приходилось беспокоиться: материала было выше крыши, и оба, опубликовав положенное количество научных статей и сдав экзамены на кандидатский минимум, защитились — в один и тот же день, как верные друзья, и ни один не опередил другого. Но далее их пути разошлись: Фрумкин после защиты диссертации остался ассистентом академика Ривкина. А Толя Великанов ушел... Куда именно девался Великанов, оставалось загадкой для Алика Фрумкина: зная честолюбие своего однокашника, Алик был уверен, что Толя мог уйти только на повышение. Однако в среде пластических хирургов о нем ничего не было слышно, сам Толя при редких их встречах не распространялся о том, где, в какой клинике и под чьим руководством он продолжает совершенствовать свое немалое к тому времени мастерство. Не распространялся — ну так что же! Значит, на это у него были веские причины. Алик не расспрашивал, надеясь, что в один прекрасный день друг расскажет ему все сам.

Так оно в итоге и оказалось. Случилась та встреча в конце декабря или в самом начале января — в общем, время, когда унылая темная московская зима расцвечивается сказочным сиянием гирлянд и мишуры, детишки спешат на елки, а взрослые становятся чуть-чуть добрее и доверчивее. Они с Толей столкнулись на станции метро «Библиотека имени Ленина» и, обрадовавшись, решили использовать свободное время для того, чтобы прогуляться пешком по Воздвиженке к Арбату. Некоторое время они молча месили рыхлый снег, под которым, как обычно, просверкивал черный лед. Желая прервать молчание, более общительный Алик начал пересказывать какую-то статью, разоблачающую преступления КГБ, — поднималась первая волна эпохи перестройки, такие статьи только еще начинали появляться, а потому вызывали жгучий интерес. «Представляешь, и мы столько лет верили, что такие люди нас защищают!» — с энтузиазмом юного пионера, доказывающего, что курить нехорошо, провозгласил наивный Алик — и нарвался на холодную реплику Великанова:

— Да, защищают. Невозможно защищать государство в белых перчатках. Думаешь, у Интеллидженс сервис или у Моссада руки чище?

— Но если бы ты видел изнутри наши советские спецорганы... — опрометчиво попытался отстоять свою правоту Алик.

Вот тут-то Великанов и проговорился:

— А я вижу. Постоянно вижу. Так что отвечаю за свои слова.

В общем, сказал Толя немного, но достаточно, чтобы перед Аликом возникла связная картина его бытия. Талантливого хирурга Анатолия Великанова, переманив от Ривкина, пригласили в засекреченную спецклинику центрального ведомства госбезопасности, где он выполнял «особую работу». На этот счет доктор Великанов хранил профессиональное молчание, но, исходя из логики, чем могла оказаться такая работа для пластического хирурга? Наверняка Толя делал операции, изменяющие внешность советских разведчиков.

Проговорившись, Анатолий сразу же сам себя прервал, и при следующей встрече, которая состоялась уже в мае, на Лилином дне рождения, ни словом, ни намеком не дал понять, что предыдущий разговор вообще имел место. Тема эта стала в их беседах неофициальным табу. Алик, в свою очередь, старался не упоминать о спецслужбах, даже иностранных, и лишь жалел о том, что из-за этого упоминания между бывшими однокашниками и закадычными друзьями пролегла полоса неискренности. Советский Союз распался, КГБ переименовали в ФСБ, но российские разведчики нуждались в услугах пластической хирургии не меньше, чем советские. И по-прежнему при каждой встрече неискренность в общении проглядывала невидимым, но непреодолимым частоколом пограничных столбов...

Весь этот поток фрумкинских откровений прерывался телефонными звонками, на которые он должен был отвечать, и визитами медперсонала и больных с их неотложными вопросами. Однако, переходя к заключительной части своего рассказа, Арнольд Осипович запер дверь на замок и навалил на телефон груду историй болезней. Предстояло открыть весьма серьезную информацию...

Несколько лет спустя — было это где-то в 1995 году — Толя ввалился к Фрумкину очень веселый и слегка пьяный и заявил, что ушел из спецклиники. «Поздравляю!» — от всей души заорал Алик и хлопнул друга по спине. Толя сказал, что хочет пуститься в свободное плавание, ставить эксперименты, не только нарабатывать свой почерк в хирургии, но и зарабатывать приличные бабки. Хватит без денег мыкаться! Осточертела проклятая нужда, даже в КГБ ему платили немного.

— Ты не представляешь, как я рад, что наконец-то с ними развязался!

— А ты уверен, что развязался? — уточнил осторожный Алик. — Ты вроде не маленький, должен знать, что из конторы глубокого бурения так просто не уходят.

— Ну да, — неохотно признал Толя, — насовсем-то они не отпускают никого, если человек им по-настоящему нужен. А я им нужен... Но по сравнению с тем, что было, — можно считать, я обязан платить малую дань. Зато взамен они меня поддержат на первых порах в самостоятельном плавании.

Насколько успешным оказалось самостоятельное плавание Великанова — об этом лучше пусть рассказывают его сотрудники, продюсеры программы «Неотразимая внешность» и другие люди, которые в последние годы жизни были ему близки. А что касается «малой дани»... Фрумкин догадывался о том, что, уйдя из спецорганов, Великанов не прекратил контактов с ними. Где-то в ближайшем Подмосковье у Великанова была своя маленькая клиника, точнее, операционная, в которой, правда, не так часто, как прежде, он проводил пластические операции, оказывая услуги органам современного КГБ, то есть ФСБ. Впрямую Толя Алику этого не говорил, но по отдельным фразам Алик понял, что один-два раза в месяц Толя ездит «в микрокомандировку, в мое Подмосковье». Об этом знал лишь один Фрумкин. По его сведениям, ни Лилия, ни вторая жена Толи, ни его мать и сын об этом не подозревали. Анатолий Великанов умел держать язык за зубами. А Карасик... что ж, Карасик — это Карасик. Человек, с которым они в студенческие годы делились шпаргалками, не выдаст и не продаст.

Проходя коридорами родимой Академии милиции, которые в результате последнего летнего ремонта оказались окрашены в чуть-чуть более привлекательный цвет, нежели в 2003 году, Игорь Бойков не испытывал ни одного из чувств, которые тогда, до встречи с изменившим все Николаевским, вгоняли его в отчаяние. Тогда он думал, что ничего, кроме Академии, в его жизни нет и больше не будет; что жены у него нет и никогда больше не будет. А теперь... От сентиментальности по поводу семейного очага его излечили умелые симпатяшки, которые всегда вьются рядом с владельцами крупных фирм — летят на деньги, как осы на мед. А деньги позволяли ему смотреть свысока и на себя прежнего, и на Академию, которая целиком, со всем профессорско-преподавательским составом, не стоит ногтя на его мизинце. Доцентский оклад со всеми надбавками, которые он здесь все еще получает; для Бойкова — тьфу! Но ничего не попишешь, приходится цепляться и за оклад, и за доцентство, и за эти осточертевшие до зубного нытья коридоры. Почему? А потому что — престиж! Для его работы — для его настоящей работы — это важно...

Стоп! Отчего так екнуло сердце? Отчего в желудке стало пусто и холодно? Эти телесные ощущения не давали о себе знать на протяжении столь долгого времени, что Бойков успел от них отвыкнуть. Они были характерны для прежнего Игоря Кирилловича Бойкова — того несчастного, который до такой степени во всем сомневался, что боялся жить, которому постоянно мерещилось, что в следующий момент случится что-то непоправимое, ужасное... Неужели все возвращается?

Все возвращалось — и куда более сурово, чем прежде! Потому что в прежние времена пустота в желудке и дрожь в коленках служили излишними, так сказать, гиперопасениями: обычно ничего плохого на самом деле с Бойковым не случалось. А сейчас... Самые худшие предположения воплощались в реальность. С подгибающимися коленями, с пересохшим ртом Игорь Бойков прислушался к словам, доносящимся из-за приоткрытой двери кабинета профессора кафедры уголовного права — своего начальника, мимо которого проходил. Начальник, очевидно, был сердит, потому что расхаживал, слышалось, не только по своему кабинету, но и по предбаннику, где обычно сидит секретарша. С ним разговаривал кто-то незнакомый...

— В любом случае мы не приветствуем, когда наши работники помимо преподавания занимаются бизнесом. — Начальство говорило голосом удивленным и слегка сердитым: сердитость тлела где-то в его нижних слоях, как неостывшая вулканическая лава под слоем пепла. — Трудно поверить, что наш доцент, зарекомендовавший себя как добросовестный... да, добросовестный сотрудник, способен так поступить.

Неужели это о нем? Все-таки о нем? Игорь Бойков хотел бы усомниться, но кто еще, кроме него, на кафедре занимается бизнесом? И о ком, как это ни печально, нечего сказать, кроме кислой похвалы «добросовестный»?

— Обратитесь в органы налоговой инспекции, — рекомендовал другой голос, незнакомый, несущий скрытую угрозу.

— Непременно обращусь.

И — вот расплата! Так скоро и так внезапно! Налоговые органы хранят, конечно, отчет о каждом этапе большого пути Игоря Бойкова, пройденного им начиная с 2003 года... Но, может быть, все еще обойдется? Может, если сейчас тихонько повернуться и на цыпочках от кабинета отойти, то потом никто его не потревожит, как будто ничего и не было? Мало ли, профессор, допустим, не захочет обращаться в налоговую, или обратится, но решит не поднимать шума, в конце концов, добросовестные работники ему нужны... Сразу несколько мыслей трассирующими пулями пронеслись за считанные секунды в голове Бойкова, которая от неожиданности показалась пустой, гулкой и словно бы не своей.

Но — нет! Бойков до хрустальной отчетливости осознал, что ничего не рассосется. Что над ним нависла беда, которую не переждать, не пересидеть, не отложить. Значит, нужно сделать шаг ей навстречу. Это был очень трудный шаг, сравнимый лишь с тем, который Бойков в свое время сделал навстречу Гарольду Николаевскому и всему, что с ним связано. Но все-таки в этом майоре милиции сохранилось достаточно мужества, чтобы, на ходу прощаясь с иллюзиями благополучной жизни, постучаться в дверь профессорского кабинета, за которой громыхали молнии и потрескивало статическое электричество.

Прежде чем Игорь Бойков успел доложить о прибытии, по лицу профессора он понял, что не ошибся: речь шла не о другом сотруднике кафедры, а именно о нем. И значит, он пришел вовремя...

Спустя некоторое время генерал-майор милиции Грязнов имел основания сообщить государственному советнику юстиции третьего класса Турецкому нижеследующее:

— Этот Бойков, ты знаешь, Саня, за последние четыре года успел учредить шесть структур. Ушлый парень! Одной из них была фирма «Евразия». Я тут запросил информацию у компетентных органов. По их данным, «друзьями» этой организации являлись сотрудники спецназа МВД. В настоящее время сопровождением деятельности ООО «Евразия» занимаются высокие чины из МВД, то есть из того МВД, в котором я сам служу. Представляешь?

Турецкий кивнул, едва приподняв понуренную голову. Он представлял это даже слишком хорошо: в нашей стране, покрытой ржавчиной криминала, существует порочная практика, когда человек, разбирающийся в юриспруденции, занимается учреждением организаций на себя, а потом переводит их на другое лицо. Скорее всего, подобное имело место и в данном случае. Боже, как грустна наша Россия!

— Ну, Слава, а дальше что?

— А дальше? В результате разработки высоких чинов из МВД мои люди выявили нескольких генералов и полковников во главе с начальником канцелярии министра генерал-майором Федором Кисловым. Это они крышевали фирмы, учрежденные авантюристами Бойковым и Николаевским. Подобраться к этим гадам сложно, но я попробую. Ты знаешь, как я к таким вещам отношусь...

— Не томи, Слава! С нашим-то делом что? С убийством Великанова?

— Жаль огорчать тебя, Саня, но с нашим делом, увы и ах, полный швах! Имел я беседу с этим великим комбинатором из Академии милиции, который, как услышал, в чем его с Николаевским обвиняют, сразу в штаны наложил и бросился объяснять, как все получилось. Хирург Великанов, оказывается, договорился с этими двумя дельцами, чтобы те учредили сначала на себя фирму «Салон красоты», а позже к учредительству должен был подключиться и Великанов. Это им, конечно, было невыгодно, поэтому они тянули, сколько могли. Но Великанов поставил себя так, что крупную долю финансового пирога все равно приходилось скармливать ему. А как же — фигура! Они в нем были кровно заинтересованы, особенно после того как он стал телезвездой. Буквально за пару дней до того как Великанова убили, Бойков и Николаевский сговорились пойти ради него на серьезные уступки... Из-за этого убийства, как видишь, они и значительного дохода лишились, и до разоблачения достукались. Так что непохоже, что это они его убрали. Но ты не переживай: теперь все их контакты вскроют, за каждую ниточку подергают и, если что-то еще обнаружится, немедленно сообщат нам.

— Значит, эта нить тоже никуда не ведет...

— Не волнуйся, Саня. Если ты не забыл, у нас еще остаются нерасследованными контакты покойного с ФСБ!

Заново встречаясь с Анной Семеновной, Лилией и сыном покойного, оплетая их сетью прямых и окольных вопросов, Грязнов и Турецкий были вынуждены признать свое поражение: по-видимому, Анатолий Великанов действительно не посвящал членов семьи в свои отношения с ФСБ, и местоположение подмосковного пункта, куда он ездил оперировать, оставалось пока неизвестным. Все они в один голос утверждали, что у Анатолия Валентиновича никакой спецклиники в Подмосковье никогда не было!

Стоило еще потормошить на этот предмет Ксению Михайловну. Однако здесь возникли непредвиденные трудности...

Если с Глебовым Ксения Великанова держалась в рамках холодной вежливости, то Турецкий не получил от нее даже этого. Сообщение о том, что следствию по делу об убийстве ее мужа требуется снова расспросить ее о некоторых деталях, вызвало с ее стороны бурю негодования. Вдова откровенно взбесилась, заявила, что это жестоко — терзать допросами женщину, потерявшую любимого, что она плохо себя чувствует, что у нее нет ни одной свободной минуты... Когда же наконец ее удалось уломать, вид ее действительно не свидетельствовал о хорошем самочувствии. Веки красные, нос не напудрен, в одежде чувствовалась небрежность... Ксения Великанова выглядела лучше даже на похоронах. Как будто со дня смерти Анатолия ее разрывала внутренняя борьба, по сравнению с которой сама смерть выглядела незначительной.

— Вашим сотрудникам надо было с самого начала задать мне нужные вопросы. — Едва ответив на приветствие Турецкого, Ксения ринулась в атаку. — В чем дело, почему вы себе позволяете дергать мне нервы?

— Потому что вы, Ксения Михайловна, — с нажимом произносил Турецкий, — не были откровенны со следствием.

— Я сказала все, что мне было известно, — вздернула подбородок Ксения. В ее движении чувствовался, однако, не вызов, а самооборона.

— И все-таки кое о чем вы умолчали. Может быть, вам это показалось малосущественным, но для нас это важно. Вы ничего не сказали об отлучках Анатолия Великанова, когда его не было ни дома, ни на работе. Вы не могли не строить догадки, почему он надолго оставляет вас одну...

Реакция Ксении была предсказуемой — но при этом бурно-внезапной. Слезы выступили у нее на глазах, полились по щекам. Турецкий мог пододвинуть к плачущей женщине стакан воды, но терпеливо, не делая ни движения, как охотник в засаде, ждал, когда она отрыдается. И поступил правильно: постепенно самообладание вернулось к вдове. И тогда из маленького нервного рта, из созданных искусством покойного хирурга губ, на которых даже сейчас не размазалась помада, хлынули признания — весьма сенсационные. Правда, не совсем те, на которые рассчитывал Турецкий...

...Ксения Маврина, которой еще ни разу не приходилось соблазнять мужчину, ломала голову над тем, как ей привлечь внимание доктора Великанова. Она не хотела в этой деликатной сфере быть дочерью своего высокопоставленного папочки, она хотела, чтобы Великанов заинтересовался ею — только ею самой... Но шансы чертовски ничтожны: кто она для него? Одна из надоедливых пациенток, профессиональная рутина. Наверняка многие пытаются его соблазнить... На самом деле Ксения напрасно волновалась: Анатолия Валентиновича заинтересовал план преобразований лица, который она составила для себя.

— Сделать прямой нос горбатым? А вы не боитесь, что это вас изуродует?

— Вовсе нет, — сердито ответила Ксения, изготавливаясь к спору, будто перед ней был консервативный папа, а не мужчина ее мечты. — Мне же не нужен нос, как у индейского вождя! Но если посадить вот сюда горбинку — низко, ниже обычного, — все лицо подтянется, станет изящней...

— Тихо, тихо, не надо тыкать себе пальцем в лицо, — остановил ее хирург, как маленькую девочку. — Вот, смотрите, мы ввели в компьютер ваши фотографии в разных ракурсах. Вот мы начинаем менять ваш носик... Смотрите-ка, вы правы! У вас есть вкус. И смелость. Впервые встречаю женщину, которая решается на такие радикальные преобразования.

Слышать такие слова от него? О счастье! Ощущать тепло его щеки, когда он низко склоняется над Ксенией, — это рождает совершенно особые чувства. Новые, непривычные... Ради этих чувств она готова на все.

Ксения Маврина шла на все. Она в подробностях изучила его биографию — при этом наличие жены и ребенка выглядело досадной помехой, но не воспринималось как реальная угроза ее посягательствам на Великанова. Она нахально втиралась к нему в кабинет, чтобы завести разговор — начиналось с обычных пациентских расспросов о сроках излечения, физиотерапии после операции и прочих профессиональных штучках, а кончалось вещами совсем не медицинскими. Анатолий Валентинович увлекался живописью, и на эту тему Ксении неизменно находилось что сказать — недаром мама и гувернантки с малых лет таскали ее по музеям, заграничным и отечественным. Вот скучища, думала она тогда, а теперь пригодилось... В живописи всех времен и народов изрядную долю составляют любовные сюжеты, но Ксения с внезапно родившимся в ней женским чутьем избегала обсуждения таких полотен. В искусстве Анатолий Валентинович отвергал все, намекающее на банальные отношения мужчины и женщины, предпочитал странность, вызов, экстрим, воплощением которых предстояло стать Ксении, и она нетерпеливо ждала, когда же перед ней откроются врата, ведущие в мир, похожий на его любимые произведения искусства.

В те считанные секунды, когда наркоз изменил деятельность мозга, но отключения сознания еще не произошло, Ксения физически видела эти ворота, открывающиеся заманчиво, точно дверцы часов на фасаде театра Образцова, с тихим позваниванием — детски-волшебно. Анатолий Валентинович смотрелся на их фоне, точно ангел у райских врат. С десяток зеленовато-белых нимбов светились за ним — в круглой бестеневой лампе. Летя во тьму, она сохраняла перед глазами его сияние. Пока все не угасло.

Он ввел ее за руку в этот мир. Он держал, слегка сжимая, ее руку, взволнованно-потную.

Так брезжилось в наркозном сне. На самом деле по пробуждении (с закованным в белизну, точно у свежеизготовленной мумии, лицом) ей предстояло пройти ряд этапов к достижению цели. В отличие от других пациенток, стремящихся выздоравливать в домашней обстановке, Ксения после операции, даже после снятия швов, цеплялась за клинику до последнего. Неотступное следование за Великановым, надежды, разочарования, отступления, прямые атаки и снова надежды. Великанов сдавал позицию за позицией, но все еще оставался верен жене и семье. Это увеличивало его ценность в глазах Ксении: человек, для которого семья много значит, будет верен ей в новой семье.

Какая наивность! Да ведь она и была всего лишь девочкой, не имевшей опыта общения с мужчинами. Для нее оставались неясными мотивы его поступков... Впрочем, ситуация, в которую попала Ксения, была так нестандартна, что и опытная пожирательница мужчин могла бы ошибиться.

Восхищаясь оригинальностью новой внешности, явившейся в полном блеске после того как изгладились следы швов (Витка Целлер и рядом не стояла!), и окраской волос наложив последний штрих, Ксения все же упустила из виду то, что искусный великановский нож сделал ее менее похожей на женщину. Нет, она не превратилась в мужчину или в мальчика, но ее черты теперь несли нечто бесполое или, по крайней мере, обоеполое. Жилец нездешнего мира, дивный пришелец, Зигги Стардаст Дэвида Боуи или Маленький Принц в исполнении Ольги Бган. И этот образ привлек хирурга: сотворив из Ксении свой тайный идеал, он влюбился в создание рук своих.

Идиллия Пигмалиона и Галатеи продолжалась полтора года. А потом настал в их семейной жизни тот страшный летний день.

Лето Ксения неизменно проводила на Николиной Горе — там у Мавриных была большая дача, где две и даже три семьи могли вести совершенно раздельное существование, не встречаясь. Несмотря на это обстоятельство, родители на дачу больше не ездили, предоставив ее всю во владение молодых. Против ожидания, Михаил Олегович отнесся к зятю положительно (не плейбой, честный трудяга!) и уговаривал только поторопиться с внуками. Мама же, наоборот, советовала доченьке не спешить беременеть, пожить для себя — возможно, не веря в прочность брака с разведенным мужчиной. Ну, насчет развода — это глупости! А вот детей Ксения хотела. Даже двух: девочку, похожую на Толю, и мальчика, похожего на нее. Разморенная летним днем, она скорее грезила, чем дремала у себя в комнате, уронив с одеяла ненужный триллер на итальянском языке, представляя, как они вместе с детьми гуляют по улицам Венеции... когда ее вырвал из блаженного полубытия хлопок двери на втором этаже.

Анатолий Великанов не слишком любил дачу Мавриных: для него она так и не стала родным гнездом. Правда, в последнее время он начал бывать здесь чаще, и Ксения надеялась, что удастся его приохотить к дачной жизни. В доме он, во всяком случае, не сидел: то на рыбалку отправится, то на прогулку... Вот и сейчас он должен быть на спортивной площадке. Или не так? Кто же тогда хлопает дверью? Игнорируя возможную опасность, думая только о встрече с мужем, Ксения босиком выскочила из комнаты. По лестнице спускался Толя в необычной компании... в сопровождении сына домработницы.

Эта местная домохозяйка, женщина из обслуги, часто брала с собой сына-подростка, красивого, как... Ксения хотела сказать «как девочка», но нет, как мальчик, именно как мальчик, избавленный как от грубой мужественности, так и от признаков переходного возраста — ни прыщей, ни отрастающих кое-как усиков, ни развязности движений. Матовая смугловатая кожа, темно-румяные губы, миндалевидные глаза — в его отце, наверное, текла кавказская кровь.

Сейчас губы мальчика цветом напоминали раздавленные зерна граната — они были искусаны, измучены. Обтянутые сверху донизу, несмотря на жару, тугими джинсами ноги неуверенно находили ступеньки. Можно было бы подумать, что ему стало плохо и Анатолий его поддерживает на правах врача, но нет! С той позиции, на которой стояла Ксения, не составляло труда заметить, что рука мужа лежит на плечах сына домработницы свободно сверху — не поддержка, а объятие...

— Рома, — громко спросила Ксения мальчика, — с тобой все в порядке?

И то, как резко Толя убрал руку с чужих плеч, доказало, что ее худшие предположения являются правдой.

Толя злился. Выпроводив Рому, закатил скандал. Обозвал Ксению глупой телкой, уверял, что всего лишь хотел показать сыну домработницы кое-какие книги, доказывал, что только извращенные люди повсюду видят извращения, кричал, что, если ему не верят, так, пожалуйста, он уйдет... Ксения сначала настаивала на своем, потом всхлипывала, просила прощения. Говорила, что полностью ему верит... Ведь она не хотела его отпускать, потому что любила! Но на самом деле, при всей любви, она верила своим глазам. Они ее и впоследствии не обманывали. Как не обманывали взгляды, которые Анатолий, не стесняясь присутствия жены, устремлял на лиц мужского пола...

Знал бы кто, что это за мука — ревновать мужа не к женщине, а к мужчинам! Постоянно коришь себя за то, что ты никуда не годишься как женщина, настолько никуда не годишься, что вселила в мужа отвращение к женщинам вообще, если бы ты была другой, ему не было бы надобности бегать за мужчинами... В то же время ощущаешь себя существом онтологически низшим, которого ничто не может поднять до состояния человека. Низшим от рождения, низшим по не зависящим от тебя обстоятельствам. Если появилась на свет женщиной, можешь сразу ставить на себе крест.

И в таком аду жила Ксения! И в таком аду она стремилась жить! Да, она держалась за Толю, несмотря на его сексуальные предпочтения. Он был нужен ей, и она прощала ему все. Во избежание постоянных скандалов она закрывала глаза на определенные вещи. Но раздражение нарастало, искало выхода, прорывалось немотивированными слезами и истериками. Не из-за этого ли Ксения Великанова заслужила репутацию стервы? На поверхность ее мучения прорывались стервозностью, внутри сдвигались слои раскаленных вулканических пород. Необходимость постоянно сдерживаться сжимала ее, точно колючий корсет. Страшно признаться, но после смерти Толи ей стало легче. Настолько легче, что в одну откровенную минуту Ксения задала себе вопрос: почему я раньше его не убила?

Только не надо делать скоропалительных выводов! Она его не убивала... Она даже постаралась всячески обелить его память. Но когда ей задали прямой вопрос, она не смеет больше скрывать истину.

Турецкий поблагодарил вдову за откровенность, задаваясь вопросом, что же ему с этой откровенностью делать. Все зависит от того, пригодятся ли следствию новые сведения. Если не пригодятся, он ни с кем ими не поделится. Турецкий уважал чужое право на личную жизнь. У него у самого богатая личная жизнь, он знает, что это такое.

224

Глава одиннадцатая

ПРЕДСМЕРТНЫЕ ЗАПИСКИ О ЛЮБВИ

В целях выяснения длительных и, возможно, непростых отношений покойного Великанова с госбезопасностью пришлось Меркулову поднимать свои связи в ФСБ. Несмотря на сложности аппаратных игр, которых в этом ведомстве всегда хватало, он договорился о встрече с первым заместителем директора ФСБ Николаем Никитичем Карпушиным. Генерал Карпушин принял Меркулова, а заодно и Турецкого с Грязновым, в своем рабочем кабинете в новом здании ФСБ в Кунцево.

Несмотря на то что по календарю еще не кончился ноябрь, погодка ударила специфически зимняя: мостовые обледенели, создавая проблемы автотранспорту, стылый солнечный день нестерпимо сиял. В его сиянии каждая деталь вырисовывалась с предельной отчетливостью, и Турецкий, которому досталось место у окна, различал через белые твердые полоски штор ближайшие деревья вплоть до отдельных лысых веток. А отводя глаза от городского пейзажа за окном, имел счастье созерцать генерала Карпушина, чье лицо было столь же ясным и отчетливым, как зимний день. В ФСБ специально пестуют такие честные, мужественные, непроницаемые лица. А может, изготавливают искусственно, поточным способом, с помощью достижений пластической хирургии? Уж не являлся ли носителем этой государственной тайны убитый Великанов? Забавляясь своими мыслями, Александр Борисович, однако, по выработанной годами привычке не упускал ни слова из монолога, которым с доверительностью — возможно, напускной — облагодетельствовал их Николай Никитич.

— Ну да, был такой Анатолий Великанов. Способный, исполнительный, умел соблюдать конспирацию, хорошо себя зарекомендовал, делал операции... Какие именно, мне, поймите, сказать трудно, я ж не хирург! А работал он, по имеющимся данным, еще несколько лет назад в нашей секретной клинике. Документацию я вам мог бы показать, но его анкеты не содержат ничего, кроме паспортных данных, а это ничем вам не поможет.

Меркулов сохранял вежливое молчание. Профессионал! Даже не уточнил относительно Подмосковья. Турецкий тоже придерживал пока свои вопросы. Торопить генерала ФСБ — дурной тон: сам расскажет все, что надо. Все, что ему надо... Какой все же яркий день! Это не к добру — наверняка не сегодня завтра настанет перемена погоды, ударит настоящая зима, недаром идет такое похолодание. А может быть, дело совсем не в погоде, и день представляется таким ясным и отчетливым по сравнению с обнаруживающейся в этих стенах теневой стороной жизни покойного Анатолия Великанова, где все приблизительно и смутно, а относительно ясности остается только мечтать.

— Та клиника, о которой идет речь, существовала в городе Видное, — медленно, постепенно перешел к сути дела Николай Никитич. — До развала СССР она находилась на высшем уровне западных медучреждений, а для наших больниц и научно-исследовательских институтов это вообще была ого-го какая высота! Великанов не прогадал, что ему довелось там поработать... Ну потом, конечно, пошел развал, как по всей стране, клиника еще кое-как работала, правда, новейшее оборудование уже не закупали. А в конце концов выяснилось, что в бюджете ФСБ нет средств для продолжения ее финансирования, и клиника была ликвидирована. Ее помещение передали в управделами центрального аппарата ФСБ. Правда, доктор Великанов, опираясь на свои заслуги, попросил оставить одно из помещений за ним. Там, он так объяснил, будет производить свои опыты, а если нужно, то и оказывать услуги старым товарищам. Мол, при необходимости всегда сделает операцию сотруднику ФСБ. Кому поправит веки, кому нос. Но это уже по-дружески, не по-служебному. Наше руководство не возражало.

— Так, значит, после 1995 года он с вами уже не сотрудничал? — встрял все-таки с вопросом Турецкий, заслужив обеспокоенный Костин взгляд — то ли предупреждающий, то ли разочарованный.

— Ни-ни! — замахал руками Карпушин. — Пластические хирурги, которые подтягивают морщины знаменитым дамам, — они ведь вроде актеров, вечно в свете прожектора. Доктор Великанов не желал, чтобы о его многолетних контактах с органами КГБ — ФСБ знали его обычные постоянные пациенты. Желал, чтобы и семья не знала.

— Семья и не знала, — подтвердил Турецкий.

Теперь им было известно, как Великанов стал владельцем и хозяином собственной небольшой клиники в Подмосковье. Конкретно, в городе Видное. И наведаться туда не помешает. Причем как можно скорее.

Вечером Александр Борисович имел возможность с удовольствием убедиться в безошибочности своего чутья на погоду: в половине десятого, сразу после программы «Время» повалил такой густой снег, что, когда огни в окнах дома напротив вспыхивали и гасли, то за этой снежной пеленой казалось — там включалась и выключалась новогодняя иллюминация. Деревья стройно вытягивались в белых барашковых шапках, точно генералы на параде. Идеальная атмосфера для экранизации сказки «Снежная королева» или другой какой-нибудь симпатичной детской сказки, где снежные хлопья украшают темную пахучую зелень новогодней елочки. Приятно смотреть на это праздничное убранство природы, если ты отгорожен от него оконным стеклом, в отлично обогреваемой квартире. А вот стоит представить, что по такой погодке (весьма вероятно, восемьдесят процентов гарантии!) придется завтра разогревать машину и тащиться в подмосковный городок Видное, черт его знает в какую глушь, и сразу сказочная умиротворенность сменяется раздражением, и по коже, несмотря на то что батареи в квартире обжигающе-горячие, начинают бегать мурашки.

— Чем это ты, Шурик, так залюбовался? — спросила, неслышно приблизясь сзади, Ирина Генриховна. — А меня что-то беспокоит Антоша...

Супруга не уставала поражать Турецкого легкостью перескакивания с одной темы на другую. Иногда она (должно быть, для упрощения общения) совмещала в одной реплике две темы, предоставляя собеседнику выбирать, какую из них обсуждать. В данном случае Александр Борисович предпочел обе. В порядке очередности.

— Залюбовался я на проезжую часть в условиях снегопада: нам со Славой Грязновым завтра тащиться за город. А кто такой Антоша и с какой стати он тебя беспокоит?

Ирина почему-то обиженно сложила губы, хотя Турецкий не заметил, что сказал ей что-нибудь обидное.

— Неужели ты до такой степени безразличен, с кем водится твоя единственная дочь?

— Ага! — До Турецкого стало доходить. — Так, значит, Антоша — это тот самый хмырь, с которым сейчас

Нинка гуляет, дружок ее. А позвольте, почему он вдруг стал Антоша? Я всю дорогу был уверен, что его зовут Сережа.

— Ты, как обычно, все перепутал, — укорила мужа Ирина. — Сережа — это прежний ее приятель, такой высокий, худой брюнет с плохими зубами. Он у нас уже больше года не показывается. А Антоша — среднего роста, телосложение скорее как у мистера Пиквика, но мускулы есть...

— А зубы? Как у него с зубами?

— С зубами? У него — отлично. На меня произвел неизгладимое впечатление треск, с которым он у нас при солидных и уважаемых гостях на дне моего рождения пожирал куриные кости из холодца. Антоша мог бы перекусывать колючую проволоку.

— Здорово! Рад за Антошу. По крайней мере, предметом твоего беспокойства послужили не его зубы, и это уже кое-что.

— Вечно ты шутишь, Шурик. — Очевидно, сегодня вечером в телепрограмме не значилось никакого шоу, потому что Ирина намерена была говорить с мужем долго и всерьез. — А меня, откровенно признаться, насторожила история, которой поделилась со мной Нина. Ей почему-то кажется, что это смешная история, но лично я считаю по-другому...

— Отлично, Ириша, я готов выслушать эту несмешную историю. Только зачем нам разговаривать у окна? Давай сядем на диван.

Когда отпущенный Турецким край занавески полностью отделил комнату от снегопада, показалось, что вдруг стало тихо и тепло, хотя и раньше здесь не было шумно и холодно. Очутившись на диване, Александр Борисович привычно потянулся к очкам и газете, но Ирина Генриховна таким же привычным жестом, свидетельствующим о долгих тренировках, перехватила очки:

— Нет, Шурик, почитаешь потом, газета никуда от тебя не убежит. Ты же обещал выслушать эту историю!

— Да, и обещал, и выслушаю. Я хотел надеть очки только для того, чтобы лучше видеть тебя, красавица моя ненаглядная...

— Прекрати, Саша! — Ирина уже с трудом сдерживала смех. — Как будто я не знаю, что эти твои очки только для чтения, для дали у тебя другие...

— Так где же история? Я жду.

— В общем, Антоша купил себе собаку...

— Бультерьера?

— А почему ты так решил?

— Ну, не знаю. Просто попытался представить себе Антошу: среднего роста, широкий, мускулистый, зубы отличные. Какая собака ему подойдет? Скорее всего, бультерьер.

— Не помню я, как называется эта порода, но Нина сказала, что эти милые собачки, еще будучи щенками, прогрызли стену панельного дома и выбежали наружу гулять.

— Бультерьер. Помяни мое слово, окажется бультерьер.

— По-моему, Нинка по-другому называла породу, не бультерьер, но не важно... Одним словом, всех щенков разобрали, остался один. Его тоже хозяева пытались пристоить. Сначала за деньги, благо пес породистый, потом просто в хорошие руки. Но отовсюду его возвращали. Причина? Агрессивный, неуправляемый, кусает всех, кто попадает в поле его зрения. Одним словом, на нем поставили крест, собирались уже усыпить, когда на горизонте появился Антоша. Ему как раз Нина сообщила, что в детстве хотела завести собаку, но ей не разрешали, вот он и решил ей преподнести в подарок, практически бесплатно, это чудовище, то есть сокровище. И если, мол, у них в будущем сложатся отношения, ему тоже нужна собака: для престижа и дом сторожить. Когда Нина от прежних хозяев (они вдвоем с Антошей приехали к ним забирать собачку) услышала, что за зверь этот пес, она засомневалась, стоит ли с ним связываться. Но Антоша ее уговорил. «Не бойся, — сказал, — я с ним справлюсь».

Ирина Генриховна сделала трагическую паузу.

— Собака укусила Нинку? — предположил Турецкий, уже зная, что это не так. Если бы какой-то пес нанес дочери серьезную травму («челюсти на ножках» — так в народе бультерьеров зовут), Ирка не болтала бы сейчас с мужем, а спасала бы, ухаживала, перебинтовывала, дежурила, кормила свое чадо. Чего бы ей это ни стоило.

Пауза продолжалась.

— Собака прогрызла стену в Антошином доме? — уже более заинтересованно выдвинул следующую версию Турецкий. Ирина отрицательно качнула головой.

— Ну так что же она такого натворила?

— Собака ничего не натворила, — раздельно, едва не по слогам, произнесла Ирина Генриховна. — Не успела. Антоша с ней справился. Хочешь знать, каким методом?

Турецкий хотел. Как знать, может, доведется иметь дело с разъяренными собаками.

— Так вот! — В голосе Ирины появились обвиняющие интонации. — Когда они привезли домой к Антоше это чудовище — а Нина поджимала ноги, чтобы он ее не искусал, — Антоша заперся с псом в отдельной комнате. Нина ждет-ждет, а они не выходят. Она уже в милицию звонить собиралась, думала, пес его загрыз.

Вдруг открывается дверь и выходит Антоша. Пес идет рядом, тихий и смирный, смотрит на Антошу снизу вверх преданными глазами. Нина, конечно, спрашивает: «Как тебе это удалось?» А Антоша отвечает — Нина дословно процитировала, так что извини: «Мы как вошли в комнату, я ему отдал команду: "Сидеть!" А он не подчиняется. Еще возбух на меня, быковать начал. Ну, я его хрясь табуреткой по башке! Он — плюх на жопу и сидит, на меня пялится. Зато теперь понял, кто здесь главный»... Шурик, что здесь смешного?

— А что здесь грустного? — с трудом выговорил Турецкий сквозь смех. — Все нормально кончилось, Ир, чего ты волнуешься?

— Я волнуюсь из-за нашей единственной дочери, которая дружит с таким человеком, как этот Антоша. И, по-моему, я права. Представляешь, Шурик, а вдруг они поссорятся? Что же, значит, это он и ей может — хрясь табуреткой по башке? Чтобы доказать, кто здесь главный?

— Ну, во-первых, — отсмеявшись, Турецкий обрел рассудительность, — девушка — это все-таки не собака. Надеюсь, даже Антоша, способный перекусить колючую проволоку, понимает, кто из них требует более нежного обращения... А во-вторых, я уверен, что моя дочь сама в случае чего способна хрястнуть табуреткой по башке. Или, по крайней мере, ускользнуть из-под удара. А в том, что если он ее ударит, она, как Сережу сменила на Антошу, так и Антошу сменит на какого-нибудь Алешу, я тоже уверен на все сто. В Нинке — моя порода. Турецкие не дрессируемы!

Ирина Генриховна поджала губы. Александр Борисович обнял супругу, привалив ее на диван.

— Иришка, не расстраивайся! Ты права, Антошины манеры выглядят подозрительно. Он уже где-нибудь работает? Какого возраста этот юноша?

232

— В бизнесе работает. Торговые перевозки или что-то такое похожее... Да, по-моему, Нина именно о грузоперевозках говорила. Если надо, я у нее уточню.

— Не волнуйся, Ириша. Добудь мне его отчество и фамилию, я проверю по своим каналам. Только Нинке пока ничего говорить не будем. Ладно? Уговор?

— Но я обязана ее предупредить, чтоб она требовательнее выбирала друзей, чтоб не совершить ужасной ошибки...

— Тише, мать! Каждый человек, особенно молодой, должен иметь в жизни свою квоту ошибок. А по тому, насколько эти ошибки ужасные, как раз и проверяется предыдущее воспитание. Понятно? Я убежден, что мы неплохо воспитали Нину. Наша дочь — разумная девушка и сумеет во всем разобраться сама.

— Слушай, Саня, — нервно заявил Слава Грязнов, вертясь на переднем сиденье машины Турецкого, — мне это крепко не нравится.

В Видное, где располагалась мини-операционная Великанова, решили ехать с самого утра. Темно, шоссе скользкое, водители матерятся и нарушают правила дорожного движения... Действительно, масса поводов для недовольства.

— Что не нравится? — рассеянно спросил Турецкий, следя за знаками поворота. — Как я веду?

— Нет, как нас ведут.

— Что?

— Посмотри в зеркало заднего вида... Примечаешь вон того «бумера»?

На шоссе группировались в разных комбинациях не менее четырех «БМВ». Популярная машина. И не сугубо бандитская, как это почему-то поется в не менее популярных песнях.

— Которого?

— Грязного.

Турецкому пришлось приглядеться, чтобы понять, что имеет в виду его старый друг. А когда разглядел, убедился в его правоте. «БМВ» и впрямь был грязен — да чего там, он был грязен настолько, что даже на крыше не просматривался его первоначальный цвет. По таким густейшим заскорузлым потекам дети и хулиганы не станут прокорябывать «Помой меня», или «Танки грязи не боятся», или что там еще принято писать пальцем на автомобильных боках, — хотя бы по той причине, что пальцем такую толщу не взять, потребуется скребок. Трудно было поверить, что такое неумытое чудовище выезжает из Москвы, однако это соответствовало действительности.

— Наверное, много пришлось сунуть на лапу гаишникам, — философски хмыкнул Александр Борисович, — чтобы пропустили его в таком виде. Как он ни во что еще не врезался, удивляюсь: лобовое стекло сплошь замазано. Ничего хуже давно не наблюдал.

— Ага. Точно. А хуже всего, что он нас преследует.

— Нас? А с чего ты решил?

— Я его заметил, когда к тебе ехал. Подумал еще, вроде тебя: ну и свинья, автомойдодыра на него нет! Но когда второй раз... Я тебе стопроцентно говорю: кто-то нас ведет.

— Глупейшая маскировка, — попытался опровергнуть Славу Турецкий. — Будто нарочно, чтобы его заметили.

— Наоборот, идеальная маскировка! Помыл машину и полностью сменил имидж. Будто ни за кем не следил.

Ненадолго оба притихли. Установить, следит за ними грязный «бумер» или его появление в этом месте и в это время — игра случая, пока не представлялось

234

возможным: слишком много машин двигались на шоссейной глади по прямой. Во всяком случае, обогнать он их не пытался, даже когда возможность для этого появлялась.

— Слава, — прервал молчание Турецкий, — я же предупреждал, чтобы члены следственной группы не распускали язык при разговорах по телефону. И ни с кем не делились подробностями этого дела...

— Санек, я ведь и обидеться могу. Ты, что ли, меня не знаешь? Насчет служебных тайн я — могила!

— Вспоминай, Слава, вспоминай: может, случайно кому проговорился о поездке в Видное?

— Да ты чего? Да когда бы я успел? Полных суток не прошло с того момента, как нам с тобой сказали о Видном!

Слава раскалялся от возмущения, а Турецкий внутренне холодел: Славины подозрения оправдывались. Приметный «бумер» продолжал неизменно следовать в их фарватере. Дистанцию держал неагрессивную, скорее выжидающую, но при этом и не прятался. Наглый, однако, тип... Или типы? Сколько их туда набилось? Вооружены они или нет? И — главный вопрос, ответ на который жизненно важен, — чего они от Грязнова с Турецким хотят?

— Ладно, Слава, извини, погорячился. По правде сказать, от тебя я и не ждал никакой утечки информации.

— Так и быть, извиняю. Я незлопамятный. Только уж очень хреново все...

В поведении «бумера» было что-то вызывающее, но будто бы и спокойное. Так демонстрируют силу без намерения ее применять. Когда хотят применить силу, противника не дразнят, а сшибают в кювет или решат из автоматов. А тут водитель словно бы впрямую

235

дает понять: «Да, мои дорогие, я вас пасу. Будьте бди-тельны».

— Слушай, Слава, — высказал Турецкий наиболее рациональную из подвернувшихся идей, — а что, если это сотрудники ФСБ? Только они знают, куда мы с тобой намылились в это ненастное утро...

— Хы-хы, — довольно сказал Слава. — Совсем госбезопасность до ручки дошла, машину помыть денег не хватает. Где уж им пластических хирургов содержать!

Смех смехом, а неустановленный «БМВ» эскортировал их до самого Видного. Там он неожиданно развернулся и так же неторопливо тронулся в обратном направлении. Номера его, как и следовало предполагать, оказались замазаны грязью до полной неразличимости.

В Видном Турецкий и Грязнов знали, к кому обращаться. Помощник генерала Карпушина подполковник Феликс Озеров передал Турецкому адрес, нужные телефоны и, как он выразился, «человека». Это был комендант помещения, отставник госбезопасности Олег Комаров.

Полковник в отставке Комаров оказался худым стариканом с длинным по-лошадиному, армейски-английским лицом, на котором выделялись подвижные рыжеватые брови, ездившие во время разговора вверх-вниз. Одет он был по погоде и, в общем, заурядно, но с намеками на служилое прошлое: просторная куртка, неуловимо напоминающая маскхалат, брюки защитного цвета, заправленные в сапоги. Он встретил генералов Турецкого и Грязнова возле серого забора — стандартного забора, каких в любом городе найдется не меньше десятка, а по стране, должно быть, тысячи. За таким забором может располагаться завод, стадион или больница — самая обычная больница. В данном случае в его ограде помещалась тоже больница, но не совсем обычная...

Неизвестно, каково было состояние других корпусов, которые Грязнов с Турецким мельком увидели, пересекая по дорожке двор, летом превращавшийся, должно быть, в симпатичное озелененное место с подстриженными газонами, но корпус, куда привел их Комаров, был великолепен. Его стены не забыли о прошлом величии, о лучших временах, которые пришлись для него на эпоху, когда аббревиатура «ФСБ» не заступила еще на смену «КГБ». Белые колонны, лепные пятиконечные звезды, обвитые лентами, — большой имперский стиль! А внутри — все современно. Видимо, обстановку старались максимально отдалить от больничной, вводя в интерьер вьющиеся растения, авангардные статуи, изображающие нечто вытянутое и гнутое, и странные композиции, напоминающие японский сад камней. Людей попадалось на удивление мало, и все они были одеты тоже не по-больничному, не в пижамы, а на зарубежный домашний лад.

— Хорошо у нас тут, — с гордостью сказал Комаров, и брови его вздернулись выше обычного.

— Ну да, — вежливо согласился Турецкий, которого мало интересовали интерьерные красоты. — Нам бы операционную посмотреть.

— Это где Великанов, значит, работал? — уточнил Комаров то, что и без вопросов прекрасно знал. — Это пожалуйста.

Из области, пограничной с внешним миром, они постепенно углубились в запутанные ответвления и магистрали, чтобы вступить в царство сугубо больничных коридоров, вымощенных кафелем, по которому положено было ступать лишь ногам медицинского персонала, — пациентов, уже подготовленных к наркозу, ввозили сюда на каталках. Правильно, вот и каталки выстроились вдоль стен. Что-то похоронное есть в их железно-кожаном строю... Или это так мерещится из-за того, что Великанов, оперировавший здесь, убит? Сначала оперировал сам, затем кто-то произвел операцию над ним — операцию кровавую, грубую и смертельную. Есть ли связь между этими двумя фактами?

Отставник Комаров, вдоволь повозившись со звенящими ключами, открыл помещение операционной. Операционная как операционная, чистая, белая, с окнами во всю стену, оборудована по последнему слову техники, — впрочем, Александр Борисович не медик, ничего в этом не понимал. Не мешало бы, конечно, прихватить эксперта-врача, но начальство ФСБ, и без того со скрипом давшее разрешение на визит посторонних в Видное, его присутствия не потерпело бы. Придется справляться собственными силами...

Внешний осмотр операционного стола и нависающей над ним огромной лампы ничего не дал. В прилегающих к операционному залу помещениях обнаружилась мебель, более привычная глазу: письменный стол, шкафы... И сейф. Небольшой, аккуратный, плотненький, коричневобокий, он подмигивал сыщикам замочной скважиной. Игнорируя его молчаливый призыв, Грязнов и Турецкий первым делом обследовали ящики шкафов и письменного стола, но ничего особенного не нашли. Если не считать великим достижением нацарапанный кривой латынью рецепт, который Грязнов решил захватить с собой.

Пора было заняться сейфом.

— Олег Васильевич! — позвал Турецкий отставника, который, не желая мешать, остался в коридоре. Отставник явился, неохотно возвращая себе военную выправку. — Олег Васильевич, откройте нам, пожалуйста, сейф.

— Сейф?

— Ну да, сейф.

— Вот этот?

— Какой же еще?

— Вот жалость! — Комаров с трудом подавлял прокрадывавшееся в голосе торжество. — Этого ключа у меня нет.

— Так идите и принесите, — сохранял терпение Турецкий.

— Откуда я возьму? Вот, все ключи, которые есть, все при мне. Ключа-то от сейфа у меня никогда не было.

Турецкий и Грязнов вынудили его перепробовать на сейфовой скважине весь комплекс скрежещуще-гремящих ключей; пробовали сами... Но, увы! Ключа от сейфа у коменданта Комарова и вправду не оказалось. Он изображал превеликую готовность приложить все силы к делу открывания сейфа, делал большие глаза, двигал бровями, разводил руками и непрерывно извинялся за то, что «ничем не могу вам помочь, уважаемые коллеги!». Видимо, был здорово проинструктирован вышестоящими товарищами. Но даже если так, что с ним делать? Не пытать же!

— Есть у меня один вариант, — сказал Грязнов, когда Турецкий прекратил бесполезные муки подбора ключей. — Ванька Козлов.

— В самом деле? — Турецкий запомнил этого парня, который работал вместе с ним над расследованием убийства художника-граффера и помог предотвратить теракт в московском метро[1]. — А он тут при чем?

_____
[1] См. роман Ф. Незнанского «Семейное дело».

239

— При чем, Сань, при чем. Отмычки — это его любовь. Такого опытного взломщика, как Ванька, медвежатники на руках носили бы. Ему наш сейф — на один зуб... то есть на один, так сказать, ключ.

Пришлось Грязнову звонить по мобильнику, вызывать Ивана Козлова с набором инструментария. В ожидании квалифицированной помощи Турецкий расспрашивал Олега Васильевича:

— А что там, по идее, должно храниться, в этом сейфе?

Относительно этого пункта Комаров, очевидно, не получил инструкций соблюдать секретность и объяснил, что в сейфе находились истории болезни тех, кому хирург здесь проводил операции. А как известно, в историях болезни должны быть фотографии пациентов. Как до, так и после проведенной операции. Лицо-то ведь получалось другое...

— Как и другие имя-фамилия. Понятно...

Олег Васильевич потупился.

Иван Козлов, который за то время, что Турецкий с ним не общался, успел дослужиться с лейтенанта до капитана, прибыл в Видное на служебной машине, которую сразу же отпустил. Его профессиональные ухватки, с которыми он приблизился к сейфу, а также набор блестящего острого инструментария, извлеченного из чемодана, делали его похожим на хирурга, что как нельзя более соответствовало обстановке.

— Гляди, Санек, гляди, — шепнул Грязнов Турецкому, — в ключах Ванька — гений!

Гениальный Иван Козлов вскрыл сейф за десять минут двадцать две секунды, учитывая время доставания инструментария. Турецкий не бросился к жалобно звякнувшей дверце: с его места было видно, что внутренность сейфа, на которую возлагалось столько надежд, абсолютно пуста.

Наши следователи поняли, что до них в этой «операционной» кто-то уже побывал. Скорее всего, «смежники», то есть люди того же генерал-полковника Карпушина.

Открытие произвело тягостное впечатление на Славу Грязнова, который, как заведенный, бросился по второму кругу осматривать помещение, безудержно твердя: «Ну ведь так не может быть! Ну ведь осталось же что-то, правда?» Турецкий предпочел иную тактику.

— А где отдыхал Великанов, когда оставался на ночь в городе Видное? — спросил он отставника Комарова.

— А вот в другом крыле здания у него была маленькая комнатушка, — ответил Комаров. — Там он пил кофе, отдыхал, делал какие-то записи.

— Записи? Это интересно. Пошли в комнатушку!

«Комнатушка» была в полном смысле слова комнатушкой — высокой, узкой, в точности пенал, поставленный на-попа. К ней прилагался микроскопический санузел, вмещавший впритирку раковину, унитаз и стоячий душ с черным резиновым ребристым ковриком. В самой комнате царил минимальный гостиничный уют, где нет ничего лишнего, но все необходимое имеется. Желтый стол, прожженный сигаретами, два косоногих стула. Кожаный низкий диван. Шкаф... Турецкий распахнул створки шкафа. Внутри тоже все стандартно: справа — большое платяное отделение, слева — вертикальный ряд ящиков, которые Александр Борисович без особых надежд повыдвигал. Точно, сплошное убожество: окаменевшая банка с сахаром, коробка пропахших затхлостью чайных пакетиков, кружки, ложки...

Чем-то его, однако, продолжал тревожить этот шкаф. Захлопнув его и отступив на несколько шагов, Турецкий задрал голову.

— А там что? — спросил он Комарова.

— Хлам какой-то, — высказался Комаров с явным неодобрением по адресу бывшего постояльца, который захламил вверенную ему комнату. — Давно выбросить пора.

Турецкий молча взял стул и подвинул его к шкафу.

— И охота вам связываться, — занудно резонерствовал Олег Васильевич, пока Турецкий с риском для жизни исполнял на трещащем стуле акробатический этюд. — Ну кто хорошую вещь на шкаф положит? Вряд ли это вам пригодится. Так, небось, ерунда какая-то.

— А вот мы посмотрим, — пыхтел Турецкий, — хорошая это вещь или нет, пригодится она нам или нет. С детства, понимаете, обожаю в хламе копаться, уж такой у меня характер. В подвалы люблю забираться, на чердаки... опять же, на шка-а... а... Апчхи!

Следом за Александром Борисовичем расчихались все присутствующие: со шкафа на них низвергся селевой поток пыли. Зато вещь, которую Турецкий приметил еще снизу, оказалась у него в руках. Толстая красная папка, содержавшая несколько общих тетрадей в клеенчатой обложке, исписанных почерком убитого хирурга. Как показал беглый просмотр, записи были датированы и представляли собой нечто вроде дневника. Этих бумаг, по всей вероятности, не заметили «смежники» при обыске. Вернее, не придали осмотру особого значения: ведь то, что им было нужно, они нашли в сейфе. И изъяли...

Дальновидный Турецкий пригласил понятых, составил официальный протокол изъятия вещественных доказательств, то есть обнаруженных письменных документов. В протоколе поставил свою подпись и отставник Комаров. Разочарование, что за столько времени он не нашел бумаг покойного Великанова в таком доступном месте, а теперь уже никогда не узнает их содержания, проступало на его физиономии так явно, что становилось неприличным — как если бы полковник в отставке, скинув с себя одежду, исполнил перед заезжими следователями танец живота. Не в состоянии посочувствовать Комарову, Турецкий тем не менее отлично понимал его: ему тоже позарез хотелось узнать, что же такое понаписал Анатолий Валентинович, если вынужден был скрывать рукопись от самых близких людей.

И не мелькнет ли между строк разгадка его смерти?

День, переполненный событиями, приближался к концу. Зимой темнеет рано, и вечер представлялся глубокой ночью. Прихватив с собой Ваню Козлова, Грязнов с Турецким погрузились в машину и тронулись в обратный путь. По дороге дело не обсуждали, не желая вовлекать Козлова в его перипетии, а потому в машине слышался лишь звук мотора — отстраненный, ровный, убаюкивающий...

— Я сплю или брежу? — примерно на середине пути раздался голос Турецкого. — Разбудите меня!

— А? — подскочил Слава, который, утомясь глазеть на смутное мелькание покрытых снегом обочин с торчащими из них метлами зимних кустарников, на самом деле задремал.

— Я говорю, у меня глюков нет? Посмотри, Слав, твой «летучий голландец» опять за нами претется!

— Какой голландец? Чей голландец?

— Проснись, птичка моя! Твой засветившийся грязный «бумер» снова на трассе. Гроза дорог! Не помылся даже. Нарочно, чтобы мы его ни с кем не спутали.

— Да ты что? — всполохнулся Слава. — Он же в Москву возвращался... вроде бы.

— Вот именно, вроде бы! Отсиделся, наверное, в окрестностях, нас поджидал.

И генералы затянули на два голоса, к смущению и восторгу Ивана Козлова:

Грязный «бумер», грязный «бумер»
                              по шоссе шатается,
Грязный «бумер», грязный «бумер»
                              очень нам не нравится!

В Генпрокуратуре, освободив одно из помещений и приказав членам следгруппы не совать сюда свои любопытные носы, Турецкий и Грязнов, словно студенты-зубрилы накануне экзаменов над одним конспектом, склонили свои лысеющие головы над текстом общих тетрадей доктора Великанова — точнее, первой из них, судя по ее истертому виду и по датам записей. Александр Борисович, ссылаясь на плохое зрение, совершил было попытку завладеть тетрадью безраздельно, но Вячеслав Иванович эту вылазку быстро пресек, и в результате они устроились на двух плотно сдвинутых стульях, тесно притершись локтями.

Итак, первая страница. Отчетливый, закругленный, вроде бы даже не врачебный почерк, похожий и не похожий на тот небрежный, которым Великанов заполнял истории болезней. Сразу угадывалось, что занесение записей в эту тайную тетрадь было для него настолько далеко от повседневной обязаловки, что оно вызывало любовные, даже — чем черт не шутит! — интимные чувства.

«Тела, тела, тела. Груди — вялые, обвисшие, похожие на собачьи уши. Еще груди — вздыбленные имплантантами, наступающие, победоносные. Ягодицы — до вмешательства дряблые и плоские, после — тугие, торжествующе-твердые, словно кокосы. Идеальное лицо, лишенное морщин, особых примет и штрихов биографии, — предел женских мечтаний. Кровь, кровь, кровь. Скальпели, пинцеты, шовный материал — изнанка глянцевой гладкости. Кровь на перчатках, сброшенных в мусорное ведро; ради чего льется столько крови? Правда упрятана внутрь. Снаружи — выставка манекенов. Манекен — подобие человека. Женщина тоже — всего лишь подобие человека. Жаль, что я смирился с этим только сейчас. До этого я идеалистично (идиотично!) искал подход к каждой из тех, которые на меня претендовали, тратил себя на то, чтобы пробиться к отсутствующей душе. Сколько времени потеряно...»

— Санек, — нарушил тишину Слава, — объясни, я не понял: это дневник или авангардный роман?

— Авангардный дневник. Читай, не отвлекайся. Потом сверим впечатления.

Действительно, в руках следователей оказался своеобразный дневник-роман, который, по всей вероятности, Великанов писал несколько лет, остерегаясь его кому-либо показывать. И правильно делал, невзирая на все художественные достоинства текста! Покажи он такое своим героям, не сносить бы ему головы. Не возрадовались бы ни любимые (в кавычках) жены, ни коллеги из известного ведомства...

«Они не способны видеть в людях ничего, кроме отражения своей манекенной сущности. Для женщины идеальный мужчина — это управляемый мужчина. Робот, пульт управления которым держит унизанная браслетами и кольцами рука с длинными накрашенными ногтями. Естественно, женщины хотят управлять мужчинами — в качестве компенсации, потому что женщинами очень легко управлять. Ими каждый день манипулируют через рекламу, сериалы, журналы, предназначенные специально для этих человекообразных, чей мозг в период половой зрелости стремится ссохнуться до объема грецкого ореха. Головной мозг женщины меньше головного мозга мужчины — это анатомический факт. В период беременности мозг женщины уменьшается даже по сравнению с первоначальным объемом — это физиологический факт. Не видел в жизни ничего страшнее, чем превращение девушки, которая казалась мне здравомыслящей, культурной и даже — о смех! — умной, в исступленную самку, сначала беременную, потом кормящую. Интеллект гаснет, остается голый инстинкт: постоянно, круглосуточно облизывать свое отродье. По окончании беременности женщине никогда больше не стать такой, какой была до нее».

— Это он о своей первой жене? — снова не выдержал Слава. — У Ксении от него детей не было, значит, не о ней... Ух, скотина! Собственного ребенка обозвать отродьем! А сам-то он как на свет появился: не из женщины? Из лягушачьей икры?

Турецкий тоже не мог не задуматься над этими фантастическими строчками покойного автора. Откуда они взялись в воображении Великанова? Скорее всего, пластический хирург смертельно устал от женщин, в окружении которых он проводил свои дни, с детства и до смерти. В его жизни женщин оказалось больше, чем у любого донжуана. Возможно, это изменило его отношение к ним? Может, он не смог больше идеализировать женщин? Легко ли видеть в женщине подругу, возлюбленную, мадонну, если профессиональный опыт доказывает, что женщина — это всего-навсего кости, кожа, силикон? Великанов перетрогал столько женских грудей, сколько обычному мужчине и не снилось. Это не может не наложить отпечаток на личность и мироощущение человека. Турецкий слыхал прежде, что среди пластических хирургов, как и среди гинекологов, значительная часть гомосексуалистов, но поверил в это лишь сейчас.

Погруженный в свои мысли, Турецкий не откликнулся на реплику Грязнова, и они продолжили чтение.

«Тем не менее большинство самок стремится хотя бы раз в жизни родить. Они пребывают под влиянием иллюзии, что количественное размножение способно оправдать их качественную неполноценность. Те из них, которые избегают размножения, находятся под влиянием худших иллюзий — они терзают себя тем, что фатально далеки от идеала красоты. Такие попадают ко мне на операционный стол. В соответствии с правилами, мы обязаны отсекать невротичек с помощью психиатрической консультации, но истина заключается в том, что жажда усовершенствования своей внешности есть форма обычного женского невроза.

Я не пишу здесь — жажда красоты. Жажда красоты женщинам недоступна. Это мужская привилегия.

Жажда красоты — это то, что горело во мне всегда. То, что подтолкнуло меня заниматься хирургией, то, что вело меня по жизни. Редко когда человек получает такой сильный стимул к занятиям той или иной профессией, поэтому неудивительно, что я достиг в ней успеха. Подозреваю, это и делает меня по-настоящему привлекательным. А что еще? Моя внешность? Я хорошо сложен, у меня правильные черты лица с намеком на нордическую суровость — такие, как я, высоко котируются в обществе. Но чтобы оживить, одухотворить этот конгломерат правильности, нужно что-то неправильное, негладкое, не присущее всем. Присущее избранным. Священный огонь...

Я сразу распознал его принадлежность к избранным — распознал, как только увидел. Не будет ли чрезмерной смелостью сказать, что я узнал его? Узнал того, кого ни разу не видел... Нет, видел! Но как удивительно, как странно... В детстве я был одиноким ребенком:

из-за постоянной боязни инфекций заботливые мама и бабушка не отдали меня ни в ясли, ни в сад. Мальчишеские дворовые компании отторгали молчаливого ребенка с длинными волосами. «Девчонка, — кричали мне в спину и кидали снежки, — девчонка!» Тогда я действительно лучше находил общий язык с девочками: у меня было несколько двоюродных сестер, с которыми мы благоразумно играли в лото и настольные игры, где требовалось пройти долгий извилистый путь из одного сказочного королевства в другое, а по пути победить всех врагов, не провалиться в болото и не дать себя съесть людоеду и Змею Горынычу. Бросание кубика с разным количеством точек на гранях исполняло роль судьбы в этой игре... Охотно предаваясь картонным путешествиям, я не переставал хотеть чего-то более тесно связанного с жизнью. Мне требовался друг — мальчик-друг. Я сотворил его, вызвал силой воображения, он сидел со мной за обеденным столом, помогая расправляться с ненавистными котлетами, вместе со мной склонялся над книжкой с приключениями (мы оба рано научились читать), вместе со мной лепил снеговика под надзором бабушки в укромном уголке заснеженного парка, на грани сумерек, где погиб закат, но еще не родилась ночь. У него тоже были длинные волосы, в отличие от моих — светлые, золотистые. Искрящиеся, голубые, какие возможны лишь в сказках, глаза. Легкость в движениях, которая не исчезает с возрастом только у гимнастов и героев. Неуязвимость, которая даруется одним лишь детям, не верящим, что на свете есть смерть.

Я узнал его. Как это страшно — я узнал его! Какое счастье! Тот мальчик из воображения, он родился, вырос и встретился мне. Он не мог быть моим ровесником и оказался моложе меня, но какая разница? Мы узнали друг друга, не говоря ни слова. Я боялся, что иллюзия разрушится, как только он заговорит, — примитивный ум в такой совершенной телесной оболочке? — но вскоре выяснилось, что мудрость его ничем не уступает красоте. Мой мальчик-мечта не стал хуже: возраст не предал его, скорее усовершенствовал, явив уникальное совпадение внешних и внутренних качеств.

В нас бьется один огонь. Мы предназначены друг другу. Мы избраны.

Жажда красоты также объединяет нас. Это открылось, когда он привел меня в свою мастерскую. Он попросил в качестве ответного дара провести его в клинику, и я пообещал. Правда, высказал сомнение, не покажется ли труд хирурга шокирующим тому, кто ни разу не видел человеческого тела в разрезе. Хладнокровно он отвечал, что когда увлекался экспериментами с красным цветом, то посещал скотобойню. Прямо там писал этюды, сидя по щиколотку в нутряных отбросах, а после пил свежую, только что выпущенную кровь быка — солено-металлического вкуса и очень полезную, чистый гематоген. В мире осталось крайне мало вещей, которые способны его шокировать. Материал художника — холст и масляные краски, материал хирурга — человеческое тело, так что ж! Главное, создавать прекрасное с помощью доступных тебе методов. Меня освежила простота его взглядов на жизнь».

— Ничего себе! Санек, ты про бойню прочел? По-моему, Великанов подобрал себе какого-то маньяка.

— Подождем делать выводы. Может быть, художник не причастен к смерти Великанова. Пока что из дневника ни одна строчка на это не намекает. Но в любом случае надо его допросить.

— Сначала его надо найти.

— Найдем. Уж кого-кого, а его найдем. Судя по подробностям, этот художник — ба-а-льшой оригинал!

— А может, Великанов проговорится? Выдаст имя?

— На это надежды мало, — рассудительно заметил Турецкий. — Он его так описывает, что иногда можно подумать, что художник — не человек, а выдумка. Сверхъестественное существо. Муза пластического хирурга!

И действительно, на какие еще мысли способны навести нижеследующие описания:

«Он явил мне себя. Я видел его таким, как он есть, без покровов, которые в обязательном порядке требует напяливать на себя скучная общественная мораль. Это тело, лишенное теней, состоящее из белизны сплошной облачности. Кристаллический пар, тающий в синеве неба, на миг сформировавший облик греческой статуи. Неужели никто до меня не отмечал с такой болезненной остротою, насколько греческие статуи классического периода похожи и не похожи на людей? Это не мужчины, не женщины: существа, лишенные излишества обоих полов; человеческий образ в его совершенном развитии».

Дальше, впрочем, «человеческий образ в его совершенном развитии» конкретизировался до деталей, указывающих на то, что художник был все-таки мужчиной. Для Грязнова и Турецкого — людей с заурядными сексуальными вкусами, придерживающихся «скучной общественной морали», — читать это было противно, а временами смешно. Впрочем, никто из них не только не засмеялся, но даже не хмыкнул: этому выражению чувств препятствовало постоянное сознание, что рука, любовно выводившая эти строки, тлеет сейчас в могиле. Обоим казалось, что они присутствуют при эксгумации пострадавшего, убитого каким-то сложным и непристойным способом... Не выдержав, Слава вскочил и прошелся по комнате.

— Может, чайку? — обращаясь к окну, закрытому занавесками, вопросил он.

— Какой чаек, меня сейчас стошнит! Послушай-ка, Слава, чтобы нам быстрее управиться, давай-ка читать порознь: половину тетрадей возьму я, половину — ты. Если наткнемся на что-то ценное, поделимся.

Слава с радостью согласился. Выражение «чтобы быстрее управиться» его не обмануло: просто-напросто невыносимо было читать вместе двум людям нормальной половой ориентации все эти описания. И долг службы здесь ни при чем.

Прочесывая свою порцию записей, Турецкий задержался на фрагменте семейного быта супругов Великановых:

«Ксения приобрела нервность в еде. Сидеть с ней за одним столом становится невыносимо: в моем присутствии она обязательно начинает стучать ножом и вилкой по тарелке при разрезании мяса, обрызгивать скатерть соусом или (самое безобидное!) измельчать накрашенными в кровь ногтями бумажную салфетку. Не раз я ловил ее на тайном поедании из шуршащих пакетиков соленого арахиса, жареных семечек и прочей мусорной снеди. Удовлетворив эту потребность, она бежит к унитазу и засовывает два пальца в рот, как будто вместе с недоброкачественной пищей стремится изгнать из себя нечто ее беспокоящее. Нечто, вошедшее в ее жизнь вместе со мной... Кое-что относительно моих желаний она знает точно, об остальном может только догадываться. Я не обязан оправдываться перед Ксенией: я таков, каков я есть. Когда она узнала, каков я на самом деле, она, с извечной враждебностью, обращаемой женщиной против того, кто не в силах любить ее, могла бы изгнать меня — раз и навсегда, вместо того чтобы практиковать свои пищевые фокусы. Или завести себе любовника, на худой конец. Неужели я бы ее не понял? Неужели я бы ее упрекнул? Упрекать скорее следовало бы меня, потому что я ее обманул. Невольно. Я пытался, скорее, обмануть свою природу, полагал, что если не получилось с Лилей, получится с Ксенией, которая совсем не похожа на Лилю. Не получилось; ну так что же! Это не причина для Ксении портить свою жизнь. Она свободна любить кого хочет, точно так же, как свободен в этом и я.

Но она этого не сделает. Наоборот, когда ей открылась моя основная сущность, Ксения впилась в меня еще сильнее. Следует предположить, что обладание мужчиной имеет для женщины самостоятельную ценность...»

Этот фрагмент заставил Александра Борисовича задуматься. Крепко задуматься... Из раздумий его вывел голос Славы:

— Саня! Саня, ты только взгляни, что он пишет! Это последняя тетрадь... Великанов предчувствовал свою смерть!

Строки последней тетради обдавали холодом:

«Моя жизнь подходит к концу.

Я только что произнес эти слова вслух, стоя перед зеркалом, и почувствовал, что из моих уст они звучат до странности фальшиво. Я нахожусь в жизнеспособном, далеком от старости возрасте. На моем лице совсем немного морщин. Мои внутренние органы в безукоризненном порядке — правильный образ жизни, ежедневные пробежки с моржеванием и ежегодная диспансеризация делают свое дело. Кровь струится по моим сосудам без лишних завихрений. Я — отличный представитель человеческой породы. Таким, как я, мои коллеги без колебаний запишут в медицинской карте: «Практически здоров».

И тем не менее, среди полного здоровья и того, что люди называют материальным благополучием, я готов умереть...

Нет! Написав последние слова, я усомнился. Я не готов умереть, я хочу жить! В мире, который я покидаю, остается много такого, что я не увидел, не пережил, не ощутил. Но смерть не спрашивает о наших желаниях. Я чувствую ее дыхание, ее нежную кожу, вдыхаю запах ее светлых волос. Она постоянно рядом с нами, когда мы вместе — я и мой мальчик, моя статуя, мой идеал. В последнее время смерть полюбила присутствовать за его плечом, проникать в его тело, подменять его сущность. А может быть, смерть — это и есть ОН?

Я начинаю понимать традицию изображений смерти, которая раньше вызывала мое недоумение. Да, действительно, древним грекам мог видеться Танат, брат бога сна Гипноса, такой же нагой, могучий и прекрасный. Для обитателей европейского Средневековья, привычных к созерцанию выставляемых напоказ в церквах мощей, смерть закономерно была скелетом, кое-как обтянутым лохмотьями кожи и прикрытым черным монашеским одеянием с капюшоном. А я? Мое поколение, полусоветское-полукапиталистическое, не принадлежит ни к одной традиции и вынуждено собственноручно лепить и искать образ смерти. Мой образ смерти сам меня нашел. Не самый плохой образ. Пожалуй, лучшее, что я могу пожелать себе, — покинуть этот мир путем любви.

Почему же мне страшно?

Догадка давно брезжила на дне моего естества, не допускаемая в сознание. Однако недавно мне стало все ясно — когда ОН задал мне вопрос относительно моего прошлого. ОН осведомлен более, чем я думал. Неужели ЕМУ известно все обо мне? В этом есть явственное дуновение мистики. Да, многое теперь приоткрывается... Особенно внезапный ледяной озноб, охватывающий меня в моменты, когда полагается испытывать жар.

Ну что же в этом страшного? Холод ничем не хуже жара, как январь не хуже июля. Иногда, отпуская на свободу воображение, я взываю к той зиме — зиме моего детства, когда постоянно был со мною рядом мой милый выдуманный друг. Каким-то чудом он перестал быть выдумкой — очевидно, только для того, чтобы увести меня в тот заснеженный парк, где мы будем играть с ним, так по-детски и так по-взрослому. Полностью одни, лишенные даже бдительного взгляда бабушки. И так — вечно...

Единственное, что меня тревожит: как именно ЭТО произойдет? Автомобильная катастрофа? Припадок гнева Ксении, которая способна схватиться за оружие? Приказ меня убрать со стороны конкурентов? Одно я знаю наверняка: мой ангел смерти будет со мною рядом. Так или иначе, ОН будет причастен к этому. А может быть (не смею надеяться) ОН сделает это САМ? Это было бы актом милосердия с его стороны.

Пусть только ОН не заставляет меня страдать! Пожалуйста, пусть ОН не заставляет меня долго страдать! Я врач, для меня привычно вмешиваться в человеческий организм. Но боль страшит меня. А инструмент смерти далек от хирургического — эта безобразная коса... Уповаю на то, что для меня ОН выберет что-нибудь более точное и безболезненное. В конце концов, ведь я же его любил. Думал, что и ОН способен меня любить, и до сих пор лелею эту мысль.

Как это грандиозно и адски страшно — ангел смерти ходит среди людей и называет себя обычным человеческим именем: Артем Богданович Жолдак!»

На этом рукопись обрывалась. Имя, снимающее покров тайны с того, кто, собственно, и являлся вторым главным героем этого биографического романа, было выведено косо, уходя по диагонали в низ страницы, но читалось отчетливо.

— Ну и что ты на это скажешь? — торжествующе спросил Слава Грязнов. Торжество его было обусловлено отчасти еще и тем, что искомый результат получен и не надо больше копаться в дневнике, который для Славы был противней, чем содержимое выгребной ямы.

— Жолдак, — вслух произнес Турецкий, — Жолдак... Что-то знакомое до безумия.

— Он же художник, а ты у нас к живописи неровно дышишь. Может, ты картины его видал? На выставке был?

— Нет, не то, Слава, не то, совсем другое, вроде бы даже с нашей работой связанное. Артем Богданович... Богдан Жолдак... Что-то такое вертится, а ухватить не могу.

— Ну, если не можешь, давай-ка обратимся в нашу службу информации. Вдруг там твоего Жолдака давно ухватили за задницу?

— Шурик, — озабоченно спросила Ирина Генриховна, после того как муж, отогреваясь после путешествия в Видное и леденящего изучения великановского дневника, выпил третью кружку чая с жасмином, — тебе удалось что-нибудь узнать?

— Удалось, — между двумя глотками сообщил Турецкий. — И очень важное.

Разговаривал он с трудом: больше всего хотелось спать. Сонное тепло наплывало на него из желудка, наполненного чаем, и от ног, на которые он, чтобы побыстрее согреться, натянул шерстяные носки. Перед глазами Александра Борисовича, складываясь в различных сочетаниях, словно фрагменты мозаики, летали осколки этого дня, как действительно увиденные, так и воображаемые. Операционная в городе Видное... длинноволосый мальчик, который лепит снежки под надзором старухи в черном пальто... отставник, побрякивающий связкой ключей... смерть с косой... Ксения Великанова, рвущая в клочья салфетку алыми ногтями... запыленные рукописи на шкафу... неизвестный художник с головой-черепом, который пишет картину на бойне, стоя по колено в крови... снова кровь, вытекающая из груди Анатолия Великанова, в точности как на фотографиях места происшествия...

— Узнал, Ириша. Теперь у нас появилась реальная ниточка. Убийце не отвертеться.

— Так он еще и убийца? — тихонько взвизгнула Ирина, хватаясь за сердце. — Я почему-то так и думала.

— Нет, Ира, ты не права. На этого убийцу никто не мог подумать. Он оставался вне поля зрения правоохранительных органов.

— Значит, ловко скрывался.

— Не думаю. Просто никому и в голову не приходило его подозревать. Эта версия никому не могла бы показаться перспективной.

— Лично я сразу бы заподозрила. У нас, женщин, есть особое чутье, тебе этого не понять. Ведь он жестокий человек?

— Конечно, жестокий. И очень странный.

— Вот и мне с самого начала так показалось. Как можно было пройти мимо этих странностей?

— Ты заблуждаешься: запросто проходили и не видели. Нам помогла случайность. Ну... отчасти, конечно, и то, что мы знали, в какой области искать.

— В области грузоперевозок?

— А при чем здесь грузоперевозки? — почти испугался Турецкий. Утомленное сознание подсунуло ему здоровенную свинью в виде развеселенькой картины: по зимней дороге в город Видное движутся колонны грузовиков, за которыми стелется след из кровавых капель. Что они везут: мясные туши с бойни? Результаты неудачных экспериментов в области пластической хирургии? Или что-нибудь пострашней?

— Ну как же, ведь его бизнес связан с грузоперевозками.

— Его бизнес? Слушай, кто тебе рассказал всю эту ерунду на постном масле?

— Ну как же, — скорее удивилась, чем рассердилась Ирина Генриховна, — Нина и рассказала. Она же лучше меня знает, чем занимается ее парень.

— А-а, наконец-то до меня начинает доходить смысл этого эпизода... Мы что, снова об Антоше? Который свою свирепую собаку-бультерьера чуть было не загрыз?

— А о ком же?

— Ф-фу, от сердца отлегло. Слушай, Ир, нельзя же так пугать человека! Я ведь уже не мальчик, я ведь и дуба дать могу.

— Тебя напугаешь, как же, — ворчливо сказала Ирина. — Родная единственная дочь неизвестно с кем дружит, а ты и не шевелишься. Обещал ведь выяснить, кто такой Антоша и нет ли за ним какого-нибудь криминала!

— Обещал? Значит, выясню. Вот добью это проклятое дело и выясню. Нарочно постараюсь побыстрей поймать убийцу, чтобы побыстрее добраться до Антоши с его бультерьером. И его грузоперевозками. Да, грузоперевозки — это очень странно, ты совершенно права!

И не слушая больше того, что еще пыталась договорить Ирина Генриховна, направился к кровати. Спотыкаясь, потому что засыпал на ходу.

Глава двенадцатая

СМЕРТЕЛЬНОЕ ШОУ ПО ИЗМЕНЕНИЮ ЛИЦА

В выяснении вопроса, кто такой Артем Жолдак, Грязнову и Турецкому на самом деле оказала неоценимую помощь служба информации МВД. Выяснилось, что здесь, впрочем, более известен не Артем Жолдак, а его отец — металлургический король Богдан Мечиславович Жолдак, владелец самого крупного металлургического завода России. Вернее, теперь уже бывший. Причем надежда «ухватить» его переместилась в разряд несбыточных желаний...

Выходец из пограничных польско-украинских областей, постоянно напоминавший о своем происхождении стриженной в кружок головой и длинными усами, с годами сменившими светло-соломенный цвет на чистое серебро седины, этот благообразный промышленник имел биографию, типичную для людей, получивших доступ к бывшей общенародной советской собственности, — тех, кто вошел после в немногочисленную категорию олигархов. Работа в металлургической промышленности Российской Федерации, вначале комсомольский, затем — партийный стаж, должность директора завода... В годы перестройки ушлый западный славянин не растерялся и вовремя приватизировал все, что поддавалось приватизации. Как, через какие руки, с какими нарушениями — в те времена этих вопросов не задавали, тем более сильным личностям, которые, подобно Богдану Жолдаку, обладали разветвленными связями как в верхах, так и за границей. Но факт остается фактом, что образование на развалинах СССР нового государства Российского Жолдак встретил с полным набором частной собственности. И не считал себя виноватым! В чем же он виноват? Разве только в том, что он успел, а другие — нет. А кто не успел, тот опоздал.

Казалось, благоденствие Жолдака будет длиться вечно. Однако времена меняются, и тот, кто не успел измениться вместе с ними, должен готовиться к худшему. Правительство России больше не состояло из лояльных в отношении Богдана Мечиславовича людей: одних из прежних его покровителей проводили на пенсию или удалили — послами — в малозаметные страны, другие, к сожалению, вынуждены были сами срочно выехать на постоянное место жительства за границу. Постепенно Богдан Жолдак — волчьим чутьем, не отбитым годами спокойной жизни, — уловил, что дело принимает крайне нежелательный оборот. На его завод регулярно стали наведываться комиссии, он постоянно обнаруживал вблизи себя каких-то типов с официальными лицами, которым непонятно что от него было нужно. После того как личный секретарь расстроенно сообщил Богдану Мечиславовичу, что, по его сведениям, кто-то брал и, возможно, скопировал важные документы из его сейфа, Жолдак понял, что русская земля горит у него под ногами. Следствием явилось то, что он в невероятно короткие сроки (такой стремительности и прыти от него не ожидали!) продал свой завод за запредельную сумму смешанной российско-британской компании и отбыл в неизвестном направлении.

Следственные органы объявили его в федеральный, а затем и в международный розыск, так как обнаружились тяжкие преступления с его стороны во время приватизации главного и других металлургических комбинатов России. Одним словом, олигарх Богдан Жолдак обвел вокруг пальца российское государство и был таков. Его не может нигде найти даже Интерпол!

Следствием по делу Жолдака занимался Следственный комитет (Департамент) МВД, главой бригады был полковник Петр Катышев.

Грязнов и Турецкий переглянулись:

— Петя Катышев?

— Ну да!

— Друзья встречаются вновь!

Петька был им отлично знаком еще по прежним временам. Если позвонить и попросить уточнения, на какой стадии находится дело Жолдака и какими подробностями оно обросло, возможно, это пролило бы свет на загадочного «ангела смерти», как называл Жолдака-младшего покойный Великанов.

Собственно говоря, проще было бы с ходу узнать у Пети все о Жолдаке-младшем как таковом, выяснить его адрес и заявиться уже к нему, чтобы как следует побеседовать. Именно так и предложил с самого начала поступить Слава Грязнов. Однако Турецкий настаивал на том, что они сначала должны выяснить все, что только возможно, относительно Богдана Мечиславовича.

— Любишь же ты, Санек, лишнюю работу делать, — наконец уступил Слава.

— Ага, — охотно согласился Александр Борисович. — Хлебом меня не корми, главное, работу подавай...

Услышав в телефонной трубке голос старого приятеля, Петя Катышев обрадовался. Однако при известии о том, что от него понадобилось, радость исчезла.

— Я это дело больше не веду, — почти свирепо буркнул он.

— С какой стати? А кто его ведет?

— Никто. Дело прекращено ввиду смерти обвиняемого!

— Как так, почему? Кто его убил? При каких обстоятельствах?

Выслушав этот шквал вопросов, Катышев попыхтел в трубку и спросил:

— Саша, вы там что, вместе со Славой Грязновым Жолдаком занимаетесь?

— С кем же еще?

— Ладно, так и быть, только для такого высокого начальства, как вы, под мою ответственность... Давайте встретимся, и я вам лично все объясню. Это не телефонный разговор. Когда вам удобно?

— Как можно скорее!

— Я сейчас у себя...

— Нет проблем, подъедем.

Давно не виденный полковник Катышев произвел на Турецкого тягостное впечатление: до чего же обрюзг Петька, до чего же постарел! А ведь раньше был такой подтянутый, быстрый, легкий на подъем... Печальное зрелище. К тому же еще грустный, подавленный, а отчего, непонятно. Может, так жизнь его утомила, а может, не нравится ему это закрытое уже дело, которое, оказывается, еще способно кого-то интересовать.

— Ну вот, значит, — конспиративно-тихим голосом завел Петр Катышев, едва старые друзья присели вокруг его стола, — сам я тут ни при чем, ничего не видел, ничего не знаю. Официальные сведения о гибели олигарха Жолдака поступили от руководства СВР, службы внешней разведки. Руководство СВР поставило в известность МВД о том, что в городе Берлине произошла автокатастрофа: автомобиль «мерседес» попытался пересечь перекресток на очень большой скорости, но навстречу выехал другой автомобиль, столкновения с которым избежать не удалось. Находившийся за рулем машины «мерседес» Антон Шульц, он же Богдан Жолдак, получил тяжкие телесные повреждения, не совместимые с жизнью, и скончался, не приходя в сознание, в клинике города Берлина.

— Стало быть, — моментально просек Турецкий, — Жолдак проживал под именем Шульца в Берлине... или, по крайней мере, в Германии.

— Видимо, так, — неохотно согласился Петя.

— И служба внешней разведки настигла расхитителя российской собственности...

— Я вам этого не говорил. Вы меня не так поняли, — прищурился Катышев, пытаясь в этот момент изобразить совокупно трех буддийских обезьянок: «ничего не вижу», «ничего не слышу», «ничего никому не скажу».

— Спасибо, Петенька, дружище. Будем надеяться, мы все поняли правильно.

— Я все вам сказал?

— Извини, Петь, еще не все.

Лицо полковника Катышева вытянулось.

— Нас интересует сын олигарха, Артем Богданович Жолдак.

— А зачем вам? Мы им официально не занимались: сын за отца не отвечает, ну и все такое. Тем более он остался в России, никуда не уезжал. У него свой источник дохода, независимо от арестованных отцовских средств: Артем Жолдак — художник. Сотрудничает с несколькими известными галереями в Санкт-Петербурге и в Москве, в том числе и по дизайнерской части. Я в искусстве ни черта не смыслю, так что здесь мало чем вам помогу... А что, у вас завелся какой-то материалец против Жолдака-младшего?

— Может, да, а может, и нет. — Слава Грязнов оказался сдержаннее Пети Катышева. — Надо бы уточнить кое-какие моменты. Ты, Петь, черкни нам адресок этого сына, который, конечно, не отвечает за отца...

«И все-таки Петька очень плохо выглядит», — еще раз машинально отметил Турецкий. Эта мысль хранилась на дне сознания, пока не всплыла на поверхность — в тот момент, когда он, копаясь в бардачке автомобиля, случайно словил в зеркальце заднего вида свое отражение. Александр Борисович не имел обыкновения во всякие зеркальца глядеться — дама он, что ли? Смотрит, только когда бреется, и то главным образом на щеки и подбородок. А тут... мама родная! Да это ж не только Петьку — его с Грязновым тоже по старой памяти трудно узнать. У обоих седые волосы, морщины, Слава вдобавок еще и сильно погрузнел. Что делать — возраст, возраст!

— Саня, — Слава ткнул в бок замершего приятеля, — ты чего это?

— А? Да вот, — очнулся Турецкий, — задумался о том, что время идет, мы не молодеем...

— Я тебе на это анекдот из жизни расскажу, — оживился Слава. — Одна моя знакомая поведала, как говорится, со смехом сквозь слезы. Пришла она на прием по квартирному вопросу — то ли льготы, то ли переплата, то ли что еще — к одному чиновнику. Видит на двери кабинета табличку «Илья Александрович Клещиков» — и вспоминает: «А ведь был у меня одноклассник, тоже Клещиков, тоже Илья. Может, это он и есть? Вот было бы здорово!» Заходит в кабинет, видит этого Клещикова и думает: «Не может быть! Толстый, лысый, очки, как у водолаза... В нашем возрасте нельзя выглядеть таким старым. Этот — ровесник Илюшкиному папе, а то и дедушке. Но, на всякий случай, спрошу». Спрашивает: «Извините, вы случайно не учились в двести шестьдесят восьмой школе, в «Б» классе?» А он: «Правда, учился. А вы у нас какой предмет преподавали?»

— Безумно смешно, — отреагировал Турецкий с похоронным лицом.

— А ты чего переживаешь? Из-за красоты своей потерянной? Пластическую операцию, что ли, сделать захотел? — подцепил его Слава.

Благодаря этому вопросу машина стартовала под громкий хохот друзей. Оба в эту минуту подумали об одном: и раньше они не захаживали во всякие косметические клиники и центры пластической хирургии, а после этого расследования и подавно будут обходить все подобные заведения десятой дорогой.

— Ну и что ты собираешься делать с Петькиной информацией? — спросил Слава.

— Думаю, в одиночку я с ней ничего не сделаю. Зато, получив подобные сведения, стоит позвонить нашему американскому другу Питеру Реддвею.

Слава солидно кивнул. Он знал Питера, некогда встречался с ним в Москве, Турецкий же вообще некоторое время работал с Питером Реддвеем в Антитеррористической группе «Пятый уровень», при так называемом Маршалл Центре. Организация эта расположена под Мюнхеном, в городе Гармиш-Партенкирхен, а Питер до сих пор возглавляет эту школу. И Германия тебе, и разведка — до чего удобно!

— Ты предполагаешь, что убийства Жолдака и Великанова как-то связаны?

— Я ничего не могу конкретно предполагать, пока не выясню досконально, что произошло с Богданом Мечиславовичем Жолдаком.

«Но ведь они же совсем непохожи!» — едва не воскликнул экспансивный Питер Реддвей, сверяя на экране компьютера две фотографии, только что полученные им по электронной почте. У двух мужчин на этих фотографиях были разные носы, разные уши, разные подбородки, разные брови. Одного из них звали Богдан Жолдак, и он был русским. Другого звали Антон Шульц, и он был немец.

Тем не менее под двумя именами и под двумя лицами прятался один и тот же человек. Родился Богданом Жолдаком, умер Антоном Шульцем, — что ж, бывает. Если сменил имя, не логично ли вдобавок сменить и внешность? Тем более учитывая, что он вызывал пристальный интерес спецслужб... Жолдак-Шульц все рассчитал. Он мимикрировал с поразительной точностью. Надо полагать, если бы за ним не охотились, он прожил бы в Германии еще долгие годы, не вызывая у окружающих никакого подозрения. Впрочем, ничего удивительного, если учитывать, что Жолдак — русский. Ну, пусть украинец или белорус, — для Реддвея это было несущественно. В его глазах в выходцах из бывшего Советского Союза было больше того, что их сближает, чем того, что разъединяет. Все они в изрядной степени русские, хотят они того или нет.

Ох уж эти русские! Не раз соприкасаясь с ними на тернистом профессиональном пути, Питер Реддвей не уставал удивляться их запасу жизненной энергии и поразительной, даже с его шпионской точки зрения, приспособляемости. Еще в советские времена, выбираясь из лап тоталитарной системы, точнее, меняя одну систему на другую, русские политические эмигранты знали культуру тех стран, куда переселялись, порой лучше аборигенов, они прилагали усилия, чтобы ничем не отличаться от местных жителей, они из кожи вон лезли, чтобы стать стопроцентными американцами, канадцами, австралийцами, немцами — и им это удавалось. Русские легко перенимают у представителей других стран любой опыт — и положительный, и отрицательный, и научный, и криминальный. Поэтому Питер Реддвей интересовался русскими и любил работать с ними. Поэтому он следил за ними — часто с восхищением, иногда почти с испугом.

Действуя по поручению своего русского друга Алекса Турецкого, доктор Реддвей узнал много интересного. Первым делом он связался с обычной дорожной полицией Берлина и узнал детали автодорожного происшествия, ставшего причиной смерти Антона Шульца. По сообщению местной полиции, при вскрытии в крови потерпевшего судебный медик обнаружил наркотик, ранее неизвестный в криминальной практике. Судя по химическому составу, следует предположить, что его дают жертве, когда хотят, чтобы она потеряла контроль над своими действиями. Такое наркотическое средство, по-видимому, незаметно получил и Антон Шульц...

Однако сюрпризы, преподнесенные патологоанатомам шульцевским трупом, на том не кончились. Внимательно обследовав поверхность кожи, медики обнаружили на лице хирургические рубцы — тщательно замаскированные и практически незаметные, но несомненные. Берлинские эксперты выяснили, что несколько месяцев назад Шульцу была проведена пластическая операция, даже несколько комплексных операций, которые совершенно изменили внешность этого человека. Следователи детально проверили «клиники красоты» Германии и получили интересную информацию. Например, в том же Гармиш-Партенкирхене, где расположена школа Реддвея, находится частная клиника пластической хирургии всемирно известного доктора Пола Леви. Клиника так и называется — «Клиника доктора Леви». Сам Леви часть времени работает в Тель-Авиве, часть — в Гармиш-Партенкирхене. В тех случаях, когда Леви улетает в Израиль, он приглашает в Германию лучших пластических хирургов мира. Дело в том, что посещают клинику самые богатые люди мира. Пациенты платят безумные гонорары. За имя хирурга. За конфиденциальность при проведении операции. Никто не должен знать имени пациента и род его занятий. Операция в этой клинике может стоить несколько миллионов долларов. Поэтому известные хирурги и стремятся хоть раз в жизни, хотя бы месяц попрактиковать в клинике Леви. За месяц они зарабатывают себе денег на всю оставшуюся жизнь.

А ведь эту клинику Питер Реддвей, оказывается, видел — Гармиш-Партенкирхен невелик. Ранее его ничуть не занимало это украшенное живыми изгородями и — летом — разноцветными клумбами учреждение, которое он считал обычной частной больницей. Сейчас — дело другое... Ах, эти дотошные русские друзья: находясь вдали от Партенкирхена, они умудряются открыть глаза на что-то новое в этом городе — и кому же, Питеру, который проводит здесь почти весь год!

Отодвинув свой обширный живот от стола, на который он навалился в процессе сличения двух абсолютно непохожих, но принадлежавших одному человеку лиц, Питер сказал себе, что сведений более чем достаточно, для того чтобы поделиться ими с Турецким. Но сначала он подзакусит, восстанавливая калории, потраченные на мыслительный процесс. Подойдет сэндвич с ветчиной, а еще лучше — жареные колбаски с кетчупом или майонезом. Пусть все говорят доктору Реддвею, что такой едой он себя убивает, — это не их дело. Если за столько лет его не убили враги — а у них было отличное оружие! — на склоне лет он имеет право убивать себя чем угодно, хотя бы и жирной едой. Идея умереть здоровым его не прельщает.

— Привет, Алекс! — закричал в трубку Питер, дожевав последний кусочек сэндвича.

— О, Питер! Добрый день! Как я рад тебя слышать! — на смешанном англо-немецком отозвался далекий друг. Должно быть, доктор Реддвей захватил его врасплох — ничего удивительного, ему и раньше это удавалось.

Постепенно беседа установилась. Питер сказал Александру, что есть непроверенные сведения, что некто Шульц делал пластическую операцию, возможно, даже скорее всего, в клинике доктора Леви. Но сам разобраться в деталях он не может. Не имеет права, да и времени тоже нет. Так что, дорогой Алекс, приезжай сам и разбирайся в своем деле на месте. Тем более что доктор Леви возвращается в Гармиш из Израиля через пару дней.

Вот как получилось, что в тот же день Турецкий стоял перед Костей Меркуловым, объясняя сложившуюся в деле Великанова ситуацию. Константин Дмитриевич не стал возражать и немедленно санкционировал срочную командировку Турецкого в Германию.

Грязнов оставался в Москве, чтобы по первому сигналу друга заняться оперативной работой на месте.

— Эх, везет же тебе, — пошутил на прощание Слава, — среди зимы съездить в олимпийский городок Гармиш-Партенкирхен. Как нарочно ты с этой версией подгадал! Там, должно быть, катание на лыжах сейчас замечательное...

И оба улыбнулись, зная, что ни о каком катании на лыжах речи не может быть. Предстоит напряженная работа, такая же, как в Москве.

Действительно, Турецкий побывал как в колоритном альпийском городке Гармиш-Партенкирхен, где дважды проводились зимние Олимпийские игры, так и в Берлине, где в гитлеровские времена проходила летняя Олимпиада. Можно сказать, прошвырнулся по местам спортивной славы! Вот только спорт здесь был ни при чем. Игры вокруг Жолдака-Шульца разыгрывались неспортивные...

Гармиш был хорошо знаком Александру Борисовичу, пешочком он не раз и не два обошел этот интересный баварский город. Он вообще любил Баварию, эту своеобразную область страны, похожую на остальную Германию так же, как Украина на Россию. Здесь, на земле, снабжающей продовольствием всю Германию, немцы иначе выглядят, иначе говорят. Турецкий признавался, что чувствует себя в Гармиш-Партенкирхене намного раскованнее и более по-домашнему, чем, к примеру, в том же Берлине. Даже архитектура в Баварии отдает чем-то родным: вместо готических шпилей, зубоврачебными орудиями ввинчивающихся повсюду в германское небо, церкви здесь снабжены луковками-куполами — считай, по-нашему, по-православному. Да, Гармиш-Партенкирхен Турецкого неизменно радует...

И беседа с доктором Леви обрадовала: она получилась и дружеской, и деловой. Этому поспособствовал увязавшийся за Турецким славный толстяк Питер Редвей, аргументируя свое присутствие тем, что он знаком с доктором Полем (он же Пинхас, он же Павел) Леви. От помощи Питера Турецкий, разумеется, отказываться не стал. Только уточнил:

— А как я тебя представлю?

— Скажи, что я — переводчик.

— В самом деле? — усомнился Турецкий. — Насколько мне удалось узнать, родители Леви были родом из славного белорусского города Гомеля, а сам он попал за границу уже лет десяти. Мог бы и вспомнить язык родных осин...

— Мог бы, — признал Питер, — но не вспомнит. Неизвестно, как обернется дело. Так что переводчик тебе, Алекс, необходим.

Доктор Поль Леви был вторым после Арнольда Фрумкина пластическим хирургом-евреем, с которым пришлось общаться Турецкому по делу об убийстве Великанова... Карасик тут вспоминался исключительно по контрасту — Леви был на него ни капельки не похож. Если Карасик был маленьким, толстеньким и гостеприимным, то Леви — высоким и тощим, как штатив для капельницы, и отличался сдержанной суровостью. Если еврейское происхождение было написано у Алика Фрумкина, что называется, на лице, то доктор Поль Леви обладал стандартной среднеевропейской внешностью, и только нос с горбинкой и крутые кудряшки, пушащиеся вокруг высокого и на удивление гладкого для его возраста лба, наводили на мысль о чем-то семитском.

Впрочем, и обстановка клиники доктора Леви разительно отличалась от мрачных интерьеров челюстно-лицевого госпиталя в Москве. На протяжении всего пути от вестибюля до комнаты, оформленной в сдержанной розово-бежевой гамме, куда провела их скорее похожая на стюардессу медсестричка, Турецкий и Редвей не столкнулись ни с одним зрелищем человеческого уродства или забинтованного лица. Турецкий даже задумался, как все это устроено: неужели больные здесь постоянно находятся в палатах? Или они циркулируют по каким-то своим, специально для них предназначенным путям? Сидя на розовом диване, Турецкий размышлял на эту тему, пока в комнату не вплыл доктор Леви. Вопреки худобе, предполагавшей угловатость и порывистость движений, передвигался он солидно и медленно. И кресло за массивным столом, куда он опустился, было весьма солидным, предназначенным для видной фигуры, во всех отношениях видной.

— Господин Александр Турецки прибыл из Москвы ради выяснения дела государственной важности, —

бойко затараторил по-немецки Питер, осваиваясь в роли переводчика. Господин Александр Турецки сохранял многозначительное молчание, осваиваясь в роли человека, нуждающегося в переводчике. Продолжая забалтывать доктора Леви в том же стиле, Редвей пасьянсом раскидывал перед ним бумаги, привезенные следователем Турецким из Москвы. Среди официоза были и бумаги на немецком языке, выданные Генпрокуратуре России в германском посольстве в Москве.

— Я должен сразу предупредить, — наконец отозвался Поль Леви, отчего-то по-английски, и это сделало его внешность еще более суровой и авторитетной, — что на первом месте для меня находятся интересы моих пациентов, в том числе и бывших.

— Ваши пациенты не пострадают от того, что вы поделитесь всем, что вам известно по интересующему нас вопросу.

— Уже страдают. Один человек мертв. Насколько я понимаю, он мертв из-за того, что молчание относительно его прежней внешности было нарушено.

— Господин Алекс Турецки, — гнул свою линию Питер, — прибыл в Гармиш-Партенкирхен как раз для того, чтобы выяснить, кто и каким образом нарушил это молчание. Вы обязаны знать, что смерть вашего бывшего пациента была не последней в этом деле. Возможно, последуют другие смерти. С целью их предотвращения господин Турецки призывает вас не скрывать то, что вы знаете.

Здесь Питер перегибал палку: Турецкий не ждал никаких новых смертей. Но — чем черт не шутит, а вдруг и правда? По крайней мере, на Поля Леви это произвело определенное впечатление. Он совершил полуоборот вместе с креслом, словно попытавшись хоть на секунду затенить свое лицо, а когда повернулся, то, неожиданно для обоих, выдал реплику на рус-

271

ском языке. Конечно, это был условно русский язык, подпорченный иными славянскими примесями, выговор звучал жестко... И все же Турецкий понял, что дальше все пойдет благополучно, что главное сделано.

— Я нэ оперував пана Жолдака.

— А кто, — по инерции спросил Турецкий, — его оперував?

— Я был в одъизди... Я одъезжав у Израель.

Прояснилась следующая картина. Около года назад, когда Поль Леви должен был отправиться в Израиль «на заработки», он оставил клинику своему ассистенту Бруно Фаршу. Как это делалось всегда, заранее был составлен график замены Леви. В списке значился московский доктор Анатоль Великанов, которого Леви очень ценил, так как не раз встречался с этим красавцем и умницей на различных научно-практических конференциях и симпозиумах как в Германии, так и в США, и тезисы их работ оказывались рядом в одних и тех же научных сборниках. Доктор Великанов всегда нравился мировому светилу доктору Леви тем, что, при всем медицинском консерватизме, диктуемом принципом «Не навреди!», осмеливался пробовать новые методы. Это получалось у него блестяще. Но еще выше Леви ставил точность руки этого русского хирурга и его художественное чутье. Скульптор, настоящий скульптор!

— Жолдака оперировал Великанов?

— Так, — согласился Поль Леви.

— Расскажите об этом пациенте подробнее. Вы знали, что он бежал из своей страны?

— Мы не допытуем пациентов на подобные вопросы. Строгая конфиденциальность — одна из составляющих нашей профессии. — Русский язык Леви в этой фразе прозвучал безукоризненно: должно быть, не раз приходилось повторять ее для потенциальных клиентов. — Я лишь доведаюсь, что тот пан поступил до клиники под фамилией Богдан Жолдак, а вышел из клиники под фамилией Антон Шульц. Так было записано у американской грин-карт.

— У вас ведь остаются документы на каждого прооперированного? Могу я их посмотреть?

Доктор Леви, надо полагать, предвидел этот вопрос, так как мгновенно движением мыши оживил стоявший на столе компьютер. Войдя в нужную директорию, он показал Турецкому и Реддвею папку с файлами, шифр которой соответствовал имени Антона Шульца. Копии документов, удостоверяющих личность, протокол операции, какие-то еще медицинские штучки... И фотографии. Как до, так и после пластической операции, проведенной русским хирургом Анатолием Великановым.

На Питера Реддвея фотографии уже не произвели впечатления: похоже он уже разглядывал в своем компьютере. Но Турецкий был поражен: с экрана на него смотрели два совершенно разных человека. Дело, разумеется, не в очевидных приметах, не в длинных седых усах, которые сбрить — минутное дело! Невозможно было поверить, что люди на экране могут быть даже двоюродными братьями. Богдан Жолдак отличался круглым лицом, жизнелюбивыми полными губами, крупным мясистым носом, прищуром с фольклорной хитрецой. Антон Шульц, напротив, лицо имел треугольное, с выступающими острыми скулами, нос — тонкий, чуть вздернутый на конце, губы — тонкие до поджатости. И только одно, пожалуй, объединяло их: в обоих лицах угадывалась властность и внутренняя сила. Рано или поздно такая сила не может не встретить отпор: действие, как известно, равно противодействию...

— Я имею для вас один секрет, — доктор Леви как бы отозвался на его невысказанные мысли. — Паном

Шульцем интересовались люди из западных различных спецслужб и даже Интерпола.

— Они вам сказали почему?

— Ни, — слегка вздернул правое плечо Поль Леви. — Паны следователи не любят разъясняться — вот как вы, панове.

— А вы лично встречались с Жолдаком-Шульцем? Или полностью передоверили его доктору Великанову?

Поль Леви откинулся в кресле, закинул ногу за ногу и свободно предался воспоминаниям...

Случай Жолдака-Шульца остался ему памятен по той причине, что Леви мог разговаривать с ним на языке своего детства. Разговоры были, правда, короткие, абстрактные и описательные, они касались в основном прошлого, когда оба они были детьми. Вспоминали они географию Белоруссии, Польши, Западной Украины. Кстати, вот замечательный город Дрогобыч, вы там не бывали, пан Турецкий? Там есть великолепная готическая церковь, оттуда, кстати, родом писатель Станислав Лем... Ну да ладно, это никак не связано с паном Жолдаком. А относительно нынешнего состояния своих дел Жолдак, будущий Шульц, оставался бдительно сдержан. Его лицо доктор Леви сейчас не мог бы вызвать в памяти, да и было ли тогда у него лицо? Скорее, полуфабрикат в промежутке между операциями — полуфабрикат, не наделенный ни именем, ни биографией... Зато лицо его сына Полю Леви запомнилось более чем хорошо. Фанатик своей профессии, доктор Леви редко встречал совершенные лица, в которых ему не хотелось бы ничего поправить, но, должен признаться, лицо Жолдака-младшего было именно таким. Живая картина! Хотя нет, пожалуй, живая скульптура: для картины ему не хватало красок, он был слишком бледен и, кажется, гордился этим, усматривая в бледности признак аристократизма. Очень белая кожа, очень светлые волосы... Подтянутый, стройный, хотя и невысокий. Запомнилось Леви еще и то, как он сидел у постели отца, с каким усердием за ним ухаживал. В его стараниях было что-то женственное: так поступают жены, иногда любящие дочери, но не сыновья. А отец тяготился его заботами или, может быть, боялся, что присутствие сына его выдаст, выведет на его след спецслужбы, — так или иначе, он гнал молодого человека прочь, приказывал ему отправляться в Россию. В конце концов так и произошло. Почему Полю Леви так запомнился молодой Жолдак, он и сам не поймет. Что-то необычное в нем сквозило...

— Спасибо. В завершение беседы — не разрешите ли вы нам скопировать все досье пациента Жолдака-Шульца?

Такое разрешение было им дано, и они унесли на двух компьютерных дисках то, что составляло ныне остаток уцелевшей в мире сущности Богдана Мечиславовича Жолдака...

— Дела в Гармиш-Партенкирхене, пожалуй, закончены, — резюмировал Турецкий. — Надо ехать в Берлин.

Реддвей согласился, что Берлина Турецкому не миновать.

— Рад, что смог быть тебе полезным, Алекс. Сообщи мне, чем это дело кончится.

Александр Борисович пообещал. Хотя сейчас он и не предполагал, чем оно может кончиться...

Берлин не радовал хорошей зимней погодой: здесь было слякотно, правда, не очень холодно, что понравилось приезжему из заснеженной Москвы. Не раз при столкновении с европейской зимой Турецкий размышлял на тему, что, вместо того чтобы захватывать страдающие вечной мерзлотой территории, русским в истекший исторический период не мешало бы захватить побольше теплых земель... Так философствовал Турецкий, прибыв на пару дней в Берлин, где намеревался тесно пообщаться как с территориальной, так и с политической полицией.

Особенно его волновала смерть Шульца тем, что, как сказали Питеру Реддвею, в крови пострадавшего в автомобильной катастрофе был обнаружен наркотик. Не могло ли так получиться, что неизвестные лица незаметно ввели или подсыпали Жолдаку-Шульцу наркотик, и когда, по их расчетам, он должен был потерять управление автомобилем, тут в дело как раз и вступил другой автомобиль — ставший причиной катастрофы? Не мешает проверить!

Шеф территориальной полиции Гюнтер Райх выглядел типичным пожилым служакой: коротко стриженные седоватые волосы, овально выпирающее из-под ремня брюшко, пристальный взгляд, спокойный голос и неисчерпаемый запас дотошности и здорового бюрократизма. Такого, как Гюнтер Райх, Турецкий спокойно мог представить в рядах и американской, и французской, и русской полиции... но только в рядах полиции. Без формы он не мог представить Гюнтера Райха. Гюнтерам Райхам штатская одежда идет, как корове седло.

Немедленно начиная проявлять свой здоровый полицейский бюрократизм, сразу после рукопожатия Райх, тщательно проговаривая вслух особенно важные пункты, принялся разбирать предоставленные Турецким верительные грамоты, точно они были написаны не по-немецки, а на другом языке или, по крайней мере, по-немецки, но готическим сложным шрифтом. Ознакомясь наконец с документами, пошел звонить в посольство России и в другие места, где ему, очевидно, обязаны были подтвердить личность российского гостя. И только завершив проверку, занявшую не меньше часа, Гюнтер Райх сменил дотошность на радушие:

— Чем могу служить?

Турецкий в немногих словах, напрягая свой разговорный немецкий, от которого слегка отвык, обрисовал ситуацию.

— Я хотел бы видеть дело о смерти Антона Шульца, — уточнил он, — а также знать, что за человек врезался в его машину. Мы подозреваем, что Шульц был убит.

— В автомобиль Шульца врезался рефрижератор, — сообщил Гюнтер Райх, — но водитель здесь ни при чем. Он полностью оправдан. С самого начала было очевидно, что он ни в чем не виноват.

— Очевидно? Почему?

— Позвольте объяснить вам все по порядку.

Турецкому была вручена папка с документами об автомобильной катастрофе. Фотографии с места происшествия, результаты вскрытия трупа, результаты токсикологической экспертизы — все это Александр Борисович внимательно рассматривал и читал в сопровождении глухих бубнящих пояснений Гюнтера Райха. Постепенно картина для него стала проясняться...

Ранним майским утром шофер Уве Шток, как обычно, вел по улицам Берлина рефрижератор, в котором развозил замороженные полуфабрикаты для школьных завтраков. Гордясь тем, что своей работой помогает детям, Уве старался вести себя дисциплинированно, и берлинская полиция не числила за ним нарушений. Маршрут был знаком ему до вызубренности, он помнил на пути следования каждый дорожный знак. Обычно здесь его не подстерегали опасности... Тем большей неожиданностью явился для Штока «мерседес», который двигался по встречной полосе, к тому же зигзагами, точно за рулем сидел пьяный или сумасшедший. Уве Шток всячески пытался избежать столкновения, но маневренность рефрижератора невелика, и «мерседес» впечатался в его бок, словно туда и метил. После этого шофер, рискуя собственной жизнью, вытаскивал из «мерседеса» пострадавшего, пока не взорвался бензобак. Однако его благородный поступок не спас человеческую жизнь: тело, которое, ухватив под мышки, извлек Уве из покореженного «мерседеса», было холодным, как школьные завтраки, которые он вез...

— По заключению судмедэкспертизы, потерпевший Шульц умер за рулем от сердечного приступа еще до совершения наезда на другую машину, — подытожил Гюнтер Райх. — Так сработало в его организме неизвестное токсикологам вещество, введенное в его организм неизвестно кем. Преступники не выявлены и не найдены.

И доверительно добавил — из служебной солидарности, как коллега коллеге:

— Вам, господин Турецки, лучше было бы связаться с политической полицией.

— Я обязательно последую вашему совету, господин Райх. — Турецкий не стал разочаровывать шефа территориальной полиции, уточняя, что именно так он и собирался поступить. Надо поощрять добрые человеческие порывы!

Томми Эрбе, сотрудник политической полиции, был птицей совсем иного полета, чем занудный Гюнтер Райх. Хотя Томми был ему приблизительно ровесником, но выглядел моложе из-за накачанной, явно подразумевающейся даже под серым пиджаком мускулатуры и отсутствия бюрократического брюшка. Кроме мускулатуры, особых примет у этого серенького немца не наблюдалось: на улице сливался с толпой ему подобных. Для слежки свойство замечательное! Томми Эрбе, в отличие от дотошного Райха, лишь скользнул мелкими голубенькими, как две незабудки, глазками по врученным Турецким бумагам, явно не собираясь никуда звонить, ничего выяснять и ни к кому придираться. Очевидно, таким образом он давал понять, что ему и так уже известно о прибывшем из России все, что требуется.

Разговор оказался таким же тусклым, малозаметным и крохотным, как глаза сотрудника политической полиции. Весь он поддавался передаче одним-единственным предложением: у Томми Эрбе на господина Шульца имелась серьезная информация о том, что он торгует современным оружием на очень большие суммы. Больше сообщить русскому коллеге он ничего не может.

Турецкий с опозданием понял, почему Томми Эрбе не стал тщательно проверять его бумаги. Какие-то факты, возможно, самые важные, он изначально решил утаить. Но, как говорится, ничего не поделаешь...

Оставаться в Германии Турецкому было незачем, и он вылетел из Берлина в Москву. В самолете, где уже чувствовался русский дух, где Русью пахло — скорее всего от пассажиров, старавшихся как можно незаметнее употребить бутылку водки на двоих, — Александр Борисович задумался, что дело в общих чертах представляется ему ясным, за исключением нескольких деталей. Пожалуй, через пару дней он сможет с чистой совестью исполнить обещание, данное Ирине, и раскопать подноготную Антоши, дружка Нинки.

Когда-то Александр Борисович Турецкий любил ездить, смотреть новые места, наблюдать за незнакомыми людьми. Любил — не то слово: обожал, по-нынешнему выражаясь, фанател поэзией передвижений. По Москве, досконально изученной, в составе следственной бригады и то колесил без утомления и с удовольствием. Сейчас, с возрастом, дело другое: даже заграничные командировки его не увлекают, только награждают усталостью, головной болью и сломом рабочего ритма. Возвратившись из очередной дальней поездки, Александр Борисович позволял себе подольше поспать: это было чревато еще большим нарушением режима дня, зато, по крайней мере, в голове прояснялось.

Вот и на этот раз по возвращении из Германии, имея в распоряжении еще один отведенный на командировку день, Турецкий позволил себе слабинку и не завел на следующее утро будильник. Часов в семь он ощутил, на фоне проплывающих перед ним чудесных заснеженных предновогодних сновидений, как осторожно, стараясь его не разбудить, выбиралась из-под одеяла Ирка, слышал приглушенное пощелкиванье ее шлепанцев — а потом снова уснул и покоился в глубоком сне до звонка телефона. Громкого и настойчивого. Хотя телефон всегда звонит одинаково, независимо от состояния абонента, иногда его звонок наделяется дополнительными качествами. Особенно если он тебя будит... Не успев рассердиться, догадавшись, что его опять беспокоят в связи с делом Великанова, Турецкий снял трубку. Хорошо, по крайней мере, что бежать никуда не пришлось: телефон стоит на тумбочке возле кровати.

— Алло! — по возможности внятно постарался сказать он. Несмотря на старания, получилось что-то наподобие «ауао» — из-за зевоты.

— Алло, Саня? — Судя по голосу Грязнова, полному жизни и огня, он-то проснулся уже давно. Еще, пожалуй, и утреннюю гимнастику успел сделать — иначе откуда такая бодрость? — Ты спишь, что ли? Я так и думал.

— Если «так и думал», зачем звонишь, изверг?

— Как это — зачем? Чтобы устроить тебе приятное пробуждение.

— Спасибо, устроил. Можно мне спать дальше?

— Нет, ты погоди. Я же еще не сказал тебе, чего собирался. Фактики насчет Артема Жолдака организовались любопытные. Сейчас тебе станет так хорошо и радостно, что не захочешь, а проснешься...

Турецкий, негромко взревев, откинулся на подушку, не отрывая трубки от уха. Короткий диалог с другом успел окончательно пробудить его.

— Не хочу, но уже проснулся. Выкладывай давай. Я весь внимание.

То, что последовало дальше, стало действительно подарком для следователя. Пока Турецкий ошивался за границей, выясняя причины смерти Шульца-Жолдака, Слава в холодной Москве тоже не терял времени даром. В частности, он озаботился местом жительства сына бежавшего металлургического короля. Жил Артем Жолдак там же, где и работал, переоборудовав под студию огромную квартиру на верхнем этаже старого дома неподалеку от станции метро «Третьяковская». Плата за такой московский пентхаус должна быть фантастической; если же прибавить сюда еще цену масляных красок, подрамников, холстов, кистей и прочего, что необходимо художнику... Да-а, не слабо шикуют дети разоблаченных олигархов! Славины оперативники в этом элитном домишке успели побывать и установили, что жильцы и консьержи неоднократно видели Жолдака в компании Анатолия Великанова, опознанного по фотографии. Как неоднократно видели его в компании других мужчин. Вот в женской компании, пожалуй, ни разу не встречали, за исключением родственниц, но это еще до того, как отец Артема ударился в бега... Жолдак-старший часто навещал сына, они были дружны. Знакомые художника сообщили, что одним из любимых совместных развлечений в семье Жолдаков была охота: каждый год они покупали лицензии и отправлялись в какие-то дальние леса. Так что стрелять Артем умеет.

— Разносторонние увлечения у человека, — хмыкнул Турецкий, — походы на бойню, охота, живопись...

— Оказывается, Артем-то наш Жолдак среди современных русских художников считается довольно известным, — вроде бы удивляясь, что убийца может быть талантливым художником, сообщил Слава. — Помнят его, знают, свежие полотна берут «на ура»... У него не так давно прошло две выставки, я купил каталог последней. Картины его, которые там сфотографированы, я все рассмотрел. Красивые! Мне, по крайней мере, понравились. Ну, ты и сам все увидишь...

Турецкий с сомнением крякнул. Насколько он изучил Славу, потолком грязновских предпочтений в изобразительном искусстве выступали написанные в предельно традиционной манере голые бабы, призывно возлежащие на ложах или на лоне условной природы. Непременно толстые, с пышущими жаром неохватными бедрами и арбузными грудями. Всякая живопись, далекая от этого привычного образа, Славой презрительно забраковывалась как «модернизм». Даже интересно: что такое изобразил Артем Жолдак, что сумел пронять милицейскую, надежно забронированную от веяний искусства Славину душу? Гомосексуалист вряд ли изберет предметом картины голую женщину...

— Обязательно увижу. Жолдака нужно брать как можно скорей.

— Непременно, Санек. Я только тебя и дожидался, из шкуры вон от нетерпения лез. Тут еще знаешь, какая нелепость...

— Что такое?

— В каталоге выставки на первой странице фотография этого самого Артема Жолдака. Какой он в жизни, я пока не видел, но на фотографии страшно на кого-то похож.

— На кого же? В самом деле страшный?

— Да нет, не уродливый... Похож на кого-то, я говорю. На кого-то, кто у нас проходил по этому делу. А вот на кого, не соображу. Совсем вроде недавно видел, а не помню. Вот ведь пакость эта — сходство, засело, как заноза в глазу...

Турецкий, не отводя трубки от уха, отбросил одеяло и вставил ноги в тапки.

— Хватит обсуждений, Слава. Пора действовать. Вот тогда мы и увидим, на кого Жолдак похож.

Глава тринадцатая

ЛЕДЯНЫЕ КРЫЛЬЯ

Артем Жолдак на своих картинах изображал ангелов.

В холодных тонах — белый, зеленый и голубой цвета, сверкание льда и сапфира. Тем горячее выделялась на этом фоне алость губ, мягче светилось старое золото волос и перьев в крыльях, то распростертых для полета, то сложенных за спиной. Лица поражали безупречной правильностью и чем-то еще — невысказанным, но подразумеваемым. Точно в прекрасном стихотворении зашифрован тайный непристойный намек... Глядя на эти картины, Турецкий вспомнил, что слово «прелесть» в русском языке вплоть до начала пушкинской эпохи имело совсем не положительный смысл: оно означало нечто прельщающее, обольщающее — и приводящее к погибели.

— Надо же, — сказал Турецкий, — всегда считал, что ангелы бесполы.

— Они и у меня бесполы, — живо откликнулся Артем Жолдак. Среди созданий своей кисти он выглядел младшим братом изображенных ангелов — правда, бескрылым, зато концентрирующим в себе еще более непристойную прелесть. — Разве я где-нибудь изображаю признаки пола?

— То, что не имеет человеческого пола, не должно вызывать человеческого вожделения.

Быстрый взгляд из-под белокурой прядки, падающей на глаза пронзительной голубизны: а этот высокий чин из прокуратуры непрост, вон он, оказывается, какие замечания отпускает! Для Александра Борисовича такая реакция не была в новинку. Да, он прежде всего профессионал! Все зависит от собеседника: перед некоторыми приходится себя вести как непрошибаемый дуб-чиновник, с другими стоит блеснуть интеллектом, чтобы спровоцировать и заставить раскрыться.

— А вот здесь вы ошибаетесь! — захотел поспорить чуть задетый Жолдак. — Если вы заглядывали в текст Библии, там черным по белому написано, что жители Содома возжелали познать ангелов. Ангелы явились в их город в виде красивых юношей. Так что жители Содома захотели их познать в самом прямом, физиологическом смысле...

— И были за это истреблены с лица земли.

— Совершенно так. Но ведь вожделение было!

Слава прав: на кого-то Жолдак похож до безумия. Так похож, аж жуть берет. Нарисованные ангелы здесь ни при чем, учитывая еще и то, что ни Слава, ни Саша до пребывания в мастерской их в глаза не видели: нет, здесь просвечивала ассоциация с кем-то живым, встреченным совсем недавно, скорее всего, по данному делу. Но с кем? И что стоит за этим сходством: генетическое родство? Случайность? Нет, случайности в этом внешне запутанном, но элементарно простом деле нет места — либо она играет роль необходимости.

— Н-да, сначала было вожделение. Потом разрушился город. Опасная эта штука — вожделение. Вам так не кажется, Артем?

— Вы правы, — легко согласился художник. — Я сам придерживаюсь аналогичных позиций. Человеку искусства грубая физиология противопоказана. Как только человек искусства — артист, как принято говорить в англоязычном мире, влюбляется, со всеми этими тяжелыми заморочками, с обязательным телесным обладанием, это подрывает его творчество. Место беспристрастности и свободного полета чувств занимает объект любви, который чаще всего ничего из себя не представляет.

А этот сын бежавшего за границу олигарха раскованный такой, ничего не стесняется, обсуждает с представителем прокуратуры вопросы вожделения и любви, попутно затрагивая анатомию ангелов.

— Вы сказали, любовь подрывает творчество. Это касается любви к женщине? — уточнил Турецкий.

— В первую очередь, конечно, к женщине, — охотно согласился Артем. — Я вдоволь насмотрелся на эти союзы типа «творец и его муза»! Никто так не гробит художника, как любящая жена, с которой у него полное единение душ. Сначала единение душ, потом — «только я понимаю, что ты хочешь выразить», потом — «только я знаю, в каком стиле тебе работать», потом — «почему бы тебе не создать нечто более коммерческое, хотя бы для раскрутки», потом — «мы живем, как нищие», потом — «у нас дача маловата»... А заканчивается тем, что художник теряет себя как личность и до конца жизни будет работать на семью, на детей, на дачу — на кого и на что угодно, только не на искусство и не на себя. Как хотите, жена не может быть творческим идеалом.

— А любовь к мужчине? — дожимал Турецкий. Но Артем Жолдак оставался так же безмятежен.

— Мужчины, которые живут вместе, обычно не ссорятся из-за общего ведения хозяйства. Это определенный плюс. Но, с другой стороны, мужчины более ревнивы и повсюду видят измену. Идеально было бы вообще ни с кем и никогда! Как говорится, затянуть веревочкой. — Артем снисходительно улыбнулся, употребляя такое плебейское выражение, не принятое, видимо, в его кругу. — Но иногда приходится соприкасаться — ведь все мы живые люди, определенные потребности есть и у нас... Главное, ни с кем прочно не связываться. Как только чувствуешь, что привязываешься, надо сразу же расставаться. Правда, лично у меня бывало так, что расставания причиняли боль партнеру, а я ненавижу причинять людям боль. Идеально было, когда я надоедал партнеру первым и он бросал меня — в подобных случаях я только рад...

Врешь, голубчик! Ну невооруженным глазом видно же, что врешь. Строишь из себя небожителя, а сам... И к чему тут эта неизвестно с кем внешняя схожесть? Мысленно Турецкий раскинул веер фотографий всех фигурантов по делу об убийстве Великанова, сверяя их носы, глаза, подбородки и уши с аналогичными деталями внешности художника Жолдака. Не получалось ничего подходящего.

Попутно Турецкий отметил, что слова «идеал», «идеальный» повторяются в речи Артема так же часто, как в романе-дневнике убитого Великанова. Хотя само по себе это еще не могло служить доказательством их знакомства и тем более близких отношений... Впрочем, какие нужны доказательства? Пожалуй, всего лишь одно...

— Артем Богданович...

— Для вас — просто Артем.

— Хорошо. Артем, где вы прячете оружие?

Холодный отстраняющий жест, дрогнувший взгляд голубых глаз.

— Какое оружие?

— Кольт. И «макаров».

— Я отказываюсь вас понимать.

— Это не страшно. Сейчас поймете. У меня есть санкция на обыск.

— Пожалуйста. Ищите. Все, что найдете, будет ваше.

За тем, как специалисты профессионально обшаривают и обстукивают его драгоценную мастерскую, Артем наблюдал отстраненно. Так отстраненно, что Турецкий готов был усомниться в своей следовательской проницательности. Неужели убийца — не Артем? Но кто же тогда?

И тут вдруг Александр Борисович догадался, схожесть с кем смущала его подсознание все то время, что он общался с Артемом. Так трудная задача, к которой не удалось подобрать решения, отложенная и забытая, внезапно выплывает из недр памяти, неся с собой готовый ответ, заставляя удивиться: до чего же все оказалось просто! Нос с горбинкой, оттопыренная нижняя губа, выпуклый лоб... Да это же вылитая Ксения Великанова! Разный цвет волос, а в остальном они с художником Жолдаком похожи, точно брат и сестра, похожи до неприличия. Что же произошло? Как это случилось? Скорее всего, как это ни тупо звучит, объяснением служит излюбленное Жолдаком и Великановым слово — «идеал». Пластический хирург носил в душе некий образ идеальной внешности, он подгонял под него будущую жену, в которую сам же и влюбился — когда она стала достаточно похожа на этот образ. Но прошло некоторое время, и жена стала не нужна, потому что идеал явился ему в мужской плоти. Натуральный, а не вылепленный пластической хирургией...

Неправдоподобно? Невероятно? Но то ли еще в жизни случается!

— Александр Борисович, нашли!

Артем взвился с места. Его едва удержали — он рвался с силой, превосходящей его скромные физические возможности, чтобы отобрать, уничтожить кольт, находившийся, как выяснилось, внутри чугунной статуэтки, изображающей древнюю гречанку с факелом. Лицо у гречанки было хмурое и неприветливое. Статуэтка — полая, развинчивающаяся... Почему-то Турецкому вообразилось, что она должна изображать одну из эриний — свирепых летающих баб, орудий божественного возмездия. Но спрашивать, верна ли его догадка, было сейчас неуместно. Тем более что Слава Грязнов задал нужный и важный вопрос:

— Итак, вы, Артем Богданович, признаетесь, что убили Анатолия Великанова из этого пистолета?

В этих словах заключалась подковырка, которая должна заставить подследственного проколоться. Однако Артем признался просто и прямо, минуя всяческие ловушки. Он только побледнел чуть больше обычного, и губы у него задрожали, когда он ответил:

— Нет. Я на самом деле убил Анатолия Великанова, но не из этого пистолета. Тот «макаров»... орудие убийства, ведь у вас это так принято называть?.. Он на дне пруда.

— Вы сделали это из ревности? — предположил Турецкий. — Потому что в его жизни появился молодой человек, которому он начал уделять больше внимания, чем вам?

— Я уже сказал, что не ревнив. — Турецкому показалось, что обвиняемый в убийстве сейчас заплачет, но Артем быстро овладел собой и даже попытался улыбнуться. Улыбка вышла чахлая, кривая. — Я действительно не ревновал его... Великанова. Мы были свободны. Полностью. Вам этого не понять. Не понять никому из подавляющего большинства обывателей, для которых все строится на зависимости, на том, что один человек обязательно должен принадлежать другому. Нет, он не был моей вещью! И я не был его вещью. У нас была необыкновенно глубокая духовная связь...

— Которая завершилась обыкновенным убийством.

— И опять вы ничего не понимаете! Я больше ничего не скажу, вы все перетолкуете в дурную сторону.

— Вы с Великановым были любовниками?

— Нет! У меня были связи с мужчинами, да, но не с ним. Он не имеет к этому отношения.

Турецкий не поверил словам Артема. Артем понял, что ему не поверили, но не совершил ни малейшей попытки переубедить.

— Но вы его убили.

— Да, но по другой причине. Стечение обстоятельств. Никто не виноват — ни я, ни он. Я сделал все быстро, чтобы не заставлять его страдать в преддверии неизбежной гибели, но я уверен, что если бы удалось все объяснить, перед смертью он бы меня простил. Так встали звезды — я не имел права его не убить.

И вопреки тому, что перед тем клялся не сказать больше ни слова, Артем Жолдак выложил всю подноготную убийства. Очевидно, говорить для него было легче, чем молчать.

У них были сближающие их и недостижимые для других интересы. Они не боялись крови. Они не знали запретных тем. Они увлекались редкими, немногим доступными разновидностями изобразительного искусства — так, оказалось, что обоим нравится чешский график Франтишек Кубка.

В литературе также предпочитались редкие книги и авторы, которые либо никогда не выбивались в первые ряды популярности, либо считались давно списанными в утиль, но именно в них встречалось то, что было близко и понятно обоим. Ради знакомства Великанов дал Артему почитать роман беллетристки начала XX века

Нагродской «Гнев Диониса». Повествование в нем ведется от лица молодой и талантливой художницы, которая разрывается между двумя мужчинами: мужем, с которым у нее дружественные и теплые, но лишенные даже намека на страсть отношения, и любовником — натурщиком, который по-человечески ей отвратителен, но она не может отказаться от его прекрасного тела. На жизненном пути художнице встречается старший друг, гомосексуалист, который помогает ей разобраться в истоках ее душевного смятения: оказывается, дело в том, что в ней слишком много мужского. Она относится к мужчинам так, как обычно мужчины относятся к женщинам. Пожилой гомосексуалист советует ей не бояться раскрытия своей природы — и вспоминает собственную молодость, когда только-только осознал то, что его влекут не женщины, а мужчины. Он отправился тогда на Восток, где посетил публичный дом для господ с особыми запросами, — и там ему привели юношу, наряженного в девушку. Он возмутился! Он закричал, что, если бы ему нужна была девушка, он нашел бы себе девушку. Но ему нужен мужчина — во всем цвете мужественности, такой, каков он есть.

Обоим нравился этот эпизод. Оба радовались посрамлению заурядных, даже у развратников, представлений о том, что требуется мужчине. А мужчине в первую очередь требуется общность душ, свободный обмен мыслями — то, что можно получить только от представителя своего же пола. Женщины не способны на свободный обмен мыслями, им милее монотонная работа, позволяющая не думать и не рассуждать. Они движутся по жизни, как зашоренные лошади. Они никогда не привлекали Артема, как и женское тело никогда не привлекало его как художника — слишком оно несовершенно, избыточно, неэкономно, с ненужным количеством мясистости и отвисающих жировых складок. Артем не понимал, как человек с таким тонким вкусом, как Анатолий Великанов, мог дважды жениться на этих механизмах. Ремонтировать механизмы — куда ни шло: это работа. Но спать рядом с одним из таких чучел, обнаруживать его по утрам в своей постели, общаться до и после работы — кошмар! Артем не мог этого понять, как ни старался. То, что все вокруг считают обыкновенным и нормальным, в его глазах — извращение.

— Если бы, Артем, я встретил тебя раньше... — не доводя мысль до конца, изредка бросал Альбатрос.

Так называть его придумал Артем. Анатолий — имя слишком тягостное, слишком распространенное, слишком... всеобщее. «Толик» — вообще нелепо и смешно. Его мать, злобная хирургическая старуха, до сих пор зовет его Толиком... А ему требовалось необыкновенное, летучее имя. Предназначенное для него и больше ни для кого.

Альбатрос был необыкновенным. Как и Артем. Ну, Артему всегда нравилось свое имя, он не собирался его менять ни на какое другое. Как и свою внутреннюю сущность, подошедшую к сущности Альбатроса, точно ключ к замку. Двое похожих людей — удивительно, до странности, до страсти похожих. Так влюбляются в свое зеркальное отражение — но отражение теплое, телесное, способное двигаться и говорить. Они поклялись любить друг друга до конца своих дней, и ни женщины, ни мужчины не должны отныне встать на их пути. А что им еще оставалось? Их соединило редчайшее стечение обстоятельств. Они были обречены друг для друга.

Редчайшее стечение обстоятельств... То, что для любого другого человека стало бы несчастьем: отец Артема бежал из России, был вынужден скрываться, лишиться имени, лишиться даже самого элементарного, что имеет любой бедняк, — своего лица, — для Артема стало счастьем. Потому что лишить Богдана Жолдака его прежнего лица и дать ему другое выпало по счастливой случайности врачу из России, и им оказался Альбатрос. Он значительно посмотрел на Артема в первую же встречу. Артем сопровождал отца, но хирург, который потом прекрасно и трагически окажется Альбатросом, не смотрел на своего будущего пациента — он смотрел на Артема! Артему были, в общем, знакомы такие взгляды — и в большинстве случаев он оставлял их без внимания, поскольку был крайне разборчив даже в обычных знакомствах, не то что в связях. Но тут другое... Он видел, чувствовал, что здесь что-то другое, не та заурядность, которая убивала его как художника, на которую он постоянно боялся наткнуться. Хирург с необычной фамилией Великанов был по-настоящему велик, он был самым значительным из людей, с которыми доводилось встречаться Артему Жолдаку. Частная клиника в маленьком альпийском городке была укомплектована первоклассным персоналом, отцу после операции не требовалось, чтобы за ним ухаживал сын; вопреки этому, Артем туда буквально переселился. Часть времени — томительного, растянутого времени — он проводил у постели отца, который, под всеми своими марлевыми повязками, скрывавшими его, точно кокон, постепенно переставал быть его отцом, Богданом Жолдаком, и превращался в неведомого пока Шульца. Другая часть времени — о, на каких стремительных крыльях летела она! — протекала в ординаторской или отведенной для Великанова комнате. Это время принадлежало только Великанову и Артему. Им двоим, больше никому. Персонал клиники ничего не заметил, либо для них, безупречно вышколенных в духе западных ценностей, происходящее не представлялось запретным. Зато отец что-то заподозрил и постоянно гнал от себя Артема, лишая

292

всякого оправдания его присутствие в клинике. В конце концов Артему пришлось уехать. Но в России Артем Жолдак и Анатолий Великанов встретились снова.

Да, да, они были предназначены друг другу. Артем видел это — со всей отчетливостью видел. А вот Альбатрос... у него, кажется, были неполадки со зрением. Во всяком случае, взгляд его, вместо того чтобы останавливаться на Артеме и только на Артеме, частенько блуждал по сторонам, останавливаясь на объектах, которые представлялись недостойными внимания Артема. Вот, например, этот Стас Некрасов, продюсер телешоу — полголовы выбрито, как у шута горохового, полголовы окрашено в белейший цвет. Постоянно слюнявый и щеки отвисают — наверное, оттого, что непрерывно тискает жвачку во рту. Альбатрос, предавая себя, в последнее время частенько рассказывал Артему о Стасе Некрасове, о подробностях их сперва предполагаемой, потом начавшейся совместной работы — вроде бы с усмешечкой, но до чего же подробно... «Стасики — так называют тараканов», — грубил Артем. Альбатрос хохотал, но прекращал эти ненужные разговоры. А потом все начиналось по новому кругу. Как он мог? А главное, зачем? Своим навязчивым вниманием к какому-то лишнему Стасу Некрасову он унижал себя. Он переставал быть Альбатросом.

А Артем страдал. Страдал не из-за того, что его второе «Я» изменяет ему, — в сотый, в тысячный, в тысяча первый раз Артем готов твердить, что он не ревнив! Нет, совсем не из-за того, что якобы хотел удержать его при себе. У Альбатроса — колоссальный размах крыльев, он должен покорять пространство, свободно летать над гладью вод, это естественно. Артем не из тех старых дев в штанах, которые подрезают птицам крылья и запирают их в клетке. Но подлость в том, что, когда Великанов откалывал такие непристойные шутки, вроде

293

этой, со Стасом Некрасовым, это было как-то не по-альбатросьи. Скорее уж по-куриному. Куриная слепота... А страшнее всего, что Артема такие ситуации заставляли задумываться: действительно ли он открыл в другом человеке свое второе «Я»? Не обманулся ли он? Разочароваться было бы слишком больно...

Но не это послужило причиной убийства. Непосредственной причиной стал утренний звонок. В девять часов утра он врезался в голову спящего Артема разрывной пулей и разлетелся там на мелкие подрагивающие осколочки. Артем вскочил, шатаясь, с трудом держась на ногах, — девять часов утра для него все равно что для других три часа ночи. Нашаривая трубку (веки невозможно было разлепить), Артем готовил жгучие, гневные, ругательные слова для того, кто посмел поднять его на ноги в такое неподходящее время.

— Артюша, это ты, кроха?

Гневные ругательные слова запеклись у Артема на губах. Именно так — «Артюшей» и «крохой» — называл его, кроме отца, лишь один человек во всем мире. Одно из самых светлых ранних воспоминаний — солнцем в сощуренные глаза — подаренный Артему на третий год рождения педальный автомобильчик. Ребенок не способен еще распознать в машинке пародийно-эксклюзивную копию «мерседеса», зато он безмерно радуется тому, что автомобильчик такой гладкий, блестящий и так здорово ездит. Спасибо, Дядянат! Дядянат подхватывает Артюшу на руки, и так они фотографируются в компании «мерседесика». Он же первым распознал в Артюше талант к изобразительным искусствам... Звонил большой и верный друг отца Натан Соболевский, известный во всем мире богач и меценат.

— Да, дядя Натан, это я.

— Артюша, как ты живешь?

— Так, нормально... Хорошо.

— А Богдана вспоминаешь? Помнишь папку, а?

— Я никогда его не забывал, — сказал Артем, недоумевая, что случилось с дядей Натаном: может, он пьян? Или плачет? Голос какой-то не такой. Правда, Артем давно его не слышал: отвык, наверное.

— Не забываешь, правда? Не забудешь, что твой папка не своим путем отошел в мир иной? Убили ведь его, Артюша. Вот как бывает, кроха. Убили...

— Я знаю. — Хуже не придумаешь: в полусонном состоянии выслушивать рассуждения об убийстве отца. Впрочем, Артем уже проснулся и дальше слушал Соболевского — не сказать, что полный бодрости, но вполне отдавая себе отчет в происходящем. В том-то и беда! Если бы его одолевала сонливость, он мог бы убедить себя впоследствии, что не так что-нибудь расслышал или понял.

— Нет, кроха, не знаешь. Не все ты знаешь. Я сам на днях только узнал, как Богдана продали. Будто мясную тушу, с потрохами сдали спецслужбам России. На убой...

«Не надо!» — едва не вырвался крик из Артема. Мясная туша. Верещащие свиньи на бойне, потоки крови. Снова и снова — горячая кровь. Сильно, безобразно и раздражающе. Задавив в себе крик, слушал дальше, точно цепями прикованный к телефону.

— Спецслужбы я не виню: они выполняли задание, что ж поделаешь. А вот предательства простить не могу. А предал Богдана его хирург, Анатолий Великанов. Да что я буду тебе объяснять, вы же с ним знакомы... Тоже мне врач! А еще клятву Гиппократа давал...

Как он смеет — этот пришедший из Артемова детства, но давно чужой ему человек? При чем тут Альбатрос? Альбатрос — и смерть отца...

— Великанов нарушил клятву и человеческую, и профессиональную. Показал фотографию преображенного лица Богдана, то есть Шульца, одному из российских разведчиков. У него ведь с ФСБ давние связи, а Богдан и не догадывался. Конечно, старые связи дороже новых... По этой фотографии Богдана выследили и убили. Изощренно убили. Такой смерти я никому бы не пожелал...

— Зачем вы мне это говорите?! — Подавляемый крик вырвался наружу, но не принес Артему ни малейшего облегчения. Ему чудилось, что его голова превратилась в пустую комнату, обитую резиной, как палата для буйных сумасшедших, и что крик, отталкиваясь от ее тугих стен, продолжает мячиком скакать и ударяться, причиняя боль.

— Тихо, Артюша, тихо. Я узнал — я сказал. Сын все ж таки, не чужая кровь. Тебе лучше знать, что с этим знанием делать. Был бы я на твоем месте, я бы за него отомстил. Сын — за отца. Так полагается, так правильно. Но ты уже взрослый, так что думай сам.

Артем в течение пяти секунд стоял, слушая короткие гудки, не решаясь положить трубку, точно надеясь расслышать в ней эхо каких-то еще объяснений, вроде того, кто выложил все эти сногсшибательные разоблачения дяде Натану. Потом все-таки положил — очень медленно. Вернулся и со стоном упал на разложенную постель, превратившуюся из ложа отдыха в место терзаний.

Что за гадость! Артем — исступленный искатель идеала, всего самого светлого и возвышенного; так почему же все, до чего он дотрагивается, теряет свой идеальный облик, превращается в какую-то дрянь? Альбатрос... невозможно поверить. Надо спросить... Что, так прямо взять и спросить: «Это случайно не ты показал спецслужбам новую фотографию моего отца?» Мысли перемешались. Мячик головной боли закатился в затылочный угол обитой резиной комнаты и там пульсировал, расширяясь — опадая, расширяясь —

296

опадая... Артем чувствовал себя потерянным. Полностью заблудившимся в этом жестоком мире, где у него, как оказалось, нет ни единой близкой души. Отца он никогда в близких душах не числил: родители не в счет, они редко понимают взрослых детей. Кроме того, взрослые дети отдают себе отчет, что родители должны покинуть этот мир раньше них. Знал об этом и Артем — и хотя горевал по отцу, но горе это было нормальным и потому не сокрушающим. А то, что происходило сейчас, сокрушало самый фундамент Артемова бытия, которое он для себя возводил так тщательно и долго. Человек, которого он зачислил в родственные души, из которого он сделал своего кумира, свой идеал, оказался далек не только от идеала, но и от элементарной порядочности... Нет, не так! Артем плевал на общественную мораль, он понимал ограниченность элементарной порядочности, предназначенной для посредственностей; если бы Альбатрос совершил убийство в порыве страсти, или просто бесцельное, художническое, сюрреалистическое убийство, Артем был бы последним, кто стал бы его упрекать. Но — давние связи с ФСБ... показать фотографию... убить человека, который тебе, врачу, доверился... чужими руками убить... Это мелко. Это недостойно Альбатроса. Альбатрос оказался недостоин самого себя.

Следовательно, он недостоин жить.

Это решение пришло так ослепительно и непреложно, оно так удачно сводило два конца оголенного провода, что Артема буквально тряхнуло, словно разрядом тока. Он давно подозревал, что Анатолий Великанов — никакой не Альбатрос, не второе «Я», не идеал, но боялся верить своим сомнениям. А теперь вдруг ему открыл глаза человек со стороны, который ведать не ведал его внутренних колебаний и не догадывался о странной связи между Артемом и Великановым. Великанов обманул не только Жолдака-старшего, но и Жолдака-младшего. И то, что Жолдака-сына он обманул невольно, ничего не меняет. Как это выразился дядя Натан: «все-таки не чужая кровь»? Пусть он не беспокоится: кровь прольется. Чужая кровь, не жолдаковская.

Может, полчаса, а может, дольше Артем Жолдак смаковал это странное, отчасти мистическое выражение: «чужая кровь». Из этих слов вытекало, заполняя за шторами белый день, марево красного цвета, как тогда, в этюдах на бойне. Кажется, он заснул, а может быть, отключился и у него произошел сон наяву. Как бы то ни было, он очнулся полным сил и энергии. И с полностью сформировавшимся решением, которое оставалось только продумать и осуществить.

Но нет, точку в этом решении поставил сам Анатолий Великанов. Артем, не будучи великим конспиратором, не удержался, чтобы не спросить прямо: сотрудничал ли он с КГБ — ФСБ? Слегка передернувшись, тот ответил, что да, было, еще до середины девяностых, но сейчас это для него — пыльный плюсквамперфект. А с чего это Артем интересуется? Кто ему сказал? Артем, сохраняя беспечный вид, объяснил, что еще в лечебнице, где оперировали его отца, слыхал отдельные вещи, которые навели его на размышления, но пусть Альбатроса это не беспокоит: Артем — человек, лишенный либеральных предрассудков. ФСБ для него — просто организация по охране государства. Они оба повеселели — он и Альбатрос... С этой минуты Артем снова начал не только вслух, но и мысленно именовать друга Альбатросом, чего не мог делать после известия о его предательстве. Предательство смывается кровью, значит, все в порядке. Обреченного на смерть снова можно любить.

Как же они любили друг друга на протяжении последней недели! Какие это были упоительные, исполненные обмена мыслями и чувствами дни! В то время, пока Артем думал, что впереди их с Альбатросом ждут долгие счастливые годы, он не испытывал ничего подобного. Но то, что их любовь скоро должна прерваться, придавало всему особый колорит, обостряя до невыносимости пять чувств. Смерть — лучший стимулятор любви, Артем постиг это на собственном опыте. Временами бывало настолько бешено хорошо, что он испытывал колебания: неужели так необходимо убивать Альбатроса, поступаться счастьем ради отца, которого все равно не воскресить? Но он обрывал себя четкой мыслью: нет. Если он, поддавшись минутной слабости, оставит Альбатроса в живых, счастье не повторится: наоборот, все великановские дефекты, которые сейчас временно отступили на второй план, приобретут самодовлеющее значение. Снова появится Стас Некрасов, или какой-нибудь новый Стас Некрасов, или целое стадо слюнявых Стасов Некрасовых, или фантомная излишняя любовь к жене Ксении или другой самке, или что-то еще, чего предвидеть невозможно. С живыми всегда все негладко: рытвины, колдобины, колючая проволока на ровном месте. Идеальны лишь мертвые — их застывший облик остается неизменным. А лучше всего любить живых на грани смерти. И в эту последнюю неделю Артем не раз твердил про себя строки Кузмина — поэта Серебряного века, отлично разбиравшегося и в любви между мужчинами, и в смерти, и просто в любви:

Мы знаем, что все — превратно,
Что все уходит от нас безвозвратно,
Мы знаем, что все — тленно,
И лишь изменчивость неизменна.
Мы знаем, что милое тело
Дано для того, чтоб потом истлело.
Вот что мы знаем, вот что мы любим,
За то, что хрупко, трижды целуем!

У них все было настолько хорошо, что Альбатрос простил бы его... Да что там, Артем чувствует, что Альбатрос на самом деле его простил! Каким-то непостижимым телепатическим образом, которым они связывались друг с другом, Альбатрос угадал, что Артем собирается его убить, но не возражал против этого. Они молчали на эту тему, чтобы не причинять друг другу излишних страданий. Однако Альбатрос понимал, что только смерть способна сделать его идеалом, и внутренне согласился на нее, точно на болезненную, но спасительную операцию. Как ему это знакомо по медицинской практике! Вот только в роли хирурга на этот раз предстояло выступать не ему...

Следовало заранее подготовить инструменты для операции. Размышляя о прекрасном, хотя и не юном теле Альбатроса, Артем намеревался выбрать способ убийства, который как можно менее нарушил бы эту красоту. Подумывал о яде — но художник не разбирался в ядах и не имел желания связываться с фармакологией. Зато стрелять он умел! Отец учил его стрелять ради развлечения — и был удивлен и слегка задет, когда сын после непродолжительных тренировок выбил десять очков из десяти. «Меткий, как баба», — подбавил старший Жолдак ложку дегтя в бочку сыновнего торжества и пояснил, что женщины, как правило, если их натренировать, стреляют метче мужчин — какая-то физическая особенность, связанная с сердцебиением. Недаром в Чечне особенно страшны были прибалтийские снайперши — «белые колготки»... Неважно! Даже его меткость здесь не так уж важна. Если выстрелить Альбатросу в грудь, в область сердца, его смерть будет неизбежна, вне зависимости от того, пройдет пуля сантиметром левее или сантиметром правее. Осталось выбрать один из двух имеющихся в наличии пистолетов: российский «макаров» или американский кольт? «Макаров» представлялся Артему более надежным, лучше прилегал к руке, зато кольт был овеян легендарной аурой свободной и законопослушной Америки. Альбатрос заслуживал, чтобы его застрелили из кольта... но, с другой стороны, «макаров» чем плох? Отечественное оружие — самое качественное. Еще есть время выбрать.

Артем отлично знал о маршруте утренних пробежек Анатолия — в парке, в Тропарево, неподалеку от пруда. Он знал, что Великанов после пробежки купается в пруду в любую погоду. Именно эти упражнения позволяли ему держаться в форме. Кроме того, они доставляли ему удовольствие, какое всегда приносят мышечные нагрузки здоровому сильному человеку... Тем гуманнее: Альбатрос умрет в радости, а не в печали, страхе или тоске. Это будет лучшим наркозом для операции, которую собирается произвести над ним Артем.

Ранним, непривычно для себя ранним утром Артем шел по дорожкам Тропаревского парка. Он ни за что не сумел бы проснуться в такую рань, но бессонная ночь лишала вопрос о пробуждении всякого смысла. С собой он взял два пистолета: и «макаров», и кольт. Эта предусмотрительность оказалась не лишней. Хотя, с другой стороны, она же и погубила Артема, поспособствовав его разоблачению. Правда, в тот момент Артем не в состоянии был думать о разоблачении — и ни о чем вообще, касающемся времени после убийства. Что будет дальше, не имело значения. Имело значение лишь то, что он видел Анатолия Великанова, который, разгоряченный пробежкой, направлялся уже к берегу пруда. Раздумывать было некогда. Счет шел на секунды. Время стало вязким и приторным, как мед, и Артема затошнило, как бывает, когда съешь много меда.

Он не имеет права на тошноту, как не имеет этого права хирург, приближаясь к операционному столу с

301

распростертым под зелеными простынями пациентом. Надо думать о смысле операции, больше ни о чем. Операция, которую он собирается сделать, — это операция сострадания. Все прочее — пустяки.

Поначалу он решил стрелять из кольта, но в механизме что-то заклинило. Артем, лихорадочно дергая, многократно перезаряжал обойму: видимо, тогда он выронил одну из пуль кольта, однако обратил на это внимание лишь позже, в студии. Тем временем Альбатрос красиво, точно несомый широкими белыми крыльями, подбежал к пруду и привычными движениями сбросил с себя одежду, оставшись в одних плавках. Альбатрос находился так близко, разгоряченный и живой, что Артему казалось, он чувствует тепло его дыхания, тепло его шелковистой кожи, знакомой до мельчайших подробностей, до каждого волоска, до крупной родинки в паху. Альбатрос обернулся и увидел его. Сейчас спросит, что он здесь делает в такое необычное время... Тогда Артем достал российский «макаров». Два выстрела — в сердце, в грудь!

И — словно не было предыдущих переживаний! Артем чувствовал себя освобожденным, очищенным, как будто кровь Альбатроса омыла его. Это было необыкновенное, замечательное утро! Кажется, именно с того дня Артем начал ценить красоту утренней природы. Альбатрос умирал у его ног. Он успел сказать лишь «За что?» — или, возможно, так померещилось Артему в предсмертном толчке спазматического дыхания. Артем собирался сказать ему, за что, раскрыть напоследок эту тайну, стоявшую между ними, похвастаться тем, что теперь отец и сын Жолдаки отомщены — как если бы дело было только в этом! Но глаза Альбатроса уже наливались неживой остекленелостью. Совершая последний жест, который он должен был совершить, Артем забросил «макаров» далеко в воду пруда. По воде побежали круги, точно от камушка, неумело брошенного ребенком.

Он не строил планы бегства, защиты, спасения: ему казалось, что после убийства его должны немедленно остановить, задержать, приговорить к той же мере наказания, какой он подверг Альбатроса... Но никто его не тронул. Вокруг не наблюдалось ни единой живой души. И он покинул Тропаревский парк так же беспрепятственно, как вошел в него.

— Очень странная история, — резюмировала Ирина Генриховна. — Трудно поверить.

Обычно Александр Борисович не делился с супругой подробностями расследуемых дел, и она, уважая его право на служебную жизнь, ни о чем не спрашивала. Однако все, что касалось убийства пластического хирурга, героя телевизионного шоу, живо интересовало ее, и в результате длительных уговоров многолетнее табу было нарушено. Александр Борисович успокоил свою служебную совесть тем, что расследование практически завершилось, осталось только извлечь «макаров» из Тропаревского пруда. Ничего нет плохого в том, что Ирина Генриховна Турецкая, которая отличается сдержанностью и нелюбовью к сплетням, узнает из первых рук то, что все равно некоторое время спустя журналисты растащат на кусочки и переврут до неузнаваемости.

— Во что же именно трудно поверить? — уязвленно спросил Турецкий. — Ты считаешь, что мы напрасно арестовали Артема Жолдака? Но все улики против него!

— Нет, Шурик, миленький, — улыбнулась Ирина, — не сомневаюсь я в профессионализме — твоем и твоих коллег. Просто я подчеркиваю свое первое впечатление. Великанов был такой значительной фигурой! Пластический хирург экстра-класса, телезвезда, зять видного политика, сотрудник КГБ, ценитель искусств,

303

эксперт — как будто бы слишком много для одного человека. О таких, как он, снимают фильмы. Сколько людей были заинтересованы в том, чтобы убрать с дороги Великанова... А погиб он по причинам, не имеющим отношения ко всему этому великолепию. Погиб из-за мелкой страстишки...

— Ну, с этим я не согласен, — возразил Турецкий. — Связь с Артемом Жолдаком — это не мелкая страстишка, это выражение его глубинной сущности. На самом деле Анатолий Великанов замечательно умел раздваиваться. На поверхности — то, о чем ты только что говорила, а внутри — о, внутри у этого человека была тайная жизнь, о которой никто не знал, которую он прятал даже от самых близких людей. Да и были ли у него по-настоящему близкие люди? Он не доверял ни матери, ни сыну, ни первой жене, ни второй, не доверял полностью даже Артему, и это привело его...

Звонок в дверь прервал размышления вслух. Супруги Турецкие, будто продолжая диалог, синхронно пошли открывать входную дверь.

Пришла с гулянья их дочь. Красивая, очаровательная, почти взрослая девушка. Снег таял на меховой оторочке капюшона ее пальто, превращая Нинку в праздничную Снегурочку.

— Здравствуйте, мои дорогие, драгоценные, любимые родители! — с преувеличенным оживлением пропела Нина. — Только не смотрите на меня так, как будто к вам пришла не я, а живой австралийский кенгуру!..

И пока Нинка переныривала из высоких, лохматых, похожих на унты черно-белых сапог в домашние тапочки, она поведала, что рассорилась с Антошей. Конечно, то, что Антоша — перекусыватель колючей проволоки и лучший в мире дрессировщик строптивых четвероногих, не станет больше донимать их дочь, старшее поколение семьи Турецких восприняло с облегчением; но только бы Нина по этому поводу не страдала! А то в расстроенных чувствах черт-те что еще способна натворить.

— Мама, папа! — Нинка по очереди обняла их, обдавая морозной свежестью еще не отошедших от холода щек. — Ну чего вы жметесь? Никакой трагедии не произошло, честное слово. Мы расстались по обоюдному согласию. Мы оба согласились, что не подходим друг другу и пока еще не нашли свой идеал...

— Что-что не нашли? — переспросил Александр Борисович, хотя прекрасно все расслышал.

— Идеал. А что? Антоша — он, в общем, ничего, но... А что вы на меня так смотрите?

— Видишь ли, Нина, — сказал свое веское слово глава семьи, — уверен, в твоей жизни встретится еще немало молодых людей — и похожих на Антошу, и совсем, к счастью, непохожих. А вот идеальных нам не надо. Если дружишь с кем, дружи, полюбишь, так люби, но идеалы... Самое ужасное, что можно пожелать человеку, — это чтобы он встретил в жизни свой идеал. Я это в последнее время отчетливо понял.

Финал следствия на редкость скоротечно свершился там же, где и было его начало — в Тропаревском парке. В присутствии понятых, экспертов, водолазов и следователей. Из этой компании хуже всего приходилось водолазам: декабрь «обрадовал» трескучими морозами, которые заставили даже некоторых фанатиков-«моржей» временно отказаться от любимого занятия, и ныряние под лед представлялось служебным подвигом. Понятые, как это обычно с ними бывает, колебались между неловкостью и любопытством. Следователи, в первых рядах которых выступали Саша Турецкий и Слава Грязнов, готовились торжествовать победу и в то же время опасались, что Артем Жолдак приготовил им напоследок какой-нибудь сюрприз. Как ни парадоксально, убийца Великанова из всех собравшихся выглядел самым спокойным и веселым, точно вышел на прогулку. Одет он был полностью в свои вещи, неброские, но дорогие и стильные. Артем Жолдак смотрелся наследным принцем, которого сопровождает на природу его личный эскорт.

— Я не совсем уверен, — доброжелательно, и в то же время с оттенком высокомерия тянул он слова, — я не узнаю местности. Без снега она выглядела несколько по-другому...

От Артема требовалось, чтобы он хотя бы примерно показал у пруда то место, куда забросил пистолет системы «макаров», из которого застрелил Великанова.

— Присмотритесь как следует, — попросил Турецкий.

— Именно это я и собираюсь сделать, — дернул углом рта Жолдак.

Добрых полчаса они бродили по заснеженным берегам вслед за Артемом. Снег пищал под ногами, снег осыпался на шапки и воротники с веток деревьев. Одно дерево показалось Артему знакомым, и вся компания некоторое время водила вокруг дерева хороводы, пока художник по детальном рассмотрении не заявил, что дерево совершенно не то.

— Вы уверены?

— У меня идеальная зрительная память, — оскорбился Артем. — Форма нижних ветвей, их количество, то, как они склоняются... Перепутать я не могу.

Только проинспектировав еще четыре дерева, Жолдак выбрал то самое, из-за которого он вышел, чтобы застрелить свой идеал. После этого указать место, куда, описав дугу, упал «макаров», было парой пустяков. Вынув оборудование, водолазы принялись долбить и высверливать прорубь в застывшей, страшно сверкающей глади Тропаревского пруда.

— От меня еще что-то требуется? — вежливо спросил Жолдак.

— Пока ничего. Подождите.

— Просто ждать — трудно. И жаль. Я хотел бы провести последние часы свободы по своему усмотрению. Могу я слепить снеговика?

Все в недоумении взглянули сперва на Артема, потом — на Турецкого: что главный прикажет? Александр Борисович, подумав, кивнул.

— Правда, по-моему, у вас ничего не получится, — предположил он. — В такие холода снег не лепится.

— Я попробую. Мне кажется, за последний час потеплело.

— Делайте как знаете.

У Турецкого возникла мысль, что Артем выдумал эту затею, чтобы незаметно спрятать или уронить в снег мелкий предмет, который мог быть важен для следствия. Если же нет, это способно оказаться завуалированной попыткой самоубийства: прикидываясь, что разгорячился в процессе лепки, Артем может расстегнуть куртку, снять шарф, надеясь простудиться и заболеть... В любом случае за ним требовался глаз да глаз. Следили бдительно. Однако юный Жолдак, игнорируя пригвождающие его взгляды, принялся за работу. По-видимому, он был прав относительно потепления, потому что скатать три традиционных шара — большой, поменьше и самый маленький — ему удалось без принятия каких-либо дополнительных мер. Разутеплять-ся, снять куртку и шарф он и не подумал...

Турецкий наблюдал за Артемом Жолдаком с досадой, любопытством и недоумением. С его огромным опытом, он не мог припомнить ни одного случая, чтобы обвиняемый в убийстве коротал время, лепя снеговика. Заметьте, не снежную бабу, а именно снеговика — и правда, зачем Артему баба, хотя бы и снежная? Вод-

307

рузив шары в нужном порядке, для фундамента самый большой, наверху самый маленький, Артем принялся за отделку. Его тонкие пальцы в перчатках двигались быстро и точно. Должно быть, занимался скульптурой, в придачу к живописи? Очертания шаров постепенно сглаживались, приобретая форму, близкую к человеческой фигуре...

— Александр Борисыч, — тронул Турецкого за рукав Слава, — ты чаю из термоса не хочешь? С бутербродами! Замерз, небось, как цуцик?

— Ну, если с бутербродами, тогда меня уговаривать не надо.

Отдалившись от группы, никакой чай из термоса они пить не стали. Слава тихонько спросил:

— Что это с ним, как ты думаешь? Чего он добивается?

— Спроси, Слав, чего полегче. Сам голову ломаю, — свирепо прошептал Турецкий, созерцая пруд с его окрестностями. Все выглядело красиво и мирно, точно зимний пейзаж классического голландского художника: одна группа людей лепит снеговика, другая ковыряется на льду, проделывая лунки — должно быть, для рыбной ловли. Ни намека на убийство. На секунду Александр Борисович сам в эту идиллию поверил и разозлился еще сильней.

— Ты думаешь, снеговик как-то связан с пистолетом? — предположил наудачу Слава.

— По-моему, Слава, это бред собачий.

— Вот и мне кажется, бред. А тогда что?

Турецкий, махнув рукой, промычал что-то трудное для понимания и широкими шагами направился обратно к Артему. Слава поспешил за ним.

За время их отсутствия работа над снеговиком продвинулась, но скульптор столкнулся с первыми техническими трудностями: материал ему не повиновался.

Тщетно пробовал Артем усовершенствовать снежную куклу, похожую на чурбашок, внести в ее примитивное строение какие-то тонкие детали: налепляемый им на кукольную голову снег крошился, распадался, сползал, увлекая за собой целые пласты. На лице Артема появилось выражение ребенка, готового заплакать, — диковинное, пока не виденное на этом лице Турецким. Убийца давно прекратил наблюдать за тем, как идут водолазные работы, его, по-видимому, ничуть не интересовали поиски орудия убийства — он целиком погрузился в свое занятие, далекое от дела, в связи с которым его привезли в машине с зарешеченными окнами на Тропаревский пруд.

«Тут что-то другое», — решил Турецкий. Эта мысль, по-видимому, синхронно посетила и Славу, который шепнул другу:

— Знаешь, Саня, по-моему, ничего он не скрывает, ничего не маскирует. Просто лепит.

Тем временем водолазы погрузились под лед. Задача им предстояла та еще: в зимней стылой воде, в темноте, среди ила откопать такую небольшую вещицу, как ПМ. Турецкий подумал, что копаться им не меньше часа, а потом подкорректировал этот чересчур оптимистический прогноз: хорошо, если не полдня!

— Отломите мне ветку с дерева, — неуместно раздался голос Артема. Кажется, он забыл, из-за чего сыр-бор, держа в поле зрения только свою скульптурную работу, которая никак не желала удаваться. А в экспертах, следователях, понятых видел подмастерьев, которые обязаны подать ему нужный инструмент. Причем один из понятых поддался этому повелительному тону и потянулся к нижней ветке...

— Уж простите, гражданин Жолдак, — вмешался Турецкий, — веток и прочих колюще-режущих орудий я вам позволить не имею права. Хотя жаль останавливать творческий полет!

Понятой прервал свое движение, сделав вид, что лично он ничего такого в виду не имел. Артем словно вспомнил, где он и зачем, и не стал настаивать. Только плотнее стиснул зубы, резче обозначив скулы, и с новой энергией принялся катать между ладонями и налеплять катышки снега...

Водолазы работали три часа. Их подводный труд увенчался успехом. Пистолет системы «макаров» извлекли со дна Тропаревского пруда: таким образом, доказательственная база была собрана. К этому времени завершилась также работа над снеговиком, и Артем, готовясь обозреть свое творение, сделал несколько шагов назад.

— Посмотрите внимательно: вы признаете в этом пистолете тот, из которого вы совершили два выстрела в Анатолия Великанова?

— Да. Да. Я же вам сказал: я все признаю.

На пистолет, из которого был убит боготворимый им человек, Артем взглянул рассеянно, стараясь поскорей вернуться к созерцанию снеговика. Как ни покажется странным, это был совершенно особый снеговик. И потому он привлек внимание и Турецкого. Турецкий разглядел его. Тщательно разглядел...

Что ни говори, снеговику трудно придать сходство с человеком — тем более портретное сходство. Это привилегия ледовой скульптуры, где скульптор действует подобно камнерезу, высвобождая свои творения из глыбы специально заготовленного льда. Снег — материал прихотливый, примитивный... Тем не менее, пользуясь этим материалом, Артем Жолдак превзошел самого себя. А может, дело заключалось в страсти, все еще обжигавшей его? Снежная фигура со сложенными за спиной, ясно различаемыми крыльями имела лицо, которое карикатурно, гротескно, но все же угадываемо напоминало Анатолия Великанова.

Когда убийцу уводили, на берегу Тропаревского пруда оставался возвышаться белый памятник убитому. Самый нестойкий памятник на свете. До первой оттепели. В лучшем случае, до весны — как знать? А может, и просто до воинствующих мальчишек, снежками разбомбящих фигуру. Нестойкий, как чувства, соединявшие эту странную пару. «Люблю — убью», вот и все дела. Миг — и живой, одухотворенный идеал превращается в труп, в ничто...

«Нехорошо это, видеть в человеке идеал — в живом человеке, — глубокомысленно перебирал про себя Турецкий размышления, терзавшие его уже не один день. — Еще хуже — видеть в другом человеке собственное подобие и любить его именно за это. Это гордость, самолюбие, жажда самоутверждения, что угодно, но только не любовь, нет, извините, никакая не любовь! Любовь — это, наоборот, то, что позволяет принять чужую непохожесть, даже простить чужие недостатки, которые перестают быть недостатками, потому что принадлежат любимому человеку. Таким, как Великанов и Артем Жолдак, этого не понять: каждый из этих двоих умел любить только себя. Не случайно в своем дневнике Анатолий Валентинович с таким отвращением описывает то, что отличает женщину от мужчины, и то, что нам, обычным нормальным людям, кажется в женщинах привлекательным: их груди, полные бедра, трогательное стремление постоянно охорашиваться, материнские чувства... Этого нет у нас, зато есть у них, и потому это прекрасно. Великанов считал, что если это несвойственно ему, то это дико и гадко. Он видел в себе идеальное создание. Он искал того, кто был бы на него похож... Нашел. И этот человек оказался его смертью. Символично до навязчивости, до приторности.

311

Впрочем, из чего только нельзя соорудить символ в нашем бренном мире...»

Комплексная медико-криминалистическая экспертиза подтвердила, что пули, извлеченные из грудной клетки Великанова, были выпущены из пистолета, обнаруженного на дне пруда в Тропаревском парке. Вторая судебно-криминалистическая экспертиза высказала мнение, что пуля, найденная при осмотре места происшествия, относится к пулям для пистолета системы «кольт». Все совпало. Это не сулило хороших перспектив для Артема Жолдака. Да он уже и не ждал ничего хорошего...

ЭПИЛОГ

Итак, все многочисленные версии, намеченные следствием, были признаны несостоятельными. Исключение составила последняя версия о том, что убийство пластического хирурга Великанова совершил молодой художник Артем Жолдак — человек причудливый, своеобразный, живущий в мире своих мифов, галлюцинаций и снов. Осталось закончить расследование и, в первую очередь, предъявить обвинение Артему Жолдаку. Но при составлении постановления о привлечении обвиняемого к уголовной ответственности, по закону, следователю надлежит указать в этом процессуальном документе, а потом и в обвинительном заключении по делу мотив совершения преступления. Какой же мотив был у Артема Жолдака в тот самый момент, когда он произвел два выстрела в Анатолия Великанова?

Ради решения этого вопроса Меркулов пригласил Грязнова с Турецким на мини-совещание к себе в кабинет. И там, попивая отличный чаек, свежезаваренный вечной и бессменной секретаршей Клавдией, они выдвигали свое прочтение мотива, подтолкнувшего Жолдака к убийству. Точнее, выдвигали Турецкий и Грязнов, Константин Дмитриевич до поры до времени помалкивал, поглядывая на них поощрительно, точно учитель, который ждет, чтобы ученики самостоятельно нащупали решение сложной задачи.

— Чего там рассусоливать, — тривиально высказался Слава Грязнов, — ясно же, как апельсин, что мотив этот — месть! Великанов, по старой дружбе, показал кому-то из российских спецслужб новую фотографию своего пациента, отца Артема, чего делать не должен был ни в коем случае. В результате спецслужбы своими методами ликвидировали сбежавшего из страны олигарха. Я покойного не оправдываю: он, конечно, нарушил врачебную тайну с тяжелыми, трагическими даже последствиями. Вот за это и поплатился!

— Ну подумайте как следует, кто такой Артем Жолдак? — немедленно пустился опровергать Грязнова Турецкий. — Кавказец он, что ли, или корсиканец? Неужели он настолько чтит родоплеменные связи, чтобы мстить за отца? Нет, я не сомневаюсь, что гибель отца могла произвести на него тяжелое впечатление, но чтобы класть за него собственную голову на плаху... Извините, представить себе в этой роли Артема я не могу. Кроме того, учтите особые отношения между ним и хирургом! В этих отношениях заключается корень проблемы. Я бы сказал, что молодой Жолдак убил Великанова из ревности: он приревновал своего кумира к новому фавориту.

Многоопытный начальник Меркулов всех слушал и никого не перебивал. Только глаза его, окруженные сетью знакомых морщинок, становились чуть более печальными... или, может быть, тревожными? И его давние друзья и подопечные не могли понять, справились они с задачей или нет.

— Оба вы не правы, — сказал наконец Меркулов. — Я успел связаться с отечественными спецслужбами, и мне ответственно заявили, что Великанов никогда не нарушал врачебную тайну и не показывал фотографию нового лица Жолдака никому из тружеников российских спецслужб. Открыл тайну этой пластической операции доктор Пол Леви. Это он показал западным спецслужбам преображенное лицо Жолдака, раскрыл тайну его нового имени. Вот неустановленные следствием загадочные люди и ликвидировали господина Жолдака-Шульца за то, что он продавал оружие... мягко выражаясь, не в те страны, в которые положено это оружие продавать.

— Но Артем Жолдак этого не знал, — попытался было спорить недогадливый Слава, но Константин Дмитриевич, словно не обращая на него внимания, продолжал говорить:

— А Артем Жолдак убил талантливого пластического хирурга Анатолия Великанова фактически по ошибке. По своей ошибке, правда, продиктованной замутненным сознанием. Пожалуй, прав Александр Борисович, подозреваемому просто необходимо провести стационарную судебно-медицинскую экспертизу в стенах Центра имени Сербского на предмет определения вменяемости или невменяемости в момент совершения преступления — убийства лучшего пластического хирурга России Анатолия Валентиновича Великанова...

Александр Борисович Турецкий принял этот комплимент в свой адрес без особенного торжества.

— Вот послушайте, что пишет академик Татьяна Дмитриева, главный психиатр России, в «Известиях» за пятое октября сего года. — Меркулов извлек из ящика стола заранее приготовленную, по-видимому, газету, неторопливо развернул, нацепил на нос очки. — Дмитриева считает, что — цитирую! — «половина страны психически расстроена. Триста тысяч человек — это тяжелобольные, находящиеся в стационарах. Самое распространенное психическое заболевание в России — шизофрения: с этим диагнозом живет полмиллиона человек. Психические расстройства входят в пятерку болезней-лидеров и сравнимы с сердечно-сосудистыми болезнями по потере трудоспособности». Удивительно ли, что молодой художник страдает самым распространенным в России заболеванием, то есть шизофренией? Пусть его психикой и займется эта милая дама, академик Татьяна Дмитриева, директор Центра социальной и судебной психиатрии имени Сербского.

Так закончил свою речь мудрый человек, Константин Дмитриевич Меркулов. А к его мнению, как известно, всегда прислушиваются младшие товарищи: и Александр Борисович Турецкий, и Вячеслав Иванович Грязнов.

Покинув меркуловский кабинет, некоторое время друзья двигались в молчании. И только там, где их никто не мог услышать, Слава потихоньку спросил:

— Костя это нарочно, да? Жолдака выгораживает?

— Да не выгораживает, Слав, не выгораживает! Спасает там, где еще можно спасти.

— А по-моему, Артем не заслуживает, чтобы его так уж спасали, — припечатал Слава, забыв, как хвалил картины с ангелами. — Жил за спиной у богатого папы, фактически, жизни не знал. А стоило ему столкнуться с первыми трудностями, стал убийцей...

— Ты, Слава, наверное, прав, но мы все-таки не садисты. В случае полной психической вменяемости Артему Жолдаку светит только зона, а представляешь, что с таким, как он, на зоне сделают? Там его ля-ля насчет душевной общности не проканает: мигом душевную общность в телесную переведут. Да еще не про-

315

сто общность, а, извините, всеобщность. Что художником он после такого не останется, это точно; не знаю, останется ли человеком... Психушка, даже судебная, это, по-моему, лучший вариант. Да о чем мы тут с тобой спорим? Наше дело — направить на экспертизу, а дальше пусть психиатры сами думают.

Слава задумчиво посопел носом.

— Все загадки в этом деле вроде бы разрешились. Кроме одной...

— Поездка в Видное? — продемонстрировал проницательность Турецкий. И угодил в точку.

— Вот именно! Очень мне хотелось спросить Костю, кому принадлежал этот грязный «БМВ», который нас так по-наглому вел, и как ему удалось беспрепятственно миновать все дорожные патрули. Может, Костя и знает! Но как-то не спросилось...

— Не спросилось — и правильно, — утешил друга Турецкий. — Меньше знать — крепче спать. По моему авторитетному мнению, если тут задействованы фээсбэшные игры, Костя все равно не проговорился бы. Так что советую тебе больше об этом не думать. Неужели ты и на самом деле хочешь, чтобы все загадки оказались разгаданными? Так бывает только в детективных романах. А вокруг нас — извини, не детектив, а настоящая жизнь!

ОГЛАВЛЕНИЕ

Глава первая. Кровь в тропаревском парке 5

Глава вторая. Следственная рутина 21

Глава третья. Скульпторы человеческой плоти,
добросовестные и не очень 36

Глава четвертая. Скальпель в свете софитов 61

Глава пятая. Кто убивает врачей?
Конечно, пациенты!... 103

Глава шестая. Нервными бывают
не только пациентки 120

Глава седьмая. За дело берется Турецкий 140

Глава восьмая. Подозреваемые отсеиваются 160

Глава девятая. Парадоксы семейной жизни 179

Глава десятая. Тайны Анатолия Великанова,
интимные и служебные 204

Глава одиннадцатая. Предсмертные записки
о любви 225

Глава двенадцатая. Смертельное шоу
по изменению лица 258

Глава тринадцатая. Ледяные крылья 283

Эпилог... 312

Незнанский, Ф.Е.

Н44   Операция «Сострадание» : [роман] / Фридрих Незнанский. — М.: АСТ: Олимп, 2006. — 315, [5] с. — (Марш
Турецкого).

ISBN 5-17-037592-1 (ООО «Издательство АСТ»)
ISBN 5-7390-1899-4 (ООО «Агентство «КРПА «Олимп»)

Ранним утром в Тропаревском парке возле пруда двумя выстрелами
в грудь убит Анатолий Великанов — знаменитый пластический хирург,
звезда телевизионного шоу «Неотразимая внешность». Немало находится людей, которым его убийство было выгодно. Но все версии не
приносят результата, пока за дело не принимается Турецкий. Он
обнаруживает, что у Великанова была тайная, скрытая даже от самых
близких людей жизнь…

УДК 821.161.1-312.4
ББК 84(2Рос=Рус)6-44

Литературно-художественное издание

Незнанский Фридрих Евсеевич

ОПЕРАЦИЯ
«СОСТРАДАНИЕ»

Редактор *В.Е. Вучетич*
Художественный редактор *О.Н. Адаскина*
Компьютерный дизайн: *Б.Б. Протопопов*
Компьютерная верстка: *И.И. Дубровская*
Корректор *Н.В. Антонова*

Общероссийский классификатор продукции
ОК-005-93, том 2; 953000 — книги, брошюры

Санитарно-эпидемиологическое заключение
№ 77.99.02.953.Д.001056.03.05 от 10.03.2005 г.

ООО «Издательство АСТ»
170000, Россия, г. Тверь, пр. Чайковского, д. 19А, оф. 214
Наши электронные адреса:
WWW.AST.RU E-mail: astpub@aha.ru

ООО «Агентство «КРПА «Олимп»
117419, Москва, ул. Орджоникидзе, д. 3, под. 2
www.rus-olimp.ru
E-mail: olimpus@dol. ru

Издано при участии ООО «Харвест».
Лицензия № 02330/0056935 от 30.04.04.
РБ, 220013, Минск, ул. Кульман, д. 1, корп. 3, эт. 4, к. 42.

Республиканское унитарное предприятие
«Издательство «Белорусский Дом печати».
220013, Минск, пр. Независимости, 79.